FRENCH POETRY FROM BAUDELAIRE TO THE PRESENT—Since the publication of Baudelaire's LES FLEURS DU MAL, *modern French poetry has developed in a rich, uninterrupted line, with tremendous influence on English verse. The earliest poet represented in this anthology is Gérard de Nerval, the forerunner, with Baudelaire, of Symbolism. The youngest is Philippe Jaccottet, now in his thirties.*

Grouped in more or less chronological order, the poems have been selected to illustrate the finest and most characteristic contributions of each poet. Each poem is accompanied by a literal prose translation. The editor has also provided a bibliography rich in general critical works as well as helpful guides to the lives and works of the individual poets.

In her introduction Miss Marks traces the literary and historical background of such movements as Romanticism, l'esprit nouveau *and Surrealism. She provides critical perspectives on the individual poets and explores their techniques and use of language in expressing the anxieties of modern life.*

ELAINE MARKS, *Associate Professor of French at New York University, is the author of a recent assessment of the life and works of Colette.*

A LIST OF AVAILABLE TITLES

Chrétien de Troyes, YVAIN OU LE CHEVALIER AU LION. *Introduction and notes by Julian Harris.*

Molière, LE TARTUFFE and LE MÉDECIN MALGRÉ LUI. *Introduction and notes by Jacques Guicharnaud.*

Jean Racine, BRITANNICUS and PHÈDRE. *Introduction and notes by George B. Daniel, Jr.*

Pierre Corneille, POLYEUCTE and LE MENTEUR. *Introduction and notes by Georges May.*

Denis Diderot, JACQUES LE FATALISTE. *Introduction and notes by J. Robert Loy.*

Honoré de Balzac, LA PEAU DE CHAGRIN. *Introduction and notes by Victor Brombert.*

Stendhal, LE ROUGE ET LE NOIR. *Introduction and notes by Alvin A. Eustis, Jr.*

Gustave Flaubert, MADAME BOVARY. *Introduction and notes by Iris Friederich.*

19TH CENTURY FRENCH SHORT STORIES. *Introduction and notes by Charles E. Garlut.*

Albert Camus, DE "L'ENVERS ET L'ENDROIT" À "EXIL ET LE ROYAUME." *Introduction and notes by Germaine Brée.*

Jean Giraudoux, LA FOLLE DE CHAILLOT and L'APOLLON DE BELLAC. *Introduction and notes by Thomas Bishop.*

THREE PHILOSOPHICAL VOYAGES, Cyrano de Bergerac: LES ÉTATS ET EMPIRES DE LA LUNE (selections) and Voltaire: MICROMÉGAS and CANDIDE. *Introduction and notes by Julian Eugene White, Jr.*

THREE MODERN FRENCH PLAYS OF THE IMAGINATION, Neveux: JULIETTE OU LA CLÉ DES SONGES, Ghelderode: CHRISTOPHE COLOMB, and Ionesco: LES CHAISES. *Introduction and notes by Leonard C. Pronko.*

Anouilh: ARDÉLE and PAUVRE BITOS. *Introduction and notes by Raymond T. Riva.*

French Poetry from Baudelaire to the Present

with English prose translations

Introduced and edited by Elaine Marks

Germaine Brée, General Editor, French Series

THE LAUREL LANGUAGE LIBRARY

Published by
Dell Publishing Co., Inc.
750 Third Avenue, New York 17, N.Y.

© *Copyright, 1962, by Dell Publishing Co., Inc.*

Laurel ® *TM 674623, Dell Publishing Co., Inc.*

Typography by R. Scudellari
First printing—November, 1962
Second printing—December, 1965
Third printing—November, 1967

Printed in U.S.A.

ACKNOWLEDGMENTS: The following selections in this anthology are reproduced by permission of the authors or their publishers to whom grateful acknowledgment is made:

Louis Aragon for his poems. Pierre Emmanuel for his poems.

Librairie Gallimard for the works by the following poets: Paul Valéry, Paul Claudel, Charles Péguy, Guillaume Apollinaire, Léon-Paul Fargue, Jules Supervielle, Saint-John Perse, Jean Cocteau, Paul Eluard, Jacques Prévert, Henri Michaux, Francis Ponge, and Philippe Jaccottet; for the poems from *Le Cornet à dés* and *Le Laboratoire central* by Max Jacob; the poem from *Corps et biens* by Robert Desnos; and the poems by René Char.

Editions Denoël for the poems by Blaise Cendrars.

Mercure de France for the poems by Pierre Reverdy, Yves Bonnefoy, and Pierre Jean Jouve, to whom thanks are also given.

Sagittaire for the work by André Breton.

Librairie Gründ for the poem from *30 Chante-fables pour les enfants sages* by Robert Desnos.

Mme. Carmen Baron for the poem from *Les Pénitents en maillots rose* by Max Jacob.

Contents

Introduction   11

Gérard de Nerval   37
  Les Chimères (1854): El Desdichado, Myrtho, Horus,
  Antéros, Delfica, Artémis

Charles Baudelaire   41
  Les Fleurs du mal (1857, 1861, 1868):
    SPLEEN ET IDÉAL: Au Lecteur, IV. Correspondances,
    XVII. La Beauté, XXI. Hymne à la beauté, XXIII. La
    Chevelure, XXXVI. Le Balcon, XLVII. Harmonie du
    soir, LIII. L'Invitation au voyage, LVI. Chant d'au-
    tomne, LXII. Moesta et Errabunda, LXXV. Spleen,
    LXXVI. Spleen, LXXVII. Spleen, LXXVIII. Spleen
    TABLEAUX PARISIENS: LXXXIX. Le Cygne, XCIII. A une
    passante, CII. Rêve parisien
    LA MORT: CXXVI. Le Voyage
  Nouvelles Fleurs du mal (1866): Recueillement
  Le Spleen de Paris (1869): L'Etranger, Le Mauvais
  Vitrier, Le Vieux Saltimbanque, Un Hémisphère
  dans une chevelure, L'Invitation au voyage, Enivrez-
  vous, Les Fenêtres, Anywhere out of the World

Stéphane Mallarmé   86
  Premiers Poèmes (1887): Le Pitre châtié (1864)
  Du Parnasse contemporain: Les Fenêtres (1863), Brise
  marine (1865)
  Autres Poëmes: L'Après-midi d'un faune (1865–1876),
  La Chevelure (1887)

Plusieurs Sonnets: « Le vierge, le vivace et le bel aujourd'hui » (1885)

Hommages et tombeaux: Le Tombeau d'Edgar Poe (1876), Le Tombeau de Charles Baudelaire (1893)

Autres Poëmes et sonnets: « A la nue accablante tu » (1895)

Arthur Rimbaud   98

Poésies (1870): Roman, Le Dormeur du val

Poésies (1871): Tête de faune, Le Bateau ivre, Voyelles

Fêtes de la patience: Chanson de la plus haute tour, L'Eternité

Une Saison en enfer (1873): « O saisons, ô châteaux! »

Les Illuminations (1886): Après le Déluge, Matinée d'ivresse, Aube, Fleurs, Marine, Barbare, Démocratie

Paul Verlaine   115

Poèmes saturniens (1866): Mon Rêve familier, Chanson d'automne

Fêtes galantes (1869): Clair de lune, Le Faune

La Bonne Chanson (1870): « La lune blanche »

Romances sans paroles (1874): « Dans l'interminable, » Bruxelles (Chevaux de Bois)

Sagesse (1881): « Mon Dieu m'a dit: « Mon fils il faut m'aimer. Tu vois, » » « Le ciel est, par-dessus le toit »

Jadis et naguère (1884): Art poétique, Langueur

Amour (1888): Parsifal

Dédicaces (1890): A Stéphane Mallarmé

Jules Laforgue   126

Les Complaintes (1885): Complainte de Lord Pierrot, Complainte du Roi de Thulé, Complainte de l'oubli des morts, Litanies des premiers quartiers de la lune

Derniers Vers (1890): L'Hiver qui vient

Isidore Ducasse, Comte de Lautréamont   136

Les Chants de Maldoror (1874): Extrait du premier chant, « Je me propose, sans être ému ... »

Paul Valéry   *141*

    Album de vers anciens (1920): Féerie
    Charmes (1922): Aurore, Les Pas, La Dormeuse, La
    Pythie, Le Cimetière marin, Palme

Paul Claudel   *163*

    Cinq Grandes Odes (1910): III. Magnificat (1907)

Charles Péguy   *186*

    Le Porche du mystère de la deuxième vertu (1912): « O
    nuit, ô ma fille, la Nuit … Mais surtout, Nuit tu me
    rappelles cette nuit » (Extrait)
    Châteaux de Loire
    La Tapisserie de Notre Dame (1913): Présentation de
    la Beauce à Notre Dame de Chartres (Extrait)
    Eve (1914): « Heureux ceux qui sont morts pour la
    terre charnelle, … Heureux les épis mûrs et les blés
    moissonnés » (Extrait)

Guillaume Apollinaire   *195*

    Alcools (1913): Zone, Le Pont Mirabeau, La Chanson
    du mal-aimé, Marie, Saltimbanques
    Calligrammes (1918): Liens, Les Fenêtres, La Jolie
    Rousse

Alfred Jarry   *221*

    Ubu Roi (1896): La Chanson du décervelage

Max Jacob   *223*

    Le Cornet à dès (1917): Le Cygne (Genre essai plein
    d'esprit)
    Le Laboratoire central (1921): Invitation au voyage
    (écrit en 1903)
    Les Pénitents en maillots roses (1925): La Saltimbanque
    en wagon de 3me classe

Léon-Paul Fargue   *226*

    Ludions (1929): Merdrigal
    Pour la musique (1947): Aubes

Blaise Cendrars   228

   Feuilles de route (1924): Clair de lune, Couchers de
   soleil

Pierre Reverdy   230

   Cale sèche (1913 and 1914–1915): Crève-Cœur
   Poèmes en prose (1915): Saltimbanques
   La Balle au bond (1928): Un Homme fini
   Le Chant des morts (1948) : Longue Portée

Jules Supervielle   233

   Poèmes (1919): A moi-même quand je serai posthume
   Gravitations (1925): Prophétie
   Les Amis inconnus (1934): « Visages de la rue, quelle
   phrase indécise »
   Poèmes (1939–1945): La Dormeuse
   Oublieuse Mémoire (1949): La Mer

Saint-John Perse   237

   Eloges (1911): xv. « Enfance, mon amour, j'ai bien
   aimé le soir aussi »
   Anabase (1924): i. « Sur trois grandes saisons m'établissant avec honneur, » vii. « Nous n'habiterons pas
   toujours ces terres jaunes, notre délice »
   Exil (1942): i. « Portes ouverts sur les sables, » ii. « A
   nulles rives dédiée, » iii. « ... Toujours il y eut cette
   clameur, » vii. « ... Syntaxe de l'éclair »
   Amers (1957) : « Et vous, mers, » « Etroits sont les vaisseaux, » « Midi, ses fauves »

Pierre Jean Jouve   252

   Sueur de sang (1933): Incarnation
   Matière céleste (1937): Hélène
   La Vierge de Paris (1946): Ville atroce
   Langue (1952): « Les instabilités profondes du Divers »

André Breton 256

    Manifeste du Surréalisme (1924): « En hommage à Guillaume Apollinaire »

    L'Union libre (1931): « Ma femme à la chevelure de feu de bois »

Jean Cocteau 262

    Poésies (1920) : Midi, Féerie, Mouchoir

    Vocabulaire (1922): « Les Anges maladroits »

    Opéra (1925–1927): Jeune Fille endormie

Paul Eluard 266

    Choix de poèmes (1946): Pour vivre ici (1918)

    Capitale de la douleur (1926): L'Amoureuse (1923)

    Les Yeux fertiles (1936): « On ne peut me connaître » (1935)

    Au rendez-vous allemand (1944): Gabriel Péri

    Le Temps déborde (1947): L'Extase

Louis Aragon 270

    Le Mouvement perpétuel (1925): Persiennes

    Le Crève-cœur (1941): Les Lilas et les roses

Robert Desnos 272

    Corps et biens (1930): Poème à la mystérieuse (1926)

    30 Chante-fables pour les enfants sages (1944): Le Pélican

Jacques Prévert 274

    Paroles (1946): Pour toi mon amour, La Cène, Cortège

Henri Michaux 276

    La Nuit remue (1935): Mon Roi

    Plume (1937): Dans la nuit, Un Homme paisible

    Exercices, exorcismes (1947): Immense Voix

Francis Ponge   282

  Le Parti pris des choses (1942): La Fin de l'automne,
  La Cigarette

René Char   285

  Seuls demeurent (1945): Congé au vent
  Le Poème pulvérisé (1947): Marthe
  A une sérénité crispée (1951): « Si les pommes de terre
  ne se reproduisent plus »
  A*** (1950)

Pierre Emmanuel   287

  Jour de colère (1942): Juifs
  Chansons du dé à coudre (1947): Seuls comprennent
  les fous
  Poèmes inédits (1959)   (from *Poètes d'Aujourd'hui*):
  Erotique

Yves Bonnefoy   291

  Du mouvement et de l'immobilité de Douve (1953): Art
  poétique, « Le jour franchit le soir, il gagnera »
  Hier régnant désert (1958): La Beauté, Toute la Nuit

Philippe Jaccottet   293

  L'Effraie et autres poèmes (1954): « Comme je suis un
  étranger dans notre vie »

A Note on French Prosody   294

Suggested Methods of Poetic Analysis   295

Biographical and Critical Notes......299

Bibliography   312

Introduction

> Ce n'est point avec des idées qu'on fait des sonnets,
> Degas, c'est avec des mots. *Mallarmé*

> But the greatest thing by far is to have a command of
> metaphor. This alone cannot be imparted by another;
> it is the mark of genius, for to make good metaphors
> implies an eye for resemblances. *Aristotle*

The critical study of poetry has established one absolute
statement that can be made about poetry: a good poem is
capable of deepening and on occasion of transforming our
sensibility. Whether or not it reveals universal truths,
whether or not it can or need be analyzed methodically, a
good poem brings one closer, if only momentarily, to some
new intuition of man and the world. In this respect a poem
operates no differently from a novel or a play, or indeed
from any other art form. A true reader of poetry, however,
is the least passive, the most creative of artistic participants.
For poetry, and particularly modern poetry, is the art of
condensation and concentration, a cryptogrammatic and
delicate blending of the rational and irrational. At its best
modern poetry is what Baudelaire called a "suggestive
magic," demanding the highest degree of intellectual attention and perceptivity from its readers.

The evolution of French poetry has been such that between the great Romantics and most of the modern poets
represented here there may seem to be no apparent link.
Yet Nerval and Baudelaire, whose poems begin this anthology, are both the last and perhaps the greatest of the French
Romantic poets, as well as the first of the moderns.

In the 1820's and 30's French Romanticism had restored
the prestige of lyrical poetry, a prestige that had been lost

in France for almost two centuries. The poetry of Vigny, Lamartine, Hugo, and Musset was symptomatic of a widespread nineteenth-century reaction against the overwhelmingly rationalist tradition French literature had inherited from the seventeenth and eighteenth centuries. The Romantic poets claimed they were liberating the art of poetry from its classical chains. However, their poetry, and particularly the language of their poetry, was far from revolutionary. The Romantics permitted themselves certain freedoms in versification; they became less concerned about such formalities as whether their poems were odes, elegies, or ballads; and here and there they began to accept words from an everyday vocabulary instead of exclusively the noble periphrases that alone had been considered fitting in the past. But such changes were more in the nature of reform than revolution. French Romantic poetry projected subjective emotions, sometimes with great strength and beauty, but by and large its lyricism remained declamatory and oratorical in nature. It appears today that Victor Hugo and the Romantics merely paved the way for the revolution another generation was to carry through.

With the beginning of the revolt again Romanticism, roughly during the latter half of the nineteenth century, the problem of renewing language became the primary and explicit concern of French poets. The great post-Romantics were not content merely to write poetry. They also wrote about poetry, incorporating their ideas about its nature, role, and functions into the very stuff of their poems. Important expositions of poetic theory were explicit in such poems as Victor Hugo's "La Fonction du poète," and Théophile Gautier's "L'Art" from *Emaux et camées*. Gautier and Théodore de Banville, two transitional poets writing in the 1850's, were leaders of the group known as Parnassians. Scornful of the lyrical effusions of the Romantics, they strove to create a poetry based on images and the precise and objective imitation of reality. But the Parnassians, like the Romantics, seem to have failed to understand the true needs of the literary revolt in which they were involved. Perhaps this is why their poetry pales when set beside that of their successors.

For it was Baudelaire, writing and publishing during the same years as the Parnassians, who created for French and indeed all modern poetry a new language and a new sensibility. With Baudelaire comes the crystallization of a belief in the poet as a conscious creator. To him and to the great poets who followed in his wake, the creative act became the supreme act, the only act to have any meaning, to give any meaning to life. German Romanticism, the illuminist tradition, scientific advances, the periodic political upheavals and evolutions in social philosophy in nineteenth-century France: all these influences played an important role in the formation of the poets included in this anthology. With Baudelaire there was the added discovery of Edgar Allan Poe, whose writings sprang from the same mystical and irrational approach to art that was the core of Romanticism, with one highly significant difference: Poe's unswerving faith in the poet as a conscious creator, a belief completely absent from the amorphous religiosity of French Romantic esthetics.

The notion that the artist does not imitate nature, but rather interprets, rivals, and surpasses it through his creations seems fundamental to almost every form of modern art. Undoubtedly it was this belief that furnished the impetus to modern poetry. All the great poets of the second half of the nineteenth century had extra-literary intentions: that is, they sought to infuse suggestions of transcendent power and meaning into their art. Baudelaire's search for the Ideal, Rimbaud's quest for the "future vigueur" that would transform men, Mallarmé's for the words that would mime the order of the universe, underline the metaphysical-religious objective of their poetry. For these poets, and for their followers, secondary writers who called themselves Symbolists, the artist's role became that of a sort of high priest, if not a god, whose artistic creations take on a kind of sacred character. One need not accept their theories as gospel, to be sure. But the promethean aims that were an integral part of the Symbolist credo help illuminate certain aspects of these works. Whether or not the poets achieved or attained what they hoped to through the creative act, they left behind many exceptionally fine poems, a number

of them great. Moreover, the influence of their poetic theories on the generations that followed them has yet to diminish.

When it comes to a consideration of craft and form, however, modern French poetry, like Romantic poetry, appears more revolutionary in spirit than in fact. Even the valuable experiments in free verse and prose poetry of poets as different as Baudelaire, Rimbaud, Laforgue, Lautréamont, Claudel, Saint-John Perse, and René Char attest to the victory of certain rhetorical elements over any attempts at a fundamental transformation of the language of French poetry through abundant imagery or rhythmic variations. Poetry may well serve as a means of exploring and discovering the unknown. But despite the metaphysical and epistemological possibilities one may attribute to simile, metaphor, syntax, rhythm, and free verse, it is nonetheless apparent that the French language, by its very nature, is a conservative force that tends to strengthen a continuity in poetic tradition. The twelve-syllable alexandrine is still the most frequently used line in French poetry. And all the variations in the placing of the caesura or hiatus to effect new stresses or rhythmical groups within the line and between the lines merely demonstrate within what limits the alexandrine has been (or can be) modified since Racine.

THE BIG SEVEN: GIANTS AND DEMONS

> Tout vit, tout agit, tout se correspond.   *Nerval*

> Un désir indéniable à mon temps est de séparer comme en vue d'attributions différentes le double état de la parole, brut ou immédiat ici, là essentiel.   *Mallarmé*

GÉRARD DE NERVAL (1808–1855) was deeply influenced by such German Romantics as Novalis and Holderlin, and also fascinated by oriental esoteric cults. His poetry is suffused with religious mysticism and syncretism, with his quest for the eternal feminine. His remarkable blending of mysticism and his personal experience within a traditional literary form is the most original aspect of the twelve son-

nets he published in 1854 under the title *Les Chimères*.

Nerval was the first modern French poet to whom imagery was neither an adornment nor an embellishment, but the very essence of the poem. His hauntingly beautiful sonnets are projections of a fragile inner world whose precarious equilibrium seems to depend entirely on the fourteen rigorous alexandrine lines. For Nerval, poetry was a means of personal salvation, a therapeutic activity, as well as a proof of the reality of his inner world. His technical skill as a poet enabled him to impose order upon chaos. The sonnets reveal the curious logic inherent in his dreams and hallucinations, the unity of vision of a tormented mind. Although the poetic doctrine of *correspondances* or synesthesia is usually attributed to Baudelaire and his famous sonnet "Correspondances," Nerval had the intuition of the fundamental unity of the universe and had experimented with the poetic possibilities inherent in that idea.

Far better known than his contemporary Nerval, CHARLES BAUDELAIRE (1821–1867) is generally considered the originator of modern French poetry. He published many more poems than Nerval, and his work had more variety. It was also censured, and therefore more widely read. The extreme of ecstasy *(idéal)* and despair *(spleen)*, the unsuspected analogies between the external world and the mental universe, these are central themes in Baudelaire's poetry. As did Nerval, Baudelaire fused certain romantic themes with his personal experience, transposing them into a sonorous and highly original poetic idiom. Although several contemporary critics (not themselves poets) have attempted to belittle the value of Baudelaire's achievement, he remains one of the greatest and probably the most influential of French poets.

Les Fleurs du mal, the collective title of Baudelaire's poems, comprises a devastating image of the spiritual and physical anxieties of modern man. The themes of exile, voyage, the lost paradise of childhood, eroticism, sadism, revolt, artificial paradises induced by alcohol and drugs, intertwine to form the portrait and provide the analysis of a neurotic, urbane sensibility. Mallarmé's haunted, sterile poet, Rimbaud's fallen angel and *voyou*, Verlaine's hope-

lessly melancholy "Je," Laforgue's ironic and befuddled Pierrot, Lautréamont's sadistic Maldoror, all the dramatis personae of nineteenth-century French poetry since Baudelaire have their origins in *Les Fleurs du mal.*

Baudelaire's essays and articles about poetry and art, in spite of many borrowings, constitute a poetic philosophy capable of almost limitless development. His voyage in search of the Ideal gave a direction to modern poetry that was followed and modified by Mallarmé and the Symbolists, enlarged upon by Rimbaud, Laforgue, Lautréamont, Apollinaire and eventually the Surrealists. The core of Baudelaire's poetic philosophy is perhaps best summarized in these lines from his essay "L'Art philosophique":

> Qu'est-ce que l'art pur suivant la conception moderne? C'est créer une magie suggestive contenant à la fois l'objet et le sujet, le monde extérieur à l'artiste et l'artiste lui-même.

Applied to poetry, the phrase "pure art" implied the desire to separate poetry from prose, to discover the essence of the former, and to free it from the domain and the limitations of the latter. The verb *créer* emphasizes that the poet is a creator of artifacts and not an imitator of nature. *Une magie suggestive* describes the delicate balance between the sensual and the supernatural that exists in much of modern poetry, particularly in *Les Fleurs du mal.* Baudelaire's definition of "pure art" is a definition of metaphor, which for him is synonymous with poetry. To Baudelaire a poem is a metaphor illustrating the unity that exists between subject and object, the exterior world and the artist. Within his poems at least, Baudelaire could achieve the Ideal, that harmony between the sensual and the spiritual which replaces anguished conflict.

The poetry of STÉPHANE MALLARMÉ (1842–1898) is the result of a long and persistent struggle to create an autonomous poetic language comparable to musical notations. Mallarmé may be called a literary saint, or a literary martyr. Although at the beginning he seemed to be crying his message in the wilderness, from 1884 on his apartment on the rue de Rome in Paris became the gathering place for

such avid listeners and disciples as Whistler, Degas, Yeats, André Gide, and Paul Valéry. Far more than his poetry, it was Mallarmé's devotion to literature that greatly influenced the young artists.

Perhaps no poet has ever been so exclusively preoccupied by the problem of poetry and language as was Mallarmé. His letters and meditations reveal the successive stages in the evolution of his thought, from Baudelairean esthetics to his own highly complex notion of true poetry as both an orphic explanation of the world and a literary game. Whereas Baudelaire conceived of poetry as a means of revealing the universal analogy, Mallarmé saw in it a means of destroying the material universe, the concrete object. Through words used as separate blocks, he would erect his own vision of the essential structures of the universe. Mallarmé was fully aware of the fact that his poetic philosophy and the poems he created would receive a hostile reception. Because he considered poetry a sacred ritual reserved for an initiated elite, he deliberately put up certain barriers to preclude a larger reading public.

Mallarmé brought language and poetry to a point of immobility, the white unsullied page. His insistence upon the absolute purification of his means of expression could lead only to silence.

Although he too shows affinities with Baudelairean esthetics, ARTHUR RIMBAUD (1854–1891) moved in a direction completely different from that of Mallarmé. Mallarmé reworked and polished an already refined vocabulary, always keeping within the bounds of traditional verse forms. Rimbaud, on the other hand, used both a poetic and an everyday language, as had Victor Hugo before him. He also coined words, adapted traditional verse forms or broke with them if he deemed it necessary. If Mallarmé was a kind of high priest quietly chanting his liturgy inside the temple walls, Rimbaud was a rebellious outcast, a fallen angel sometimes vociferating, sometimes singing his message of a lost paradise and present hell. As poet of revolt, be it social, political, psychological, or metaphysical, and as the poet of childhood, innocence, wonder, and oneness, Rimbaud has enjoyed the rare good fortune of always re-

maining topical. Reacting against the subjectivity of Romantic lyricism, Rimbaud sought to express his inner world objectively, to explore what we call today the subconscious and to explore it lucidly. Drugs, alcohol, sexual perversion, and orgies were part of a conscious plan whereby Rimbaud hoped to exhaust all sense experiences and to distill the essence of these experiences in his poems. He attempted to enlarge his own capacities to feel and understand and those of the reader; he was attempting to transform himself and humanity.

Rimbaud's short-lived, precocious literary career has become as exemplary in its way as Mallarmé's patient dedication. His poetry and his extraordinary life have not ceased to fascinate and give rise to legend. Perhaps the greatest enigma of Rimbaud's work is that despite the violent, passionate, and chaotic aspects of his private world he nevertheless produced, in a comparatively short time, poetry that rivals that of the most consummate artists.

For many Anglo-Saxon readers, PAUL VERLAINE (1844–1896) is the greatest French poet. This admiration is easily explained. The reaction against rhetoric and logical discourse in French poetry was part of the revolution implicit in Baudelaire's conception of "une magie suggestive." Mallarmé and Rimbaud continued this revolution, Mallarmé by disrupting the normal syntactical order of the sentence, and Rimbaud with his abundant imagery. But neither of these poets accomplished what is often considered in English poetry the highest attainment: poetry that is a song. To grasp the intellectual content of Mallarmé and Rimbaud requires the re-establishing of normal syntax and the prosaic analysis of imagery; rhetoric is thus restored. Verlaine, however, is not an intellectual poet, nor did he have a complex poetic philosophy. We might almost say that Verlaine reduced the notion of correspondences to its simplest form: the relation between the exterior world and the poet's mood. Thus there is almost nothing to struggle with or to analyze in his poetry. There is no problem of comprehension. But there is, in his better poems—Verlaine was the most prolific of the nineteenth-century poets included in this anthology—that songlike quality so pleasing to the ear.

Through a subtle blending and repetition of vowels, and the novel use of short lines with an odd rather than an even number of syllables, Verlaine departed from traditional rhythms and created some of the most lyrical poems in all of French literature.

JULES LAFORGUE (1860–1887) has had a greater influence on English and American poetry, particularly on T. S. Eliot, than any other poet of the second half of the nineteenth century. His particular form of irony permits the poet to be sentimental and tragic and then to see himself as sentimental and tragic. The tortured self is constantly deflated through Laforgue's playful mingling of lyrical and comic free-verse lines. His poems thus contain their own commentary, and are both finished product and workshop. Laforgue's greatest originality is to have combined the language of poetry and the language of prose, treating the encroachment of harsh reality on the poet's inner world in a new and gently humorous way, which, paradoxically, heightens its dramatic intensity.

Some 40 or 50 years after his death, Isidore Ducasse (comte de LAUTRÉAMONT) (1846–1870) became an idol of the Surrealists. His major work, the long prose poem *Les Chants de Maldoror,* may be compared to Rimbaud's *Une Saison en enfer,* although Lautréamont's imagery, unlike Rimbaud's, tends to become superfluous, and his exploration of evil at times degenerates into puerile sadism. Lautréamont is the only important nineteenth-century poet whose vision of the human condition does not contain the *spleen-idéal* duality. For Lautréamont there is only *spleen* —evil, ferocity, cruelty.

THE EARLY TWENTIETH CENTURY

Il n'y a pas de doctrine vraie en art, parce qu'on se lasse de tout et que l'on finit par s'intéresser à tout. *Valéry*

Although no great poetry was produced at the turn of the century, the successive schools and manifestoes attest to a continued vigorous interest. It was after all difficult to write poetry in the wake of Baudelaire, Mallarmé, and Rimbaud.

Somewhat in desperation the short-lived Ecole Romane, in 1890, called for a return to the inspiration of seventeenth-century classicism. Four years earlier a group of secondary poets who called themselves Symbolists produced a *Manifeste du symbolisme*. The younger men were still digesting the message and doctrines of their elders, which only too often they codified and illustrated by mere imitation.

In general the poets of the late nineteenth century could and did withdraw from the political and social scene of their time. Poets of the twentieth century, however, could not remain unaffected by the political and social scene. Two world wars, the concentration camp, and the German occupation were to invade even the most isolated of private worlds. And yet the tendency to return to reality, to the concrete and its relation to men, began before the First World War. To some extent this was a reaction against the dead end of Symbolist abstraction, a formalized doctrine that no longer corresponded to the poet's own experience, to his vision of the world. It was also a reaction against the nihilistic pessimism of the nineteenth century "fin de siècle."

PAUL VALÉRY (1871–1945) belongs to the already classical generation of French writers born around 1870: Proust, Gide, Claudel, Alain, Péguy, Colette. For Valéry, Proust, Gide, and Claudel Symbolism was both an influence and a force to repel, as Romanticism had been for Nerval and Baudelaire. Valéry was Mallarmé's most ardent and perhaps most critical admirer. He is also one of the great literary de-mystifiers and one of the very rare French poets who never made excessive claims for poetry. Although Valéry seems to be the last representative of a certain form of intellectual poetry in France, the last too of the French poets to come under the influence of Edgar Allan Poe, his theory of poetry continues to play an important role in contemporary criticism.

Valéry's efforts to destroy poetic myths without destroying the lyrical quality of his poetry made him seem singularly out of joint with the times during the Surrealistic wave from 1920 to 1940. While the Surrealists were en-

gaged in proclaiming the triumph of dreams and the subconscious over all logical forms of reasoning, Valéry was
attempting a lucid and rational analysis of the creative
process. He stubbornly refused to attribute mystical powers
to poetry, to see poetry as anything more than a product of
the conscious mind. Poetry for Valéry was essentially a
question of rhythm, pitch, rhyme, and syllables. It did not
mime the order of the universe, but projected the advances,
retreats, and stumblings of the human mind at work. To
assure himself of the maximum of conscious effort, Valéry
carefully chose the most demanding patterns of traditional
versification. The sensuous nature of his imagery plays
much the same role in relation to the inner drama of his
poetry as does the human body to the human mind. A poem
by Valéry has the grace and charm of certain of those intricate, exotic dances which represent some aspect of the
gratuitous closed universe of human thought struggling
with itself.

One could hardly conceive of two poets as different as
Valéry and PAUL CLAUDEL (1868–1955). Rimbaud and
Catholicism furnished Claudel with a double religion which
he welded into his own personal symbolic-Catholic vision
of the world. The unity that Baudelaire, Mallarmé, and
Rimbaud sought through their poetry exists for Claudel
because God exists. Claudel saw himself as poet-creator
disclosing this unity to mankind through an imitation of
the word already proffered by God. All Claudel's poems
are hymns dedicated to the greater glory of his Lord. Every
human act, every object has its symbolic place within the
universe he perceived and within his poems. The design or
pattern of his poems reveals the transcendent meaning of
each separate part. As if to underline the immensity of
God's creation, Claudel shunned traditional, restrictive verse
forms. He claimed that the line of poetry he used, which he
called the "verset," reproduces both the rhythm of human
respiration and the metrics of the heartbeat.

Like Rimbaud's, Claudel's poetry is rooted in his awareness of an essential life force. Claudel marshalled a vast
vocabulary into his poetic works, still another indication of

his attempt to embrace the entire cosmos, to demonstrate every particle's divinely inspired role. With Claudel the poet stands proudly in the midst of a dynamic cosmos.

CHARLES PÉGUY (1873–1914) is also a Catholic poet. His vision of the world, however, is more limited and more intimate than Claudel's. Péguy is, above all, the poet of France—of Jeanne d'Arc, the French cathedrals, the Beauce, and the Loire.

Since God alone understands the relation between the material and the spiritual world, Péguy, in league with the Lord, often allows him to speak in his poems. God has Péguy's voice; he speaks in the same way, repeating himself, imitating in alexandrines the rhythm of the spoken word as it might be uttered by an old French peasant working in his field, who has no reason to stop talking, can imagine no country but France.

Despite his chauvinism and his verbosity, Péguy is one of the rare French poets to have succeeded in writing what we might call popular poetry. The symbolic elements in his poems require little explanation; the theme of the tie that binds man to the earth and thus to heaven is repeated in the image of the soldier, the pilgrim and the peasant. The poems themselves have no hidden structure. The physical rhythm of Péguy's verse can hypnotize in much the same way as the breaking of the waves upon a shore, or the clanking of a train's wheels on the rails.

APOLLINAIRE AND "L'ESPRIT NOUVEAU"

> Mille phantasmes impondérables
> Auxquels il faut donner de la réalité.
>
> *Apollinaire*

To present more or less contemporary poets in a historical perspective demands certain explanations. Because of the dates of their birth and their first poems, because they remained aloof from any of the early twentieth-century literary movements, it is easy enough to place Valéry, Claudel, and Péguy in royal isolation at the beginning of a list of twentieth-century poets. However, our discussion

sometimes involves poets of approximately the same age who are not of the same literary generation, as well as poets whose work gained recognition only some years after its initial publication. Happily, it is usually possible to group them not too arbitrarily in literary generations.

The first of these twentieth-century literary generations is definitely not a homogeneous group or school. Alfred Jarry, Max Jacob, Léon-Paul Fargue, Guillaume Apollinaire, and Blaise Cendrars have in common their exploration of new human and technical horizons. Their ever-present humor, irony, and juxtaposition of moods and images ally them to Jules Laforgue perhaps more closely than they would have liked to admit. But by their efforts to introduce contemporary reality into their poems they are also the grandchildren of Charles Baudelaire.

Despite certain scholarly bickering, GUILLAUME APOLLINAIRE (1880–1918) appears firmly entrenched as the most important and most influential poet of this group. Apollinaire, like Charles Baudelaire, is a poet through whose work many literary currents flow. The cubist architecture of his poems, the careful juxtaposition of interwoven themes and images, are still related to the rigorous construction of Baudelaire's and Mallarmé's poems. The role played by Paris in his poetry again recalls Baudelaire and reaches back to the fifteenth-century poet François Villon. The sentimental melancholy that pervades many of Apollinaire's lyrics and his melodious short-line stanzas are reminiscent of Verlaine. The often incoherent images that surprise and startle, the fusion of reality and dream, anticipate the more chaotic images and the more audacious ventures into man's subconscious of Surrealism. Undoubtedly Apollinaire's Polish-Italian origins, his illegitimacy, eclectic education, and exceedingly diversified reading habits partially account for his success in infusing into French traditions a distinctly exotic flavor.

Apollinaire is one of the rare poets to have sensed the inevitability of scientific discoveries and to have remained undismayed. His poetry is an attempt to integrate the human being with his tentative knowledge, his nostalgia for innocence, his vulnerability, into a mechanistic age. For Apol-

linaire as for Victor Hugo the poet is a leader of mankind. But whereas Hugo promised miracles of light and progress, Apollinaire foresaw only uncertainties and risks. His was an effort to humanize the unknown, to break down the barriers raised by man's fear and ignorance and to enlarge human reality.

The techniques used by Apollinaire to translate these notions into poetry seem to have their origin in Jules Laforgue's blending of the language of prose and the language of poetry. If they appear new in Apollinaire's poetry it is because in the years preceding the First World War science had already considerably transformed man's perception of the universe. Dynamos, electric motors, telegraphs and telephones, internal combustion engines, x-rays, the theory of quanta, the theory of mutations, radium, relativity, all were changing the material conditions and the understanding of human existence. The cinema suggested a new kind of imagery, the airplane had made myth a reality, psychoanalysis was exploring man's inner world. Apollinaire's search for a poetic language became the search for a language that would express this new relation between the poet's sensibility and the outer world of fact and invention. With the emergence of Apollinaire's new way of looking at new things, there is a marked dwindling in the deliberate separation of artistic creation from the raw material of human existence that had predominated in poetry since Baudelaire and Nerval.

Each of the four poets here grouped with Apollinaire as exponents of an "esprit nouveau" explores and exploits one or more of the themes, techniques and tendencies of Apollinaire's poetry. ALFRED JARRY (1873–1907), whose avant-garde play *Ubu Roi* was produced in 1896, is perhaps more important as a harbinger of things to come than as a poet in his own right. His grim fantasy, aggressive language, fundamental cynicism and derisive humor anticipate by some twenty or thirty years the destructive violence of Dadaism. Jarry's personal exhibitionism heralds the eruption of artistic theories into everyday life. MAX JACOB (1876–1944) and LÉON-PAUL FARGUE (1876–1947) are minor poets who have thus far managed to survive critical

evaluations and devaluations. They are both snake charmers; their snake being the essential absurdity of human existence. The song played by Max Jacob is innocent, humorous, and pious, while Fargue's is nostalgic and tender.

BLAISE CENDRARS (1887–1961) will forever remain in the awkward situation of having been the first to do what Apollinaire did later and far better. His long, autobiographical, unpunctuated free-verse travel poems seem more original than they are both in subject and in form. Their first impact soon fades as repetitious and unnecessary developments fail to sustain the poet's initial élan. The reader becomes weary of the endless flashbacks, the often gratuitous dislocation of time and space, the overrich vocabulary. Cendrar's poetry, like Lautréamont's, exemplifies the danger of confusing with the creation of a poem the power to create images and the desire to tell all.

Associated with Apollinaire and Max Jacob as one of the founders of the avant-garde review *Nord-Sud* in 1917, PIERRE REVERDY (1889–1960) belongs to the group of poets that directly influenced the Dadaists and the Surrealists. His poetry, however, sets him apart from this group. There is a classical restraint, a poignant anguished lyricism, a complex use of syntax in Reverdy's poems. They often seem closer to Mallarmé's esoteric metaphysical lyrics than to the conscious modernism of Reverdy's contemporaries. Reverdy creates his poem consciously and deliberately, unlike the Surrealists, to whom he gave this definition of an image:

> The image is a pure creation of the mind. It cannot be born from a comparison but by bringing together two more or less remote truths. The more remote and just the relationship between the two realities, the stronger the image—the more emotive power and poetic reality it will contain.
>
> Reverdy, *Nord-Sud,* March 1918.

OTHER VOICES

> Et la grande aventure de l'esprit poétique ne le cède en
> rien aux ouvertures dramatiques de la science moderne.
> *St.-John Perse*

Jules Supervielle, Saint-John Perse, and Pierre Jean Jouve
have but one thing in common; they are impossible to
classify. Like Valéry, Claudel and Péguy at the beginning
of the century, these three younger poets developed in rela-
tive isolation from the pronounced literary movements of
their time. With Supervielle and Saint-John Perse this may
be partly because both were born outside France and spent
much of their adult life in foreign lands. In Jouve's case,
it may be because, like Claudel and Péguy, he is a Catholic
poet in a generally non-religious country.

The poetry of JULES SUPERVIELLE (1884–1960) appears at first to be singularly out of keeping with the
twentieth-century mood. The mystery of the universe, the
omnipresence of death, the fragility of the body impregnate
Supervielle's poems but they do not inspire him to revolt
either in technique or in content. Supervielle accepts and
respects the world, an acceptance and a respect that are
indeed rare in the period we are studying. His poetry is an
attempt to establish a kind of intimacy with the unknown.
The phantoms of the dead are recalled with affection,
dreams are lovingly re-created. The poet refuses to be engulfed in the waters of Lethe; in fact, forgetfulness is the
greatest sin in Supervielle's poetic world. There is a lucid
fantasy in his poetry reminiscent of La Fontaine's *Fables,*
and a sense of the oneness of all living things that recalls
Colette. Delicate, charming, plaintive, Supervielle's poems
contain neither brilliant images nor disruptive cadences.
They re-create through subtle rhythms the inner world of
a highly civilized, sane, occasionally precious, and always
gentle human being. Supervielle's poetry reinstates senti-
mentality as a legitimate manifestation of our sensibility,
and awakens us to the danger of refusing to acknowledge
any but the most violent, the most original, the most complex of poetic modes.

SAINT-JOHN PERSE (born 1887) is often considered the greatest French poet since Baudelaire, Mallarmé, and Rimbaud. A Nobel Prize winner for 1960, he is the only poet who has attempted to project an epic vision of the universe from which God and all forms of mysticism and transcendence are conspicuously absent. The royal imagery, the noble tone of his vast prose poems celebrate man and the natural world. By means of an aristocratic language usually reserved for the most sacred and esoteric religious subjects, Saint-John Perse sings of man the conquerer, the prince, and the poet, vanquished and vanquishing, ruling and being ruled, gaining immortality through his creations.

From *Eloges* (1911) to *Amers* (1957) and *Chronique* (1960) he has combined in his five major poetic works many of the technical devices used by Mallarmé, Rimbaud, and Claudel. His syntax is at times even more difficult to reestablish than Mallarmé's, his images more startling than Rimbaud's, his use of the "verset" more powerful and more rhythmical than Claudel's. Unlike Apollinaire and Cendrars, who attempted to create the epic of the modern world with a contemporary vocabulary, Saint-John Perse is intent on sustaining a unity of tone in his poetry. All forms of popular speech are deliberately excluded from his rich, erudite and often recondite language. His modernity does not depend on allusions to modern cities and events, to the poet's own biography. It depends rather on a scientific and sophisticated vision of the cosmos and of the history of mankind, tempered with a tragic awareness of civilization's successive deaths and a lyrical wonder at the beauty of the natural world. Saint-John Perse presents us with a rational and esthetic sensibility and a comparatively new perspective through which to view anonymous man, man as a creator again restored to the dynamic center of creation, man forever oscillating between disorder and order, between solitude and solidarity.

The first poems of PIERRE JEAN JOUVE (born 1887), written in 1910 and later disowned, reveal his close affinity with Jules Romains and the Unanimist school. Unanimism, which is a kind of mystical "togetherness," produced poetry that unfortunately tended to be prosaic and didactic. In

1924 Jouve was converted to Catholicism, in 1925 to Freudianism. His poetry found a new impetus in his personal synthesis of these two dogmas. Despite the magnificence of Jouve's language, and the depth of his convictions, his sexual and religious imagery often seem uncomfortable together. The attraction and the repulsion that sexuality arouses in Jouve, might, by themselves, have produced a twentieth-century version of Baudelaire's *homo duplex*. The unreasonable duality of our unconscious and the drama that is constantly being enacted within man permeate Jouve's erotic poems with a tension strengthened by verbal incantation. However, the Catholic superstructure intrudes on Jouve's erotic pessimism, weakening its poetic force by the postulation of salvation after death and by a rhetorical accompaniment of enumerations, repetitions, invocations and abstractions. Jouve's vision of the world, which he would like to consider as both complete and prophetic, appears dogmatic and fragmentary when contrasted with Saint-John Perse's.

DADAISM, SURREALISM AND POETRY

> Le temps est venu où tous les poètes ont le droit et le devoir de soutenir qu'ils sont profondément enfoncés dans la vie des autres hommes, dans la vie commune.
>
> *Eluard*

The twentieth-century poets thus far mentioned were all in different manners and degrees affected by the First World War. But none of them participated directly in the literary movements that were in a sense by-products of this first great European disaster. "We civilizations now know that we are mortal" declared Paul Valéry in a famous essay written in 1918. For many intellectuals, the war struck a death blow at the very values upon which the western world was founded. The monsters that Baudelaire, Rimbaud, Laforgue, and Jarry had unearthed within man, the disparities between bourgeois society and human reality that all poets since Baudelaire had sensed, now became active and violent themes of certain poetic manifestations.

The first of these was Dadaism, born in 1916 in Switzerland and transplanted into fertile French soil in 1919. Dadaism was a vociferously nihilistic movement whose adherents were dedicated to the systematic destruction of logic, reason, and morality. Although it produced no poetry of any literary worth, Dadaism was symptomatic of a particular disease which still pervades much contemporary art and thought— the anguish of the absurd. The Dadaists may be compared to the hero of Camus's play *Caligula,* a young Roman emperor who, having discovered the fundamental absurdity of human life, devotes himself to the task of revealing this absurdity to the world through a series of arbitrary and destructive acts.

Launched by such poets and artists as Tristan Tzara and Hans Arp, Dadaism as a movement was essentially anti-artistic. Although the Dadaists accepted Apollinaire's surprise-image and his apparently uncontrolled spontaneity, they were more intent on destruction than creation. At the heart of Dadism is the desire to break down all the barriers between art and life, to live and write chaotically rather than simply to write about chaotic lives. The domain of poetry which the nineteenth-century poets had tried so hard to define, the order they had attempted to create from chaos, were being invaded and crushed.

Dadaism leads directly to Surrealism, the most important, thus far, of twentieth-century literary and artistic schools. With the determined leadership of ANDRÉ BRETON (born 1896) and the influence of Sigmund Freud, Surrealism transformed Dadaism into a positive myth—the myth of the total regeneration of mankind through the liberation of the imagination. Like Dadaism, Surrealism is interested in life rather than art, but its basic tenets are couched in terms that echo the poetic philosophies of Baudelaire, Rimbaud, Laforgue, and Lautréamont.

Surrealism is, in a sense, the literal application of nineteenth-century poetics to everyman's life. What had been considered the religion of an elite was to become the religion of the masses. The image, instead of reigning within the context of an organized poem, was to reign in daily life as the effortless product of automatic (uncontrolled) writ-

ing and dreams. Priority was accorded to the images that united the most disparate elements, those that were thought to signify a sur-reality, or rather the Surrealist's interpretation of reality. All forms of mental aberration were exalted and cultivated, for to be alienated was a sign of total inner freedom, a sign of liberation from the fundamental duality that plagues man.

Despite the conscious organization evident in André Breton's literary manifestoes and his novel *Nadja,* despite the fallacy inherent in the notion of automatic writing, André Breton has never retracted his initial definitions of Surrealism. The same cannot be said of the many poets who, always with much passion and rhetoric, affiliated and disaffiliated themselves from the movement in the years between 1924 and 1940. It is certainly relevant to note that many of the early Surrealists left Surrealism for Communism—among them Aragon and Eluard. Communism seemed to them to be the most efficacious of modern myths.

With the exception of André Breton, it is difficult to speak of Surrealist poets. Surrealism itself produced no significant poetry but it influenced most of the French poets who wrote during the interim period between the two world wars. Of the poets born at the turn of the century only Francis Ponge seems to have been untouched by its influence. Surrealism also considerably reoriented contemporary evaluations of literature. The Marquis de Sade, Gérard de Nerval, Rimbaud, Laforgue, and Lautréamont owe a great part of their present prestige to the place assigned them in the Surrealist "Communion of Saints." The influence of Surrealism, particularly in the United States, may be somewhat responsible for the emphasis placed on free expression and creativity in progressive schools. The notion that every man is a potential artist has yet to be disproved, but it has certainly caused a considerable confusion of values in all forms of contemporary art.

JEAN COCTEAU (born 1889) flitted in and out of Dadaism and Surrealism, both influencing and being influenced. Although his theater is undoubtedly the most significant of his many artistic ventures, Cocteau's poetry with its extraordinary blending of past and present poetic traditions

and tendencies reveals both the necessity for and the limitations of artifice. Cocteau manipulates poetic techniques with incredible agility. He combines the Dadaist's mockery and the Surrealist's sense of the marvelous with the tone and the complex versification of such poets at Malherbe, Ronsard or Valéry. But despite the brilliance of the performance we are constantly aware of the manipulation. Too many strings are being pulled simultaneously by the puppeteer. Artifice sustains Cocteau's poetry but also relegates it to the peripheral domain of interesting minor works.

Along with André Breton, PAUL ELUARD (1895–1952) and LOUIS ARAGON (born 1897) were two of the principal initiators of Surrealism, although they cannot be considered Surrealist poets. Aragon's best-known collection of poems, *Le Crève-cœur,* was written between 1939 and 1941 and owes little to his Surrealist period. These poems were among the first inspired by the Second World War and the Resistance, temporarily launching a vogue of "committed poetry." Aragon, like Cocteau, writes with great facility in different genres. In both poets this facility becomes a defect rather than an asset. The powerful rhythms and emotional rhetoric of Aragon's war poems seemed at the time of their publication to announce a great epic poet. Yet, with few exceptions, these poems have already lost much of their initial vigor and impact. Written at a particular moment in history, they have not survived the passage of time.

Paul Eluard's best poetry was written during his Surrealist period. But, despite the dreamlike atmosphere of many of his poems, the preponderant place occupied by women, and the richness of his imagery, Eluard's poems bear little resemblance to the automatic poetic experiments that the Surrealists often called poetry. Eluard's natural delicacy and lyricism are in themselves indicative of a control exercised by the poet over the chaos of his inner world. The poems written after 1938, when he joined the Communist Party, demonstrate the triumph of Eluard's personal lyricism over all exterior influences. The poet of sexual love became the poet of man's fraternity and man's hope. Although the later poems required a more conventional lan-

guage, they retain the simplicity and the intensity of his most perfect love lyrics. In an age of violence, Eluard wrote of human tenderness, the tenderness of both physical and fraternal love.

Like Eluard, Robert Desnos, a Surrealist from 1922 to 1930, and Jacques Prévert, a Surrealist from 1926 to 1929, have attained what many poets desire and very few achieve: popularity. JACQUES PRÉVERT (born 1900) is undoubtedly the best known of twentieth-century French poets. Despite the twists and turns of his images and his syntax, he is a most comprehensible poet. Prévert's sentimental revolt against the institutional forces that oppress man, personified in the priest, the professor, the politician, the policeman, is couched in familiar language. His fantasy always retains a recognizable contact with everyday situations and family relationships. The endless repetition of words, images, and rhythms that determine the structure of most of his poems is also responsible for their limitation. But Prévert makes no extravagant claims for his poetry. He writes to amuse, to please himself and the general public. It is a measure of his success that he also pleases the specialists.

Some poems by ROBERT DESNOS (1900–1945), particularly the *30 Chante-fables pour les enfants sages,* recall Prévert's shorter mock-sentimental lyrics. Desnos, however, is a better if less prolific and less popular poet. The repetition in his verse produces a haunting, hypnotic quality reminiscent of Nerval, whom Desnos considered his master. Desnos also shares with Nerval a sense of the fragility and vulnerability of human existence. Less lyrical than Eluard, less restrained than René Char, Desnos nonetheless ranks as one of the best post-Apollinairean love poets. Rarely does prose poetry achieve the emotional intensity of his "Poème à la mystérieuse."

OTHER VOICES

> L'*Homme* est à venir. L'homme est l'avenir de
> l'homme.   *Ponge*

HENRI MICHAUX and FRANCIS PONGE (both born in 1899) are among the most original and unorthodox of twen-

tieth-century French poets. In technique and in content they represent two poetic extremes. Michaux exorcises the hostile demons of his inner world through violent, passionate rhythms and words, while Ponge relentlessly analyzes objects of the outer world, describing them with scientific tenderness. Michaux's poetry bears the imprint of the Surrealist influence. But his pessimism, his refusal to be consoled by myths, and his very real inner chaos have prevented him from believing in salvation through the liberation of the imagination. They also obviate any need for the reader to look for meaningful symbols in his work. Michaux's poems represent in a sense the failure of French poetry since Baudelaire to fulfill its metaphysical claims. With Michaux, instead of being a means to discover the unknown or to transform humanity, the poem becomes an end in itself. Like an exorcism, it must be endlessly repeated; for the demons remain at bay only while the poem is being created or recited. So Michaux continues to write. For him and sometimes for his readers, poetry provides therapy to relieve the anxieties of modern life.

Francis Ponge has turned away from the mainstream of French poetry since Baudelaire: the exploration of the inner world. Whereas Michaux chants frantic incantations to assuage his private monsters, Ponge meditates quietly and lyrically on the outer, exterior world. This orientation constitutes a radical and significant change in the poet's vision of man's relation to the world. In Ponge's poetry, man is defined in relation to the object. He is no longer an anguished isolated conscience desperately groping toward harmony and unity. He is a lucid mind capable of description, analysis, enumeration, and synthesis. The poet seeks to humanize the material world without attempting to assimilate it by means of analogy to his own private world. The predominant place accorded to olfactory and tactile senses in post-Baudelairean poetry is replaced by vision—what the human eye sees when its gaze is turned outward. The precision of Ponge's prose poems anticipates a revolution in storytelling techniques that became apparent in the early 1950's with the publication of the first novels of Alain

Robbe-Grillet and Michel Butor. In poetry, however, Ponge's perspective thus far remains unique.

Although RENÉ CHAR (born 1907) and PIERRE EMMANUEL (born 1916) are neither the same age nor of the same literary generation—Char was an active Surrealist from 1929 to 1937 and Emmanuel may be considered a disciple of Jouve—both were deeply affected by the Second World War. Both participated actively in the French Resistance movement, Char as leader of the Maquis in the Vaucluse; yet the poetry they wrote during this period cannot be classified with the Resistance poetry of Aragon. Char and Emmanuel integrated their experiences during the Occupation into a pre-existing vision of the world. For each of them this vision and its poetic expression were radically different.

Char transposed his humanistic vision into aphoristic prose poems where language and experience are compressed, reduced to the essential; whereas in Emmanuel's wartime poems language and experience are expanded and enlarged through pagan and Christian symbolism so as to be all embracing. Emmanuel transposes his religious vision into rhetorical and prophetic alexandrines.

For Char it is the human significance of events that is important, and an event need be no more extraordinary than an encounter with a human being or a landscape in his native Isle-sur-Sorgue. In all his poetry Char struggles to maintain an equilibrium between lucidity and fantasy, between the horror and the beauty of life. He has succeeded brilliantly in combining dazzling imagery with a quiet patient tone that evokes the sobering realities of the contemporary world.

Like Jouve, Pierre Emmanuel has evolved a religious-erotic symbolism through which he seeks to encompass all experience and all events, past and present. He is one of the few poets writing today who is not afraid to use a vigorous, eloquent vocabulary and who is not intimidated by elaborate images and metaphors. He is also one of the few poets writing today for whom Christianity is still a vital force capable of providing symbolic explanations for contemporary disasters.

FRENCH POETRY SINCE WORLD WAR TWO

> Nous les enfants d'Hiroshima.   *Emmanuel*

The calculated and uncalculated horrors of the Second World War and the possibility of total annihilation were to have many repercussions on poetry. Judged in the light of atrocities committed during the war, Surrealism seemed a kind of irresponsible game. The mental derangements and aberrations it glorified had become a nightmarish reality. Hiroshima and Nagasaki destroyed a notion that had since the Renaissance accompanied all artistic activity: the possibility of individual immortality through the work of art. The fundamental preoccupation of post-Baudelairean poetry— the expression of man's inner world—was to be united with another, more urgent preoccupation—the precarious existence of the planet.

Although it is difficult to make conclusive pronouncements on the nature of the poetry that is being written at this moment in France, there are certain trends or rather tendencies that can be observed. The first and perhaps the most significant is that, with the exception of Pierre Emmanuel and Aimé Césaire (a Negro poet from Martinique), poets no longer conceive of poetry as a mystical activity capable of symbolic or religious revelation. In general they reject the various myths or credos on which poetry of the nineteenth and early twentieth centuries was founded. They think of themselves as artisans rather than as high priests, fallen angels, seers, rebels, or adventurers. This does not mean that contemporary poets have turned away from the poetry of the past. On the contrary, they seem eager to integrate their work into the long and distinguished tradition of French poetry. They are less concerned with originality than with developing a solid craft based on already proven techniques. Their avowed masters remain Baudelaire, Apollinaire, and particularly Rimbaud, but their own poetry with its more direct language, its simple lyrical rhythms, its tentative affirmations seems to indicate that the poet of the mid-twentieth century has voluntarily assumed his place in the community of mortal men.

YVES BONNEFOY (born 1923) is one of the best and most difficult of contemporary French poets. The themes of death and night explored and transposed into short lyrics recall both the poems of the sixteenth-century poet Maurice Scève and those of Paul Valéry. Bonnefoy has created a highly concentrated poetic language which, because it permits the direct expression of simple human feelings such as pity and desire, differs from metaphysical poetry in general. Bonnefoy is concerned, as was Mallarmé, with the creation of an autonomous poetic language. This language attempts to capture the fundamental human reality, death.

Bonnefoy's two major collections of verse, *Du mouvement et de l'immobilité de Douve* and *Hier régnant désert*, like Baudelaire's *Fleurs du mal*, are not merely a series of individual poems. They contain the drama, the experience, the rhythm of "mouvement" and of "immobilité."

The sonnet by PHILIPPE JACCOTTET (born 1925), the last poem in this anthology, brings us back to Nerval's "El Desdichado" and allows us to see with greater precision what has happened to French poetry since the publication in 1854 of *Les Chimères*. To all outward appearance, Jaccottet's sonnet may seem to have survived intact the onslaught of free verse and prose poetry. And yet its rhythms, rhymes, and punctuation clearly reveal more than one hundred years of technical innovations.

Although images are still the central focus in Jaccottet's poem, they are more diffuse than in Nerval's sonnet and more easily comprehensible. The relation between the poet-lover and the material world is more direct, more concrete and contains no allusion to mythological or religious figures or symbols. No attempt is made to relate the poet's experience to any transcendent pattern or to give it cosmic importance. The poet is still solitary, the loved one is still absent, but the poem no longer assures even temporary deliverance. Its existence only reaffirms the poet's presence in the world and his role, which is to keep alive for as long as possible the record of man's inner history.

Gérard de Nerval
(Gérard Labrunie)
(1808–1855)

EL DESDICHADO

Je suis le ténébreux, — le veuf, — l'inconsolé,
Le prince d'Aquitaine à la tour abolie:
Ma seule *étoile* est morte, — et mon luth constellé
Porte le *soleil noir* de la *Mélancolie*.

Dans la nuit du tombeau, toi qui m'as consolé,
Rends-moi le Pausilippe et la mer d'Italie,
La *fleur* qui plaisait tant à mon cœur désolé,
Et la treille où le pampre à la rose s'allie.

Suis-je Amour ou Phébus? ... Lusignan ou Biron?
Mon front est rouge encore du baiser de la reine;
J'ai rêvé dans la grotte où nage la sirène. ...

Et j'ai deux fois vainqueur traversé l'Achéron:
Modulant tour à tour sur la lyre d'Orphée
Les soupirs de la sainte et les cris de la fée.

I am the somber man, the widower, the unconsoled, the Aquitanian prince with the abolished tower: my only *star* is dead and my starred lute bears the black *sun* of *melancholy*. In the night of the tomb, you who consoled me, give me back the Pausilippo and the Italian sea, the flower which was so pleasing to my desolate heart and the trellis where the vine and the rose join. Am I Love or Phoebus? ... Lusignan or Biron? My forehead is still red from the kiss of the queen; I once dreamed in the grotto where the Siren swims. . . . And twice, victoriously, I crossed the Acheron: modulating by turn on Orpheus's lyre the sighs of the saint and the cries of the fairy.

MYRTHO

Je pense à toi, Myrtho, divine enchanteresse,
Au Pausilippe altier, de mille feux brillant,
A ton front inondé des clartés d'Orient,
Aux raisins noirs mêlés avec l'or de ta tresse.

C'est dans ta coupe aussi que j'avais bu l'ivresse,
Et dans l'éclair furtif de ton œil souriant,
Quand aux pieds d'Iacchus on me voyait priant,
Car la Muse m'a fait l'un des fils de la Grèce.

Je sais pourquoi là-bas le volcan s'est rouvert ...
C'est qu'hier tu l'avais touché d'un pied agile,
Et de cendres soudain l'horizon s'est couvert.

Depuis qu'un duc normand brisa tes dieux d'argile,
Toujours, sous les rameaux du laurier de Virgile,
Le pâle hortensia s'unit au myrte vert!

HORUS

Le dieu Kneph en tremblant ébranlait l'univers:
Isis, la mère, alors se leva sur sa couche,
Fit un geste de haine à son époux farouche,
Et l'ardeur d'autrefois brilla dans ses yeux verts.

I think of you, Myrtho, divine enchantress, of haughty Pausilippo shining with a thousand fires, of your forehead flooded with the light of the Orient and the black grapes mingled with the gold of your braids. It was in your cup too that I had drunk intoxication, and in the furtive lightning of your smiling eye when at the feet of Iacchus they saw me praying, for the Muse made me one of the sons of Greece. I know why over there the volcano opened again. . . . It is because yesterday you touched it with an agile foot, and the horizon was suddenly covered with ashes. Since a Norman duke broke your gods of clay, always beneath the branches of Vergil's laurel, the pale hydrangea and the green myrtle join.

The god Kneph, trembling, shook the universe: Isis, the mother, then rose on her couch, made a gesture of hatred toward her fierce husband, and the passion of past days shone in her green eyes. "Do you see him?" she said, "he is dying, the old pervert, all the hoarfrosts of the world have passed through his mouth; bind his crooked foot, put out his squint-

« Le voyez-vous, dit-elle, il meurt, ce vieux pervers,
Tous les frimas du monde ont passé par sa bouche,
Attachez son pied tors, éteignez son œil louche,
C'est le dieu des volcans et le roi des hivers !

« L'aigle a déjà passé, l'esprit nouveau m'appelle,
J'ai revêtu pour lui la robe de Cybèle ...
C'est l'enfant bien-aimé d'Hermès et d'Osiris ! »

La déesse avait fui sur sa conque dorée,
La mer nous renvoyait son image adorée,
Et les cieux rayonnaient sous l'écharpe d'Iris.

ANTÉROS

Tu demandes pourquoi j'ai tant de rage au cœur
Et sur un col flexible une tête indomptée;
C'est que je suis issu de la race d'Antée,
Je retourne les dards contre le dieu vainqueur.

Oui, je suis de ceux-là qu'inspire le Vengeur,
Il m'a marqué le front de sa lèvre irritée,
Sous la pâleur d'Abel, hélas ! ensanglantée,
J'ai parfois de Caïn l'implacable rougeur !

Jéhovah ! le dernier, vaincu par ton génie,
Qui du fond des enfers, criait : « O tyrannie ! »
C'est mon aïeul Bélus ou mon père Dagon. ...

ing eye, he is the god of volcanoes and the king of winters! The eagle has
already passed by, the new spirit calls me, I have put on for him the
dress of Cybele. . . . He is the beloved child of Hermes and Osiris!"
The goddess had fled on her golden shell, the sea sent back to us her
adored image, and the skies were shining beneath the scarf of Iris.

You ask why I have so much ire in my heart and on a flexible neck
an undaunted head; it is because I am sprung from the race of Antaeus;
I turn the arrows back against the conquering God. Yes, I am of those
whom the Avenger inspires, he marked my forehead with his angry lip,
beneath the pallor of Abel, bloody, alas! I have sometimes the implacable
redness of Cain. Jehovah! The last, conquered by your genius, who, from
the depth of hell, cried, "O tyranny!" He was my grandfather Belus or
my father Dagon. . . . They plunged me three times in the waters of

Ils m'ont plongé trois fois dans les eaux du Cocyte,
Et, protégeant tout seul ma mère Amalécyte,
Je ressème à ses pieds les dents du vieux dragon.

DELFICA

La connais-tu, Dafné, cette ancienne romance,
Au pied du sycomore, ou sous les lauriers blancs,
Sous l'olivier, le myrte, ou les saules tremblants,
Cette chanson d'amour qui toujours recommence? ...

Reconnais-tu le TEMPLE au péristyle immense,
Et les citrons amers où s'imprimaient tes dents,
Et la grotte, fatale aux hôtes imprudents,
Où du dragon vaincu dort l'antique semence? ...

Ils reviendront, ces Dieux que tu pleures toujours!
Le temps va ramener l'ordre des anciens jours;
La terre a tressailli d'un souffle prophétique. ...

Cependant la sibylle au visage latin
Est endormie encore sous l'arc de Constantin
— Et rien n'a dérangé le sévère portique.

ARTÉMIS

La Treizième revient. ... C'est encore la première;
Et c'est toujours la seule, — ou c'est le seul moment;

Cocytus and, alone to protect my Amalekite mother, again I sow at her
feet the teeth of the old dragon.

Do you know it, Daphne, that old ballad, at the foot of the sycamore,
or under the white laurels, under the olive tree, the myrtle, or the trembling willows, the song of love which always begins anew? . . . Do you
recognize the TEMPLE with the vast peristyle, and the bitter lemons which
were marked by your teeth, and the grotto, fatal to imprudent guests,
where the old seed of the vanquished dragon sleeps? . . . They will return,
the Gods for whom you still weep! Time will bring back the order of
former days; the earth has trembled with a prophetic breath. . . . Yet the
sibyl with the Latin face is still asleep under the arch of Constantine—
and nothing has disturbed the severe portico.

The thirteenth returns. . . . She is still the first, and always the only

Car es-tu reine, ô toi! la première ou dernière?
Es-tu roi, toi le seul ou le dernier amant? ...

Aimez qui vous aima du berceau dans la bière;
Celle que j'aimai seul m'aime encore tendrement:
C'est la mort — ou la morte. ... O délice! ô tourment!
La rose qu'elle tient, c'est la *Rose trémière*.

Sainte napolitaine aux mains pleines de feux,
Rose au cœur violet, fleur de sainte Gudule:
As-tu trouvé ta croix dans le désert des cieux?

Roses blanches, tombez ! vous insultez nos dieux,
Tombez, fantômes blancs, de votre ciel qui brûle:
— La sainte de l'abîme est plus sainte à mes yeux!

Charles Baudelaire

(1821–1867)   *l'enjambement*

AU LECTEUR

La sottise, l'erreur, le péché, la lésine,
Occupent nos esprits et travaillent nos corps,
Et nous alimentons nos aimables remords,
Comme les mendiants nourrissent leur vermine.   *symbol*
                                                        pers
                    man

one—or the only moment; for are you queen, O you! the first or the last? Are you king, you the only or last lover? . . . Love who loved you from the cradle to the grave; she whom I loved alone still loves me tenderly: She is death—or the dead woman. . . . . O delight! O torment! the rose she is holding is the *hollyhock flower*. Neapolitan saint with your hands full of fires, rose with the violet heart, flower of Saint Gudula: did you find your cross in the desert of the skies? White roses fall! you insult our Gods; fall, white phantoms, from your burning sky: the saint of the abyss is more saintly in my eyes!

Stupidity, error, sin, avarice occupy our minds and labor our bodies, and we feed our pleasant remorse as beggars nourish their vermin. Our

Nos péchés sont têtus, nos repentirs sont lâches;
Nous nous faisons payer grassement nos aveux,
Et nous rentrons gaiement dans le chemin bourbeux,
Croyant par de vils pleurs laver toutes nos taches.

Sur l'oreiller du mal c'est Satan Trismégiste
Qui berce longuement notre esprit enchanté,
Et le riche métal de notre volonté *(fermeté morale)*
Est tout vaporisé par ce savant chimiste.

C'est le Diable qui tient les fils qui nous remuent!
Aux objets répugnants nous trouvons des appas;
Chaque jour vers l'Enfer nous descendons d'un pas,
Sans horreur, à travers des ténèbres qui puent.

Ainsi qu'un débauché pauvre qui baise et mange
Le sein martyrisé d'une antique catin,
Nous volons au passage un plaisir clandestin
Que nous pressons bien fort comme une vieille orange.

parasite

Serré, fourmillant, comme un million d'helminthes,
Dans nos cerveaux ribote un peuple de Démons,
Et, quand nous respirons, la Mort dans nos poumons
Descend, fleuve invisible, avec de sourdes plaintes.

Si le viol, le poison, le poignard, l'incendie,
N'ont pas encor brodé de leurs plaisants dessins
Le canevas banal de nos piteux destins,
C'est que notre âme, hélas ! n'est pas assez hardie.

sins are obstinate, our repentance is cowardly; we demand a high price for our confessions, and we gaily return to the miry road believing that base tears will wash away all our stains. On the pillow of evil Satan Trismegist incessantly lulls our enchanted minds, and the noble metal of our will is wholly vaporized by this learned chemist. It is the Devil who holds the strings which move us! We find charms in repugnant things; every day we descend one step further toward Hell, without horror, through darkness that stinks. Like a penniless rake who kisses and eats the martyred breast of an old whore, we steal, as we pass by, a clandestine pleasure that we squeeze very hard like an old orange. Crowded, swarming, like a million worms, a horde of demons gets tight in our brains, and when we breathe, Death, the invisible river, descends into our lungs with low moans. If rape, poison, daggers, arson have not yet embroidered with their pleasing designs the banal canvas of our pitiable destinies, it is because our soul, alas! is not bold enough. But among the

Mais parmi les chacals, les panthères, les lices,
Les singes, les scorpions, les vautours, les serpents,
Les monstres glapissants, hurlants, grognants, rampants
Dans la ménagerie infâme de nos vices,

Il en est un plus laid, plus méchant, plus immonde!
Quoiqu'il ne pousse ni grands gestes ni grands cris,
Il ferait volontiers de la terre un débris,
Et dans un bâillement avalerait le monde;

C'est l'Ennui ! — L'œil chargé d'un pleur involontaire,
Il rêve d'échafauds en fumant son houka.
Tu le connais, lecteur, ce monstre délicat,
— Hypocrite lecteur, — mon semblable, — mon frère !

IV. CORRESPONDANCES

La Nature est un temple où de vivants piliers
Laissent parfois sortir de confuses paroles;
L'homme y passe à travers des forêts de symboles
Qui l'observent avec des regards familiers.

Comme de longs échos qui de loin se confondent
Dans une ténébreuse et profonde unité,
Vaste comme la nuit et comme la clarté,
Les parfums, les couleurs et les sons se répondent.

Il est des parfums frais comme des chairs d'enfants,

jackals, the panthers, the bitch-hounds, the apes, the scorpions, the vultures, the serpents, the yelping, howling, growling, crawling monsters in the infamous menagerie of our vices, there is one more ugly, more wicked, more foul! Although he makes neither great gestures nor great cries, he would willingly make a shambles of the earth and in a yawn he would swallow the world; he is Boredom—his eye watery with involuntary tears, he dreams of scaffolds as he smokes his hookah. You know him, reader, that refined monster—hypocritical reader—my fellow—my brother!

Nature is a temple where living pillars sometimes allow confused words to arise, man goes by through forests of symbols which observe him with familiar eyes. Like long echoes which mingle far away in a dark and unfathomable unity, vast as the night and as the light, perfumes, colors, sounds answer one another. Some perfumes are fresh as children's flesh,

Doux comme les hautbois, verts comme les prairies,
— Et d'autres, corrompus, riches et triomphants,

Ayant l'expansion des choses infinies,
Comme l'ambre, le musc, le benjoin et l'encens,
Qui chantent les transports de l'esprit et des sens.

XVII. LA BEAUTÉ

Je suis belle, ô mortels! comme un rêve de pierre,
Et mon sein, où chacun s'est meurtri tour à tour,
Est fait pour inspirer au poète un amour
Eternel et muet ainsi que la matière.

Je trône dans l'azur comme un sphinx incompris;
J'unis un cœur de neige à la blancheur des cygnes;
Je hais le mouvement qui déplace les lignes;
Et jamais je ne pleure et jamais je ne ris.

Les poëtes, devant mes grandes attitudes,
Que j'ai l'air d'emprunter aux plus fiers monuments,
Consumeront leurs jours en d'austères études;

Car j'ai, pour fasciner ces dociles amants,
De purs miroirs qui font toutes choses plus belles:
Mes yeux, mes larges yeux aux clartés éternelles!

sweet as oboes, green as prairies—and others corrupt, rich and triumphant, possessing the expansion of infinite things like amber, musk, benzoin and incense which sing the raptures of the mind and the senses.

I am beautiful, O mortals! like a dream of stone, and my breast, where each one in turn has bruised himself, is made to inspire in the poet a dream as eternal and silent as matter. I sit enthroned in the azure sky like an undeciphered sphinx; I join a heart of snow to the whiteness of swans; I hate motion which displaces lines and never do I weep and never do I laugh. Poets, before my grand poses which I seem to borrow from the proudest monuments, will consume their days in austere studies; for I have, to fascinate those submissive lovers, pure mirrors that make all things more beautiful: my eyes, my wide eyes, eternally bright.

XXI. HYMNE À LA BEAUTÉ

Viens-tu du ciel profond ou sors-tu de l'abîme,
O Beauté? Ton regard, infernal et divin,
Verse confusément le bienfait et le crime,
Et l'on peut pour cela te comparer au vin.

Tu contiens dans ton œil le couchant et l'aurore;
Tu répands des parfums comme un soir orageux;
Tes baisers sont un philtre et ta bouche une amphore
Qui font le héros lâche et l'enfant courageux.

Sors-tu du gouffre noir ou descends-tu des astres?
Le Destin charmé suit tes jupons comme un chien;
Tu sèmes au hasard la joie et les désastres,
Et tu gouvernes tout et ne réponds de rien.

Tu marches sur des morts, Beauté, dont tu te moques;
De tes bijoux l'Horreur n'est pas le moins charmant,
Et le Meurtre, parmi tes plus chères breloques,
Sur ton ventre orgueilleux danse amoureusement.

L'éphémère ébloui vole vers toi, chandelle,
Crépite, flambe et dit: Bénissons ce flambeau!
L'amoureux pantelant incliné sur sa belle
A l'air d'un moribond caressant son tombeau.

Que tu viennes du ciel ou de l'enfer, qu'importe,

Do you come from deep heaven or do you rise from the abyss, O Beauty? Your gaze, infernal and divine, pours out confusedly benevolence and crime, and one can, for that, compare you to wine. You contain in your eyes the sunset and the dawn; you scatter perfumes like a stormy evening; your kisses are a philter and your mouth an amphora which make the hero cowardly and the child courageous. Do you rise from the black chasm or do you descend from the stars? Destiny, bewitched, follows your skirts like a dog; you sow at random joy and disasters; and you govern all things but answer for nothing. You walk upon corpses, Beauty, which mock; among your jewels Horror is not the least charming, and Murder, among your dearest trinkets, dances amorously on your proud belly. The dazzled moth flies toward you, candle! sputters, flames and says: "Blessed be this torch!" The panting lover bent over his fair one looks like a dying man caressing his tomb. Whether you come from heaven or hell, what does it matter, O Beauty! enormous,

O Beauté! monstre énorme, effrayant, ingénu!
Si ton œil, ton souris, ton pied m'ouvrent la porte
D'un Infini que j'aime et n'ai jamais connu?

De Satan ou de Dieu, qu'importe? Ange ou Sirène,
Qu'importe, si tu rends, — fée aux yeux de velours,
Rhythme, parfum, lueur, ô mon unique reine! —
L'univers moins hideux et les instants moins lourds?

XXIII. LA CHEVELURE

O toison, moutonnant jusque sur l'encolure!
O boucles! O parfum chargé de nonchaloir!
Extase! Pour peupler ce soir l'alcôve obscure
Des souvenirs dormant dans cette chevelure,
Je la veux agiter dans l'air comme un mouchoir!

La langoureuse Asie et la brûlante Afrique,
Tout un monde lointain, absent, presque défunt,
Vit dans tes profondeurs, forêt aromatique!
Comme d'autres esprits voguent sur la musique,
Le mien, ô mon amour! nage sur ton parfum.

J'irai là-bas où l'arbre et l'homme, pleins de sève,
Se pâment longuement sous l'ardeur des climats;
Fortes tresses, soyez la houle qui m'enlève!
Tu contiens, mer d'ébène, un éblouissant rêve
De voiles, de rameurs, de flammes et de mâts:

frightening, ingenuous monster! If your eye, your smile, your foot open for me an Infinite that I love but have never known? From Satan or from God, what does it matter? Angel or Siren, what does it matter, if you make,—fairy with velvet eyes, Rhythm, perfume, glimmer, o my only queen!—the universe less hideous and the minutes less weighty?

O fleece, curling down over the neck! O ringlets! O perfume laden with nonchalance! Ecstasy! This evening in order to people the dark alcove with the memories asleep in this hair, I want to unfurl it like a handkerchief! Languorous Asia and burning Africa, an entire world distant, absent, almost dead, lives in your depths, aromatic forest! As other souls sail out on an ocean of music, mine, O my love! swims on your perfume. I shall go far off where tree and man, full of sap, swoon voluptuously in the climatic heat; strong braids, be the swell that carries me off! You contain, sea of ebony, a dazzling dream of sails, of rowers, pennants and masts; a harbor full of sounds where my soul can drink abundantly of

Un port retentissant où mon âme peut boire
A grands flots le parfum, le son et la couleur;
Où les vaisseaux, glissant dans l'or et dans la moire,
Ouvrent leurs vastes bras pour embrasser la gloire
D'un ciel pur où frémit l'éternelle chaleur.

Je plongerai ma tête amoureuse d'ivresse
Dans ce noir océan où l'autre est enfermé;
Et mon esprit subtil que le roulis caresse
Saura vous retrouver, ô féconde paresse!
Infinis bercements du loisir embaumé!

Cheveux bleus, pavillon de ténèbres tendues,
Vous me rendez l'azur du ciel immense et rond;
Sur les bords duvetés de vos mèches tordues
Je m'enivre ardemment des senteurs confondues
De l'huile de coco, du musc et du goudron.

Longtemps! toujours! ma main dans ta crinière lourde
Sèmera le rubis, la perle et le saphir,
Afin qu'à mon désir tu ne sois jamais sourde!
N'es-tu pas l'oasis où je rêve, et la gourde
Où je hume à longs traits le vin du souvenir?

XXXVI. LE BALCON

Mère des souvenirs, maîtresse des maîtresses,
O toi, tous mes plaisirs! ô toi, tous mes devoirs!
Tu te rappelleras la beauté des caresses,

---

perfume, sound and color; where the ships, gliding in (the) gold and
watered silk, open their huge arms to embrace the glory of a pure sky
in which trembles the eternal heat. I shall plunge my head enraptured
with intoxication in this dark ocean which encloses the other; and my
subtle spirit which the ocean swell caresses will know how to find my way
back to you, O fertile idleness! Infinite rocking of scented leisure! Blue
hair, tent hung with shadows, you give back to me the blue of the immense and round sky; on the downy edges of your twisted locks I can
drink deeply the mingled odors of coconut oil, of musk and of tar. Long!
Always! my hand in your heavy mane will sow ruby, pearl and sapphire,
so that to my desire you may never be deaf! Are you not the oasis where
I dream, and the gourd where I drink in long drafts the wine of memory?

Mother of memories, mistress of mistresses, O you, all my pleasures!
O you, all my duties! You will remember the beauty of caresses, the

La douceur du foyer et le charme des soirs,
Mère des souvenirs, maîtresse des maîtresses!

Les soirs illuminés par l'ardeur du charbon,
Et les soirs au balcon, voilés de vapeurs roses.
Que ton sein m'était doux! que ton cœur m'était bon!
Nous avons dit souvent d'impérissables choses
Les soirs illuminés par l'ardeur du charbon.

Que les soleils sont beaux dans les chaudes soirées!
Que l'espace est profond! que le cœur est puissant!
En me penchant vers toi, reine des adorées,
Je croyais respirer le parfum de ton sang.
Que les soleils sont beaux dans les chaudes soirées!

La nuit s'épaississait ainsi qu'une cloison,
Et mes yeux dans le noir devinaient tes prunelles,
Et je buvais ton souffle, ô douceur! ô poison!
Et tes pieds s'endormaient dans mes mains fraternelles!
La nuit s'épaississait ainsi qu'une cloison.

Je sais l'art d'évoquer les minutes heureuses,
Et revis mon passé blotti dans tes genoux.
Car à quoi bon chercher tes beautés langoureuses
Ailleurs qu'en ton cher corps et qu'en ton cœur si doux?
Je sais l'art d'évoquer les minutes heureuses!

Ces serments, ces parfums, ces baisers infinis,
Renaîtront-ils d'un gouffre interdit à nos sondes,

---

sweetness of the hearth and the charm of the evenings. Mother of memories, mistress of mistresses. The evenings aglow with the heat of the coals, and the evenings on the balcony, veiled with rose mist; how soft your breast was to me! how kind your heart! We often said imperishable things on evenings aglow with the heat of the coals. How beautiful the sun is on warm evenings! How deep space is! How powerful is the heart! Bending over you, queen of adored ones, I thought I breathed the perfume of your blood. How beautiful the sun is on warm evenings! Night deepened like a wall, and my eyes in the darkness sensed your eyes, and I drank your breath, O sweetness! O poison! And your feet slumbered in my brotherly hands. Night deepened like a wall. I know the art of evoking happy moments, and I live again my past curled up in your lap. For what is the good of seeking your languorous beauty elsewhere than in your dear body and in your so gentle heart? I know the art of evoking happy moments. Those vows, those perfumes, those infinite kisses, will

Comme montent au ciel les soleils rajeunis
Après s'être lavés au fond des mers profondes?
— O serments! ô parfums! ô baisers infinis!

XLVII. HARMONIE DU SOIR

Voici venir les temps où vibrant sur sa tige
Chaque fleur s'évapore ainsi qu'un encensoir;
Les sons et les parfums tournent dans l'air du soir;
Valse mélancolique et langoureux vertige!

Chaque fleur s'évapore ainsi qu'un encensoir;
Le violon frémit comme un cœur qu'on afflige;
Valse mélancolique et langoureux vertige!
Le ciel est triste et beau comme un grand reposoir.

Le violon frémit comme un cœur qu'on afflige,
Un cœur tendre, qui hait le néant vaste et noir!
Le ciel est triste et beau comme un grand reposoir;
Le soleil s'est noyé dans son sang qui se fige.

Un cœur tendre, qui hait le néant vaste et noir!
Du passé lumineux recueille tout vestige!
Le soleil s'est noyé dans son sang qui se fige ...
Ton souvenir en moi luit comme un ostensoir!

they be born again from a gulf we may not sound as rejuvenated suns rise
up to heaven after being bathed in the depth of deep seas?—O vows!
O perfumes! O infinite kisses!

Now comes the time when, vibrating on its stem, each flower evaporates like a censer; sounds and perfumes circle in the evening air; melancholy waltz and languorous vertigo! Each flower evaporates like a censer; the violin throbs like an afflicted heart; melancholy waltz and languorous vertigo! The sky is sad and beautiful as an immense altar. The violin throbs like an afflicted heart, a tender heart that hates vast and black nothingness! The sky is sad and beautiful as an immense altar; the sun has drowned in its own coagulated blood. A tender heart that hates vast and black nothingness, gathers every vestige of the luminous past! The sun has drowned in its own coagulated blood. . . . Your memory shines in me like a monstrance.

LIII. L'INVITATION AU VOYAGE

Mon enfant, ma sœur,
Songe à la douceur
D'aller là-bas vivre ensemble!
Aimer à loisir,
Aimer et mourir
Au pays qui te ressemble!
Les soleils mouillés
De ces ciels brouillés
Pour mon esprit ont les charmes
Si mystérieux
De tes traîtres yeux,
Brillant à travers leurs larmes.

Là, tout n'est qu'ordre et beauté,
Luxe, calme et volupté.

Des meubles luisants,
Polis par les ans,
Décoreraient notre chambre;
Les plus rares fleurs
Mêlant leurs odeurs
Aux vagues senteurs de l'ambre,
Les riches plafonds,
Les miroirs profonds,
La splendeur orientale,
Tout y parlerait
A l'âme en secret
Sa douce langue natale.

My child, my sister, think of the rapture of going over there and living together! Of loving at leisure, of loving and dying in the country which resembles you! The moist suns of these murky skies have, for my spirit, the charms so mysterious of your treacherous eyes, shining through their tears. There, all is order and beauty, luxury, calm and voluptuousness. Gleaming furniture, polished by the years, would ornament our bedroom; the rarest flowers mingling their fragrance with the faint scent of amber, the ornate ceilings, the deep mirrors, the oriental splendor, all there would speak secretly to the soul its soft, native language. There, all is order and beauty, luxury, calm and voluptuousness. See on the canals those vessels sleeping; their mood is adventurous; it is to satisfy your slightest desire

Là, tout n'est qu'ordre et beauté,
Luxe, calme et volupté.

Vois sur ces canaux
Dormir ces vaisseaux
Dont l'humeur est vagabonde;
C'est pour assouvir
Ton moindre désir
Qu'ils viennent du bout du monde.
Les soleils couchants
Revêtent les champs,
Les canaux, la ville entière,
D'hyacinthe et d'or;
Le monde s'endort
Dans une chaude lumière.

Là, tout n'est qu'ordre et beauté,
Luxe, calme et volupté.

LVI. CHANT D'AUTOMNE

I

Bientôt nous plongerons dans les froides ténèbres;
Adieu, vive clarté de nos étés trop courts!
J'entends déjà tomber avec des chocs funèbres
Le bois retentissant sur le pavé des cours.

Tout l'hiver va rentrer dans mon être: colère,
Haine, frissons, horreur, labeur dur et forcé,
Et, comme le soleil dans son enfer polaire,

that they come from the other end of the earth. The setting suns adorn the fields, the canals, the entire city, with hyacinth and gold; the world falls asleep in a warm glowing light. There, all is order and beauty, luxury, calm and voluptuousness.

1. Soon we shall plunge into the cold darkness; farewell, bright light of our too short summers! I already hear, falling with funereal impact, the wood sounding on the stone of the courtyards. The whole of winter will invade my being: anger, hatred, shivers, horror, hard and forced toil, and, like the sun in its polar hell, my heart will be nothing more than a red

Mon cœur ne sera plus qu'un bloc rouge et glacé.

J'écoute en frémissant chaque bûche qui tombe;
L'échafaud qu'on bâtit n'a pas d'écho plus sourd.
Mon esprit est pareil à la tour qui succombe
Sous les coups du bélier infatigable et lourd.

Il me semble, bercé par ce choc monotone,
Qu'on cloue en grande hâte un cercueil quelque part.
Pour qui? — C'était hier l'été; voici l'automne!
Ce bruit mystérieux sonne comme un départ.

II

J'aime de vos longs yeux la lumière verdâtre,
Douce beauté, mais tout aujourd'hui m'est amer,
Et rien, ni votre amour, ni le boudoir, ni l'âtre,
Ne me vaut le soleil rayonnant sur la mer.

Et pourtant aimez-moi, tendre cœur! soyez mère,
Même pour un ingrat, même pour un méchant;
Amante ou sœur, soyez la douceur éphémère
D'un glorieux automne ou d'un soleil couchant.

Courte tâche! La tombe attend; elle est avide!
Ah! laissez-moi, mon front posé sur vos genoux,
Goûter, en regrettant l'été blanc et torride,
De l'arrière-saison le rayon jaune et doux!

and icy block. Trembling, I listen to each falling log; the scaffold being
built has no echo more hollow. My spirit is like a tower that crumbles
under the blows of the tireless and heavy battering ram. It seems to me,
lulled by this monotonous noise, that they are nailing a coffin somewhere
in a great hurry. For whom?—Yesterday it was summer; now it is autumn!
This mysterious noise has the sound of a departure. II. I love the greenish
light of your long eyes, gentle beauty, but today everything seems bitter
to me, and nothing, be it your love, the boudoir or the hearth, equals for
me the sun shining over the sea. And still, love me, tender heart! be a
mother even to an ungrateful one, even to a wretch; mistress or sister,
be the ephemeral sweetness of a glorious autumn or of a setting sun.
Short task! The tomb is waiting; it is avid! Ah! let me, my forehead
resting on your lap, taste, regretting the white and torrid summer, the
yellow and sweet ray of the late season.

LXII. MOESTA ET ERRABUNDA

Dis-moi, ton cœur, parfois, s'envole-t-il, Agathe,
Loin du noir océan de l'immonde cité,
Vers un autre océan où la splendeur éclate,
Bleu, clair, profond, ainsi què la virginité?
Dis-moi, ton cœur, parfois, s'envole-t-il, Agathe?

La mer, la vaste mer, console nos labeurs!
Quel démon a doté la mer, rauque chanteuse
Qu'accompagne l'immense orgue des vents grondeurs,
De cette fonction sublime de berceuse?
La mer, la vaste mer, console nos labeurs!

Emporte-moi, wagon! enlève-moi, frégate!
Loin! loin! ici la boue est faite de nos pleurs!
— Est-il vrai que parfois le triste cœur d'Agathe
Dise: Loin des remords, des crimes, des douleurs,
Emporte-moi, wagon, enlève-moi, frégate?

Comme vous êtes loin, paradis parfumé,
Où sous un clair azur tout n'est qu'amour et joie,
Où tout ce que l'on aime est digne d'être aimé!
Où dans la volupté pure le cœur se noie!
Comme vous êtes loin, paradis parfumé!

Mais le vert paradis des amours enfantines,
Les courses, les chansons, les baisers, les bouquets,

[*Sad and Vagabond*] Tell me, does your heart sometimes fly away, Agatha, far from the dark ocean of the filthy city, toward another ocean where splendor bursts, an ocean blue, clear, deep as virginity? Tell me, does your heart sometimes fly away, Agatha? The sea, the vast sea, consoles our labors! What demon endowed the sea, the raucous singer accompanied by the immense organ of the complaining winds, with its sublime function of soft lulling? The sea, the vast sea, consoles our labors! Carry me off, coach! Take me away, frigate! Far! far! here the mud is made from our tears!—Is it true that sometimes Agatha's sad heart says: far from remorse, from crimes, from sorrows, carry me off, coach! take me away, frigate? How far away you are, perfumed paradise, where under a clear sky there is only love and joy, where everything one loves is worthy of being loved, where the heart drowns in voluptuous delight! How far away you are, perfumed paradise! But the green paradise of childish loves, the races, the songs, the kisses, the bouquets, the violins

Les violons vibrant derrière les collines,
Avec les brocs de vin, le soir, dans les bosquets,
— Mais le vert paradis des amours enfantines,

L'innocent paradis, plein de plaisirs furtifs,
Est-il déjà plus loin que l'Inde ou que la Chine?
Peut-on le rappeler avec des cris plaintifs,
Et l'animer encor d'une voix argentine,
L'innocent paradis plein de plaisirs furtifs?

LXXV. SPLEEN

Pluviôse, irrité contre la ville entière,
De son urne à grands flots verse un froid ténébreux
Aux pâles habitants du voisin cimetière
Et la mortalité sur les faubourgs brumeux.

Mon chat sur le carreau cherchant une litière
Agite sans repos son corps maigre et galeux;
L'âme d'un vieux poëte erre dans la gouttière
Avec la triste voix d'un fantôme frileux.

Le bourdon se lamente, et la bûche enfumée
Accompagne en fausset la pendule enrhumée,
Cependant qu'en un jeu plein de sales parfums,

Héritage fatal d'une vieille hydropique,
Le beau valet de cœur et la dame de pique
Causent sinistrement de leurs amours défunts.

throbbing behind the hills, with the jugs of wine, at night, in the groves—but the green paradise of childish loves, the innocent paradise, full of furtive pleasures, is it already farther away than India and China? Can one call it back with plaintive cries and animate it again with a silvery voice, the innocent paradise full of furtive pleasures?

January, irritated with the whole city, pours from his urn great floods of gloomy cold to the pale dwellers of the nearby graveyard and death to the foggy outskirts of town. My cat seeking a bed on the tiled floor moves ceaselessly his thin, mangy body; the soul of an old poet wanders in the rainpipe with the sad voice of a shivering ghost. The great bell wails, and the smoking log accompanies in falsetto the catarrhous clock, while in a deck of cards full of dirty scents, a mortal heritage from a dropsical old woman, the handsome knave of hearts and the queen of spades converse covertly of their dead love affairs.

LXXVI. SPLEEN

J'ai plus de souvenirs que si j'avais mille ans.

Un gros meuble à tiroirs encombré de bilans,
De vers, de billets doux, de procès, de romances,
Avec de lourds cheveux roulés dans des quittances,
Cache moins de secrets que mon triste cerveau.
C'est une pyramide, un immense caveau,
Qui contient plus de morts que la fosse commune.
— Je suis un cimetière abhorré de la lune,
Où, comme des remords, se traînent de longs vers
Qui s'acharnent toujours sur mes morts les plus chers.
Je suis un vieux boudoir plein de roses fanées,
Où gît tout un fouillis de modes surannées,
Où les pastels plaintifs et les pâles Boucher,
Seuls, respirent l'odeur d'un flacon débouché.

Rien n'égale en longueur les boiteuses journées,
Quand sous les lourds flocons des neigeuses années
L'Ennui, fruit de la morne incuriosité,
Prend les proportions de l'immortalité.
— Désormais tu n'es plus, ô matière vivante!
Qu'un granit entouré d'une vague épouvante,
Assoupi dans le fond d'un Sahara brumeux!
Un vieux sphinx ignoré du monde insoucieux,
Oublié sur la carte, et dont l'humeur farouche
Ne chante qu'aux rayons du soleil qui se couche!

I have more memories than if I were a thousand years old. A heavy chest of drawers cluttered with balance sheets, verses, love-letters, law-suits, ballads, with heavy locks of hair rolled up in receipts, hides fewer secrets than my gloomy brain. It is a pyramid, an immense burial vault which contains more corpses than potter's field.—I am a cemetery abhorred by the moon, in which long worms crawl like remorses and constantly harass my dearest dead. I am an old boudoir full of withered roses where lies a whole clutter of old-fashioned dresses, where the plaintive pastels and the pale Bouchers, alone, inhale the fragrance of an opened phial. Nothing can equal the length of those limping days, when under the heavy flakes of snowy years, ennui, the fruit of dismal apathy, takes on the dimensions of immortality.—Henceforth you are no more, O living matter! than a block of granite surrounded with vague terrors, dozing in the depths of a hazy Sahara; an old sphinx unknown to the heedless world, forgotten on the map and whose savage nature sings only in the rays of a setting sun.

LXXVII. SPLEEN

Je suis comme le roi d'un pays pluvieux,
Riche, mais impuissant, jeune et pourtant très-vieux,
Qui, de ses précepteurs méprisant les courbettes,
S'ennuie avec ses chiens comme avec d'autres bêtes.
Rien ne peut l'égayer, ni gibier, ni faucon,
Ni son peuple mourant en face du balcon.
Du bouffon favori la grotesque ballade
Ne distrait plus le front de ce cruel malade;
Son lit fleurdelisé se transforme en tombeau,
Et les dames d'atour, pour qui tout prince est beau,
Ne savent plus trouver d'impudique toilette
Pour tirer un souris de ce jeune squelette.
Le savant qui lui fait de l'or n'a jamais pu
De son être extirper l'élément corrompu,
Et, dans ces bains de sang qui des Romains nous viennent,
Et dont sur leurs vieux jours les puissants se souviennent,
Il n'a su réchauffer ce cadavre hébété
Où coule au lieu de sang l'eau verte du Léthé.

LXXVIII. SPLEEN

Quand le ciel bas et lourd pèse comme un couvercle
Sur l'esprit gémissant en proie aux longs ennuis,
Et que de l'horizon embrassant tout le cercle
Il nous verse un jour noir plus triste que les nuits;

I am like the king of a rainy country, rich, but impotent, young and yet very old, who, scorning the obsequious bows of his tutors is bored with his dogs and other animals. Nothing can make him gay, neither game, nor falcon, nor his people dying outside the balcony. The grotesque ballad of the favorite fool no longer smooths the brow of the cruel invalid; his bed decked with fleur-de-lis is turning into a tomb, and the ladies of the bedchamber, for whom all princes are handsome, can no longer find an immodest dress to draw a smile from his young skeleton. The alchemist who makes gold for him has never been able to extract from his being the corrupt element; in the baths of blood which come to us from the Romans and which the mighty remember in their old age, he was not able to give heat to the stupefied corpse in which in place of blood flows the green water of Lethe.

When the low, heavy sky weighs like a lid on the groaning mind, victim of long ennui, and when encircling the whole horizon it pours on us

Quand la terre est changée en un cachot humide,
Où l'Espérance, comme une chauve-souris,
S'en va battant les murs de son aile timide
Et se cognant la tête à des plafonds pourris;

Quand la pluie étalant ses immenses traînées
D'une vaste prison imite les barreaux,
Et qu'un peuple muet d'infâmes araignées
Vient tendre ses filets au fond de nos cerveaux,

Des cloches tout à coup sautent avec furie
Et lancent vers le ciel un affreux hurlement,
Ainsi que des esprits errants et sans patrie
Qui se mettent à geindre opiniâtrement.

— Et de longs corbillards, sans tambours ni musique,
Défilent lentement dans mon âme; l'Espoir,
Vaincu, pleure, et l'Angoisse atroce, despotique,
Sur mon crâne incliné plante son drapeau noir.

LXXXIX. LE CYGNE

A Victor Hugo

I

Andromaque, je pense à vous! Ce petit fleuve,
Pauvre et triste miroir où jadis resplendit
L'immense majesté de vos douleurs de veuve,
Ce Simoïs menteur qui par vos pleurs grandit,

a dark gloomier than the night; when the earth is changed into a humid dungeon, in which hope like a bat, goes beating the walls with her timid wing and knocking her head against rotten ceilings; when the rain spreading its endless trails imitates the bars of a vast prison, and when a silent horde of loathsome spiders come to spin their webs in the depths of our brains, bells suddenly leap with rage and hurl a frightful roar at heaven, even as wandering spirits without a country who start stubbornly to wail.—And long hearses, without drums or music, pass by slowly in my soul; Hope, vanquished, weeps; and atrocious, despotic Anguish on my bowed skull plants her black flag.

I. Andromache, I think of you! That little stream, that poor and sad mirror, in which, long ago, glittered the vast majesty of your widow's grief, that false Simois swollen by your tears, suddenly made fruitful my

A fécondé soudain ma mémoire fertile,
Comme je traversais le nouveau Carrousel.
Le vieux Paris n'est plus (la forme d'une ville
Change plus vite, hélas! que le cœur d'un mortel);

Je ne vois qu'en esprit tout ce camp de baraques,
Ces tas de chapiteaux ébauchés et de fûts,
Les herbes, les gros blocs verdis par l'eau des flaques,
Et, brillant aux carreaux, le bric-à-brac confus.

Là s'étalait jadis une ménagerie;
Là je vis, un matin, à l'heure où sous les cieux
Froids et clairs le Travail s'éveille, où la voirie
Pousse un sombre ouragan dans l'air silencieux,

Un cygne qui s'était évadé de sa cage,
Et, de ses pieds palmés frottant le pavé sec,
Sur le sol raboteux traînait son blanc plumage.
Près d'un ruisseau sans eau la bête ouvrant le bec

Baignait nerveusement ses ailes dans la poudre,
Et disait, le cœur plein de son beau lac natal:
« Eau, quand donc pleuvras-tu? quand tonneras-tu foudre? »
Je vois ce malheureux, mythe étrange et fatal,

Vers le ciel quelquefois, comme l'homme d'Ovide,
Vers le ciel ironique et cruellement bleu,
Sur son cou convulsif tendant sa tête avide,
Comme s'il adressait des reproches à Dieu!

teeming memory, as I walked across the newly enlarged Carrousel square.
Old Paris is no more (the form of a city changes more quickly, alas!
than the human heart); I see only in memory all this camp of stalls,
those piles of rough hewn capitals and columns, the grass, the huge
blocks of stone stained green by puddles of water, and the jumbled bric-a-
brac shining in the windows. Once a menagerie was set up there; there
I saw one morning, at the hour when Labor awakens under a clear cold
sky, when street cleaning breaks the silence with a dark storm, a swan
that had escaped from its cage, and, stroking the dry pavement with its
webbed feet, dragged its white plumage over the uneven ground. Beside
a dry gutter the bird, opening its beak, restlessly bathed its wings in the
dust and cried, homesick for its beautiful native lake: "Rain, when will
you fall? Thunder, when will you roll?" I see that hapless creature, that
strange and fatal myth, toward the sky at times, like the man in Ovid,
toward the ironic, cruelly blue sky, stretch his avid head on his quivering
neck, as if he were reproaching God. II. Paris changes! but nothing has

II

Paris change! mais rien dans ma mélancolie
N'a bougé! palais neufs, échafaudages, blocs,
Vieux faubourgs, tout pour moi devient allégorie,
Et mes chers souvenirs sont plus lourds que des rocs.

Aussi devant ce Louvre une image m'opprime:
Je pense à mon grand cygne, avec ses gestes fous,
Comme les exilés, ridicule et sublime,
Et rongé d'un désir sans trêve! et puis à vous,

Andromaque, des bras d'un grand époux tombée,
Vil bétail, sous la main du superbe Pyrrhus,
Auprès d'un tombeau vide en extase courbée;
Veuve d'Hector, hélas! et femme d'Hélénus!

Je pense à la négresse, amaigrie et phtisique,
Piétinant dans la boue, et cherchant, l'œil hagard,
Les cocotiers absents de la superbe Afrique
Derrière la muraille immense du brouillard;

A quiconque a perdu ce qui ne se retrouve
Jamais, jamais! à ceux qui s'abreuvent de pleurs
Et tettent la Douleur comme une bonne louve!
Aux maigres orphelins séchant comme des fleurs!

Ainsi dans la forêt où mon esprit s'exile
Un vieux Souvenir sonne à plein souffle du cor!

stirred in my melancholy! New palaces, scaffoldings, blocks of stone, old quarters, all become an allegory for me, and my dear memories are heavier than rocks. So, before the Louvre an image oppresses me: I think of my great swan with his crazy motions, ridiculous and sublime like exiles, relentlessly gnawed by longing! and then of you, Andromache, fallen from the arms of a mighty husband as base chattel into the hands of proud Pyrrhus, standing bowed in rapture near an empty tomb, widow of Hector, alas! and wife of Helenus! I think of the Negress, wasted and consumptive, trudging in the mud and seeking with a wild gaze the absent coco-palms of splendid Africa behind the immense wall of fog; of who-ever has lost what is never found again, never! of those who deeply drink of tears and suckle Pain as they would a good she-wolf! of thin orphans, withering like flowers! Thus in the forest where my spirit is exiled an ancient memory blows the hunting horn loudly! I think of the sailors

Je pense aux matelots oubliés dans une île,
Aux captifs, aux vaincus! ... à bien d'autres encor!

XCIII. A UNE PASSANTE

La rue assourdissante autour de moi, hurlait.
Longue, mince, en grand deuil, douleur majestueuse,
Une femme passa, d'une main fastueuse
Soulevant, balançant le feston et l'ourlet;

Agile et noble, avec sa jambe de statue.
Moi, je buvais, crispé comme un extravagant,
Dans son œil, ciel livide où germe l'ouragan,
La douceur qui fascine et le plaisir qui tue.

Un éclair... puis la nuit! — Fugitive beauté
Dont le regard m'a fait soudainement renaître,
Ne te verrai-je plus que dans l'éternité?

Ailleurs, bien loin d'ici! trop tard! *jamais* peut-être!
Car j'ignore où tu fuis, tu ne sais où je vais,
O toi que j'eusse aimée, ô toi qui le savais!

CII. RÊVE PARISIEN

I

De ce terrible paysage,
Tel que jamais mortel n'en vit,
Ce matin encore l'image,

---

forgotten in an island, of the captives, of the vanquished! . . . of many others too!

The deafening street roared around me. Tall, slender, in heavy mourning, majestic grief, a woman passed, with a sumptuous hand raising, swinging the flounces and hem of her skirt, agile and noble, with legs like a statue. I drank, tense as a madman, from her eye, livid sky where tempests germinate, the sweetness that fascinates and the pleasure that kills. A lightning flash . . . then night! Fleeting beauty by whose glance I was suddenly reborn, shall I see you no more except in eternity? Elsewhere, far, far from here! too late! *never* perhaps! For I know not where you fled, you know not where I go, O you whom I would have loved, O you who knew it!

Vague et lointaine, me ravit.

Le sommeil est plein de miracles!
Par un caprice singulier,
J'avais banni de ces spectacles
Le végétal irrégulier,

Et, peintre fier de mon génie,
Je savourais dans mon tableau
L'enivrante monotonie
Du métal, du marbre et de l'eau.

Babel d'escaliers et d'arcades,
C'était un palais infini,
Plein de bassins et de cascades
Tombant dans l'or mat ou bruni;

Et des cataractes pesantes,
Comme des rideaux de cristal,
Se suspendaient, éblouissantes,
A des murailles de métal.

Non d'arbres, mais de colonnades
Les étangs dormants s'entouraient,
Où de gigantesques naïades,
Comme des femmes, se miraient.

Des nappes d'eau s'épanchaient, bleues,
Entre des quais roses et verts,
Pendant des millions de lieues,
Vers les confins de l'univers;

1. This morning I am still entranced by the image vague and remote of that awesome landscape such as no mortal ever saw. Sleep is full of miracles! By a curious whim I had banned from that spectacle irregular vegetation, and, painter proud of my genius, I savored in my picture the heady monotony of metal, water, and marble. Babel of stairways and arcades, it was an infinite palace, full of basins and of cascades falling on dull or burnished gold, and heavy waterfalls, like curtains of crystal, were hanging, resplendent, from high walls of metal. Not with trees, but with colonnades the sleeping ponds were encircled; there huge naiads admired their reflection like women. Streams of blue water flowed along between rose and green embankments, for millions of leagues toward the end of the universe. There were undescribable stones and magic waves; there

C'étaient des pierres inouïes
Et des flots magiques; c'étaient
D'immenses glaces éblouies
Par tout ce qu'elles reflétaient!

Insouciants et taciturnes,
Des Ganges, dans le firmament,
Versaient le trésor de leurs urnes
Dans des gouffres de diamant.

Architecte de mes féeries,
Je faisais, à ma volonté,
Sous un tunnel de pierreries,
Passer un océan dompté;

Et tout, même la couleur noire,
Semblait fourbi, clair, irisé;
Le liquide enchâssait sa gloire
Dans le rayon cristallisé.

Nul astre d'ailleurs, nuls vestiges
De soleil, même au bas du ciel,
Pour illuminer ces prodiges,
Qui brillaient d'un feu personnel!

Et sur ces mouvantes merveilles
Planait (terrible nouveauté!
Tout pour l'œil, rien pour les oreilles!)
Un silence d'éternité.

II

En rouvrant mes yeux pleins de flamme,

were enormous blocks of ice bedazzled by everything they reflected!
Insouciant and taciturn, Ganges in the firmament, poured out the treasure
of their urns into chasms made of diamonds. Architect of my fairyland,
I made a vanquished ocean flow at will into a tunnel of jewels; and all,
even the color black, seemed polished, clear, iridescent; liquid enchased
its glory in the crystallized rays of light. Moreover no star, no glimmer
of sun, even at the sky's rim, illuminated these marvels that burned with
a personal fire! And over these shifting wonders hovered (terrible novelty!
all for the eye, nothing for the ear!) the silence of eternity. II. Opening
my eyes full of flames I saw the horror of my miserable room, and felt

J'ai vu l'horreur de mon taudis,
Et senti, rentrant dans mon âme,
La pointe des soucis maudits;

La pendule aux accents funèbres
Sonnait brutalement midi,
Et le ciel versait des ténèbres
Sur ce triste monde engourdi.

CXXVI. LE VOYAGE

I

Pour l'enfant, amoureux de cartes et d'estampes,
L'univers est égal à son vaste appétit.
Ah! que le monde est grand à la clarté des lampes!
Aux yeux du souvenir que le monde est petit!

Un matin nous partons, le cerveau plein de flamme,
Le cœur gros de rancune et de désirs amers,
Et nous allons, suivant le rhythme de la lame,
Berçant notre infini sur le fini des mers:

Les uns, joyeux de fuir une patrie infâme;
D'autres, l'horreur de leurs berceaux, et quelques-uns,
Astrologues noyés dans les yeux d'une femme,
La Circé tyrannique aux dangereux parfums.

Pour n'être pas changés en bêtes, ils s'enivrent
D'espace et de lumière et de cieux embrasés;

returning to my soul the needling of cursed cares. The clock with funereal
accents was brutally striking noon; and the sky was pouring down its
gloom upon the dismal, torpid world.

1. For the child in love with maps and prints, the universe is as big as
his enormous appetite. Oh, how large the world is by lamplight! How
small the world is in the eyes of memory! One morning we leave, our
head full of flame, our heart heavy with rancor and with bitter desires,
and we go following the rhythm of the wave, lulling our infinity on the
finiteness of the seas: some happy to flee an infamous country; others,
the horror of their cradles; and some, astrologers drowned in the eyes of
a woman, tyrannical Circe with her dangerous perfumes. So as not to be
changed into beasts, they become drunk on space and light and on the

La glace qui les mord, les soleils qui les cuivrent,
Effacent lentement la marque des baisers.

Mais les vrais voyageurs sont ceux-là seuls qui partent
Pour partir; cœurs légers, semblables aux ballons,
De leur fatalité jamais ils ne s'écartent,
Et, sans savoir pourquoi, disent toujours: Allons!

Ceux-là dont les désirs ont la forme des nues,
Et qui rêvent, ainsi qu'un conscrit le canon,
De vastes voluptés, changeantes, inconnues,
Et dont l'esprit humain n'a jamais su le nom!

II

Nous imitons, horreur! la toupie et la boule
Dans leur valse et leurs bonds; même dans nos sommeils
La Curiosité nous tourmente et nous roule,
Comme un Ange cruel qui fouette des soleils.

Singulière fortune où le but se déplace,
Et, n'étant nulle part, peut être n'importe où!
Où l'Homme, dont jamais l'espérance n'est lasse,
Pour trouver le repos court toujours comme un fou!

Notre âme est un trois-mâts cherchant son Icarie;
Une voix retentit sur le pont: « Ouvre l'œil! »
Une voix de la hune, ardente et folle, crie:
« Amour ... gloire ... bonheur! » Enfer! c'est un écueil!

glowing skies; the ice that bites them, the suns that bronze them, slowly efface the mark of the kisses. But the real travelers are those only who leave for the sake of leaving, light hearts like balloons, they never stray from their destiny, and, without knowing why, they always say: Let's go on! Those whose desires take the form of clouds, and who dream, as a draftee dreams of cannons, of vast voluptuous pleasures changing, unknown, whose name the human mind never conceived! II. We imitate, horrors! the top and the ball in their waltz and their bounds; even in our sleep curiosity torments us and rolls us like a cruel angel whipping on the suns. Singular destiny when the goal is displaced and, being nowhere, can be anywhere! And when Man, whose hope is never spent, to find peace never stops running like a madman. Our soul is a three-master seeking its Icaria; a voice resounds on the bridge: "Watch out!" From the crow's nest a voice cries, passionate and wild: "Love . . . glory . . . happiness!" Hell! a reef! Each islet announced by the lookout is an Eldorado promised by Fate; imagination

Chaque îlot signalé par l'homme de vigie
Est un Eldorado promis par le Destin;
L'Imagination qui dresse son orgie
Ne trouve qu'un récif aux clartés du matin.

O le pauvre amoureux des pays chimériques!
Faut-il le mettre aux fers, le jeter à la mer,
Ce matelot ivrogne, inventeur d'Amériques
Dont le mirage rend le gouffre plus amer?

Tel le vieux vagabond, piétinant dans la boue,
Rêve, le nez en l'air, de brillants paradis;
Son œil ensorcelé découvre une Capoue
Partout où la chandelle illumine un taudis.

III

Etonnants voyageurs! quelles nobles histoires
Nous lisons dans vos yeux profonds comme les mers!
Montrez-nous les écrins de vos riches mémoires,
Ces bijoux merveilleux, faits d'astres et d'éthers.

Nous voulons voyager sans vapeur et sans voile!
Faites, pour égayer l'ennui de nos prisons,
Passer sur nos esprits, tendus comme une toile,
Vos souvenirs avec leurs cadres d'horizons.

Dites, qu'avez-vous vu?

IV

« Nous avons vu des astres
Et des flots; nous avons vu des sables aussi;

preparing her orgy finds only a reef in the morning light. O the poor lover of mythical countries! Should he be put in irons or thrown to the sea, drunken sailor, inventor of Americas whose images make the abyss more bitter? Like an old hobo tramping along in the mud who dreams of shining paradises, his nose in the air; his bewitched eye discovers a city as luxurious as the Italian Capua wherever a candle illuminates a hovel. III. Amazing travelers! what noble stories we read in your eyes deep as the seas! Show us the coffers of your rich memories, your marvelous jewels, made of stars and ether. We want to travel without steam and sail! In order to cheer the boredom of our prisons, over our minds stretched like sails make your memories pass which horizons frame. Say, what did you see? IV. "We saw stars and waves; we saw sands too; and,

Et, malgré bien des chocs et d'imprévus désastres,
Nous nous sommes souvent ennuyés, comme ici.

La gloire du soleil sur la mer violette,
La gloire des cités dans le soleil couchant,
Allumaient dans nos cœurs une ardeur inquiète
De plonger dans un ciel au reflet alléchant.

Les plus riches cités, les plus grands paysages,
Jamais ne contenaient l'attrait mystérieux
De ceux que le hasard fait avec les nuages.
Et toujours le désir nous rendait soucieux!

— La jouissance ajoute au désir de la force.
Désir, vieil arbre à qui le plaisir sert d'engrais,
Cependant que grossit et durcit ton écorce,
Tes branches veulent voir le soleil de plus près!

Grandiras-tu toujours, grand arbre plus vivace
Que le cyprès? — Pourtant, nous avons, avec soin,
Cueilli quelques croquis pour votre album vorace,
Frères qui trouvez beau tout ce qui vient de loin!

Nous avons salué des idoles à trompe;
Des trônes constellés de joyaux lumineux;
Des palais ouvragés dont la féerique pompe
Serait pour vos banquiers un rêve ruineux;

Des costumes qui sont pour les yeux une ivresse;
Des femmes dont les dents et les ongles sont teints,

despite many shocks and unforeseen disasters we were often bored as we
are here. The glory of the sun on the violet sea, the glory of cities in the
setting sun lighted in our hearts a passionate and restless longing to
plunge into a sky with such enticing reflections. The richest cities, the
vastest landscapes never contained the mysterious lure of those that
chance builds with the clouds, and always desire made us anxious! Enjoyment adds strength to desire. Desire, old tree that pleasure serves to
fertilize, while your bark grows and thickens, your branches want to see
the sun more closely! Will you always grow, large tree hardier than the
cypress? Yet with care we gathered sketches for your voracious album,
brothers who consider beautiful everything that comes from afar! We
greeted idols with elephant trunks, thrones studded with luminous gems;
sculpted palaces whose magic pomp for your bankers would be a ruinous
dream. Costumes that are an intoxication for the eyes; women whose

Et des jongleurs savants que le serpent caresse. »

V

Et puis, et puis encore?

VI

                           « O cerveaux enfantins!

Pour ne pas oublier la chose capitale,
Nous avons vu partout, et sans l'avoir cherché,
Du haut jusques en bas de l'échelle fatale,
Le spectacle ennuyeux de l'immortel péché:

La femme, esclave vile, orgueilleuse et stupide,
Sans rire s'adorant et s'aimant sans dégoût;
L'homme, tyran goulu, paillard, dur et cupide,
Esclave de l'esclave et ruisseau dans l'égout;

Le bourreau qui jouit, le martyr qui sanglote;
La fête qu'assaisonne et parfume le sang;
Le poison du pouvoir énervant le despote,
Et le peuple amoureux du fouet abrutissant;

Plusieurs religions semblables à la nôtre,
Toutes escaladant le ciel; la Sainteté,
Comme en un lit de plume un délicat se vautre,
Dans les clous et le crin cherchant la volupté;

L'Humanité bavarde, ivre de son génie,
Et, folle maintenant comme elle était jadis,

teeth and nails are dyed, and adroit jugglers whom the serpent caresses."
v. Next, what next? vi. "O childish minds! Not to forget the most important thing, we saw everywhere and without looking for it, from the top to
the bottom of the fatal ladder, the boring sight of immortal sin: woman,
a base slave, proud and stupid, worshiping herself without laughter and
loving herself without disgust; man, a gluttonous tyrant, lecherous, hard
and avaricious, slave of the slave and gutter in the sewer; the torturer
who finds pleasure; the martyr who sobs; the feast seasoned and perfumed
by blood; the poison of power exciting the despot; and the masses in
love with the bestializing whip; several religions like ours, all storming
heaven; Holiness like an epicure wallowing in a bed of feathers seeking
voluptuousness in nails and hair-shirts; talkative Humanity drunk with its
genius, and mad now as it was in the past, crying to God in its savage

Criant à Dieu, dans sa furibonde agonie:
« O mon semblable, ô mon maître, je te maudis! »

Et les moins sots, hardis amants de la Démence,
Fuyant le grand troupeau parqué par le Destin,
Et se réfugiant dans l'opium immense!
— Tel est du globe entier l'éternel bulletin. »

VII

Amer savoir, celui qu'on tire du voyage!
Le monde, monotone et petit, aujourd'hui,
Hier, demain, toujours, nous fait voir notre image:
Une oasis d'horreur dans un désert d'ennui!

Faut-il partir? rester? Si tu peux rester, reste;
Pars, s'il le faut. L'un court, et l'autre se tapit
Pour tromper l'ennemi vigilant et funeste;
Le Temps! Il est, hélas! des coureurs sans répit,

Comme le Juif errant et comme les apôtres,
A qui rien ne suffit, ni wagon ni vaisseau,
Pour fuir ce rétiaire infâme; il en est d'autres
Qui savent le tuer sans quitter leur berceau.

Lorsque enfin il mettra le pied sur notre échine,
Nous pourrons espérer et crier: En avant!
De même qu'autrefois nous partions pour la Chine,
Les yeux fixés au large et les cheveux au vent,

---

agony: 'O my likeness, O my master, I curse you!' And the least foolish, audacious lovers of Madness, fleeing the great herd penned in by Fate, and taking refuge in the immensity of opium!—Such is the eternal news bulletin of the whole globe." VII. Bitter knowledge that one acquires from travel! The world, monotonous and small today, yesterday, tomorrow, always lets us see our own image: an oasis of horror in a desert of boredom! Should we leave? Stay? If you can stay, stay; leave if you must, one man runs and the other crouches in a corner to trick our vigilant and deadly enemy, Time! There are, alas, runners who never rest, like the Wandering Jew and like the apostles, for whom nothing suffices, neither coach nor ship, to flee that infamous retiary; there are others who know how to kill him without leaving their cradle. When at last he puts his foot on our spine, we can begin to hope and cry: Forward! As in the past we left for China, our eyes fixed on the horizon, and our hair in the

Nous nous embarquerons sur la mer des Ténèbres
Avec le cœur joyeux d'un jeune passager.
Entendez-vous ces voix, charmantes et funèbres,
Qui chantent: « Par ici! vous qui voulez manger

Le Lotus parfumé: c'est ici qu'on vendange
Les fruits miraculeux dont votre cœur a faim;
Venez vous enivrer de la douceur étrange
De cette après-midi qui n'a jamais de fin! »

A l'accent familier nous devinons le spectre;
Nos Pylades là-bas tendent leurs bras vers nous.
« Pour rafraîchir ton cœur nage vers ton Electre! »
Dit celle dont jadis nous baisions les genoux.

VIII

O Mort, vieux capitaine, il est temps! levons l'ancre!
Ce pays nous ennuie, ô Mort! Appareillons!
Si le ciel et la mer sont noirs comme de l'encre,
Nos cœurs que tu connais sont remplis de rayons!

Verse-nous ton poison pour qu'il nous réconforte!
Nous voulons, tant ce feu nous brûle le cerveau,
Plonger au fond du gouffre, Enfer ou Ciel, qu'importe?
Au fond de l'Inconnu pour trouver du *nouveau!*

---

wind, we shall embark on the sea of Darkness with the joyous heart of a young passenger. Do you hear the voices, charming and funereal, singing: "This way you who wish to eat the scented Lotus: it is here that one harvests the miraculous fruits for which your heart hungers; come and get drunk on the strange sweetness of an afternoon that never ends!" By its familiar tone we recognize the ghost; our Pylades over there stretch out their arms to us. "To cool your heart swim toward your Electra!" says she whose knees we once kissed. VII. O Death, old captain, it is time! Let us raise anchor! This country bores us, O Death! Let us set sail! Though the sky and the sea are black as ink, our hearts which you know are filled with rays! Pour us your poison so that it comforts us! This fire burns our brains so that we want to plunge to the bottom of the gulf, Hell or Heaven, what matter? To the bottom of the Unknown to find something *new*.

RECUEILLEMENT

Sois sage, ô ma Douleur, et tiens-toi plus tranquille.
Tu réclamais le Soir; il descend; le voici:
Une atmosphère obscure enveloppe la ville,
Aux uns portant la paix, aux autres le souci.

Pendant que des mortels la multitude vile,
Sous le fouet du Plaisir, ce bourreau sans merci,
Va cueillir des remords dans la fête servile,
Ma Douleur, donne-moi la main; viens par ici,

Loin d'eux. Vois se pencher les défuntes Années,
Sur les balcons du ciel, en robes surannées;
Surgir du fond des eaux le Regret souriant;

Le Soleil moribond s'endormir sous une arche,
Et, comme un long linceul traînant à l'Orient,
Entends, ma chère, entends la douce Nuit qui marche.

L'ÉTRANGER

Qui aimes-tu le mieux, homme énigmatique, dis? ton
père, ta mère, ta sœur ou ton frère?
— Je n'ai ni père, ni mère, ni sœur, ni frère.
— Tes amis?
— Vous vous servez là d'une parole dont le sens m'est
resté jusqu'à ce jour inconnu.

Be quiet, O my Grief, and keep still. You asked for Evening. Here he
is, descending: an obscure atmosphere envelops the city, bringing peace to
some, anxiety to others. While the base herd of mortals under the whip
of that merciless torturer, Pleasure, goes to gather remorses in the servile
merry-making. My Grief, give me your hand, come this way, far from
them. See the dead years lean over the balcony of heaven in their old-
fashioned gowns, smiling Regret appear from the depths of the waters,
the dying Sun fall asleep beneath an arch, and, like a long shroud trailing
off in the East, hear, my love, hear gentle Night walking.

Whom do you love best, enigmatic man, tell me? Your father, your
mother, your sister or your brother?—I don't have a father, or a mother,
or a sister, or a brother.—Your friends?—You are using a word whose
meaning has remained unknown to me to this day.—Your country?—I

— Ta patrie?

— J'ignore sous quelle latitude elle est située.

— La beauté?

— Je l'aimerais volontiers, déesse et immortelle.

— L'or?

— Je le hais comme vous haïssez Dieu.

— Eh! qu'aimes-tu donc, extraordinaire étranger?

— J'aime les nuages ... les nuages qui passent ... là-bas ... là-bas ... les merveilleux nuages!

LE MAUVAIS VITRIER

Il y a des natures purement contemplatives et tout à fait impropres à l'action, qui cependant, sous une impulsion mystérieuse et inconnue, agissent quelquefois avec une rapidité dont elles se seraient crues elles-mêmes incapables.

Tel qui, craignant de trouver chez son concierge une nouvelle chagrinante, rôde lâchement une heure devant sa porte sans oser rentrer, tel qui garde quinze jours une lettre sans la décacheter, ou ne se résigne qu'au bout de six mois à opérer une démarche nécessaire depuis un an, se sentent quelquefois brusquement précipités vers l'action par une force irrésistible, comme la flèche d'un arc. Le moraliste et le médecin, qui prétendent tout savoir, ne peuvent pas expliquer d'où vient si subitement une si folle énergie à ces âmes paresseuses et voluptueuses et comment, incapables

don't know under what latitude it is located.—Beauty?—I would gladly love it if it were a goddess and immortal.—Gold?—I hate it as you hate God.—Well, what do you like then, extraordinary stranger?—I like the clouds . . . the clouds that sail by . . . over there . . . over there . . . the marvelous clouds!

There are some purely contemplative natures, quite unfit for action, who, however, under a mysterious and unknown impulse, sometimes act with a speed of which they would have thought themselves incapable; for instance the man who, afraid of finding some distressing news at his janitor's, hangs about his door for an hour, like a coward, without daring to enter, or the man who keeps a letter for two weeks without opening it, or makes up his mind six months later to take steps that were necessary a year before, sometimes these feel themselves suddenly propelled to act by an irresistible power, like the arrow of a bow. The moralist and the physician who pretend to know everything, cannot explain where these idle and voluptuous souls all of a sudden find such frantic energy, and how, incapable as they are to accomplish the simplest and most natural

d'accomplir les choses les plus simples et les plus nécessaires, elles trouvent à une certaine minute un courage de luxe pour exécuter les actes les plus absurdes et souvent même les plus dangereux.

Un de mes amis, le plus inoffensif rêveur qui ait existé, a mis une fois le feu à une forêt pour voir, disait-il, si le feu prenait avec autant de facilité qu'on l'affirme généralement. Dix fois de suite, l'expérience manqua; mais, à la onzième, elle réussit beaucoup trop bien.

Un autre allumera un cigare à côté d'un tonneau de poudre, *pour voir, pour savoir, pour tenter la destinée,* pour se contraindre lui-même à faire preuve d'énergie, pour faire le joueur, pour connaître les plaisirs de l'anxiété, pour rien, par caprice, par désœuvrement.

C'est une espèce d'énergie qui jaillit de l'ennui et de la rêverie; et ceux en qui elle se manifeste si opinément sont, en général, comme je l'ai dit, les plus indolents et les plus rêveurs des êtres.

Un autre, timide à ce point qu'il baisse les yeux même devant les regards des hommes, à ce point qu'il lui faut rassembler toute sa pauvre volonté pour entrer dans un café ou passer devant le bureau d'un théâtre, où les contrôleurs lui paraissent investis de la majesté de Minos, d'Eaque et de Rhadamanthe, sautera brusquement au cou d'un vieillard qui passe à côté de lui et l'embrassera avec enthousiasme devant la foule étonnée.

Pourquoi? Parce que ... parce que cette physionomie lui

---

things, at certain times they strike upon a surplus courage to perform the most absurd and sometimes even the most dangerous actions. A friend of mine, the most harmless dreamer who ever lived, once set fire to a forest in order to see, he said, whether fire caught as easily as is generally asserted. Ten times the experience failed; but, on the eleventh it succeeded only too well. Another will light a cigar next to a powder keg, *In order to see, to know, to tempt fate,* to force himself to give proof of his energy, to pretend to be a gambler, to experience the pleasures of anxiety, for no reason at all, through caprice, to kill time. It is a kind of energy which springs from ennui and dreaming; and those in whom it shows itself so opportunely are in general, as I said, the most indolent and dreaming beings. Another, shy to the point of casting down his eyes even from the gaze of men, to the point of having to muster all his poor will power to enter a café or pass in front of the box-office of a theater where the ticket collectors seem to him to be invested with the majesty of Minos, Aeacus, and Rhadamanthus, will suddenly fling his arm around the neck of an old man who happens to walk by him and will kiss him en-

était irrésistiblement sympathique? Peut-être; mais il est plus légitime de supposer que lui-même il ne sait pas pourquoi.

J'ai été plus d'une fois victime de ces crises et de ces élans, qui nous autorisent à croire que des Démons malicieux se glissent en nous et nous font accomplir, à notre insu, leurs plus absurdes volontés.

Un matin je m'étais levé maussade, triste, fatigué d'oisiveté, et poussé, me semblait-il, à faire quelque chose de grand, une action d'éclat; et j'ouvris la fenêtre, hélas!

(Observez, je vous prie, que l'esprit de mystification qui, chez quelques personnes, n'est pas le résultat d'un travail ou d'une combinaison, mais d'une inspiration fortuite, participe beaucoup, ne fût-ce que par l'ardeur du désir, de cette humeur, hystérique selon les médecins, satanique selon ceux qui pensent un peu mieux que les médecins, qui nous pousse sans résistance vers une foule d'actions dangereuses ou inconvenantes.)

La première personne que j'aperçus dans la rue, ce fut un vitrier dont le cri perçant, discordant, monta jusqu'à moi à travers la lourde et sale atmosphère parisienne. Il me serait d'ailleurs impossible de dire pourquoi je fus pris à l'égard de ce pauvre homme d'une haine aussi soudaine que despotique.

« — Hé! hé! » et je lui criai de monter. Cependant je réfléchissais, non sans quelque gaieté, que, la chambre

---

thusiastically in front of a surprised crowd. Why? Because . . . because he found this face irresistibly appealing? Perhaps; but it is more legitimate to suppose that even he does not know why.

I have been more than once the victim of these crises and of these impulses, which authorize us to believe that some mischievous demons worm themselves into our being and make us satisfy, unknown to us, their most absurd whims. One morning I had risen up in a bad mood, sad, weary with idleness, and impelled, or so it seemed to me, to do something important, some brilliant deed; and I opened the window, alas!

(Observe, please, that a bent for practical jokes which, for certain people, is not the result of an operation or a scheme, but of a fortuitous inspiration, partakes to a great extent, if only by the heat of desire, of this disposition, hysterical according to doctors, satanic according to those who think a little better than doctors, which pushes you without resistance to a great many dangerous or improper acts.) The first person I saw in the street was a glazier whose piercing, jarring call reached me through the heavy and dirty Parisian air. Furthermore I could not tell you why I felt toward that poor man a hatred as sudden as it was despotic. "—Hey! hey!" and I shouted to him to come up. During that time I

étant au sixième étage et l'escalier fort étroit, l'homme devait éprouver quelque peine à opérer son ascension et accrocher en maint endroit les angles de sa fragile marchandise.

Enfin il parut: j'examinai curieusement toutes ses vitres, et je lui dis: « Comment! vous n'avez pas de verres de couleur? des verres roses, rouges, bleus, des vitres magiques, des vitres de paradis? Impudent que vous êtes! vous osez vous promener dans des quartiers pauvres, et vous n'avez pas même de vitres qui fassent voir la vie en beau! » Et je le poussai vivement vers l'escalier, où il trébucha en grognant.

Je m'approchai du balcon et je me saisis d'un petit pot de fleurs, et quand l'homme reparut au débouché de la porte, je laissai tomber perpendiculairement mon engin de guerre sur le rebord postérieur de ses crochets; et le choc le renversant, il acheva de briser sous son dos toute sa pauvre fortune ambulatoire qui rendit le bruit éclatant d'un palais de cristal crevé par la foudre.

Et, ivre de ma folie, je lui criai furieusement: « La vie en beau! la vie en beau! »

Ces plaisanteries nerveuses ne sont pas sans péril, et on peut souvent les payer cher. Mais qu'importe l'éternité de la damnation à qui a trouvé dans une seconde l'infini de la jouissance?

---

thought, not without mirth, that, the room being on the seventh floor and the stairs very narrow, the man must have been hard put to negotiate his climb and must have caught in many a place the angles of his fragile merchandise. At last he appeared: I examined with curiosity all his panes, and I told him: "What! you don't have any colored glass? pink, red, blue glass, magical panes, paradise panes? Impudent! you dare walk around poor neighborhoods, and you don't even have windowpanes that would make life look beautiful!" and I pushed him quickly toward the stairs, where he stumbled and grumbled. I went to the balcony and I seized a little flower pot, and when the man reappeared outdoors, I dropped perpendicularly my war machine on the back edge of his hooks; and the impact knocking him down, he finally smashed under his back all his poor ambulatory fortune which gave out the ringing sound of a crystal palace shattered by lightning. And, drunk with my madness, I shouted to him furiously: "The beautiful side of life! the beautiful side of life!" Those nervous jokes are not without danger, and one can often pay dearly for them. But what does an eternity of damnation matter to him who found in one second the endlessness of pleasure?

LE VIEUX SALTIMBANQUE

Partout s'étalait, se répandait, s'ébaudissait le peuple en vacances. C'était une de ces solennités sur lesquelles, pendant un long temps, comptent les saltimbanques, les faiseurs de tours, les montreurs d'animaux et les boutiquiers ambulants, pour compenser les mauvais temps de l'année.

En ces jours-là il me semble que le peuple oublie tout, la douleur et le travail; il devient pareil aux enfants. Pour les petits c'est un jour de congé, c'est l'horreur de l'école renvoyée à vingt-quatre heures. Pour les grands c'est un armistice conclu avec les puissances malfaisantes de la vie, un répit dans la contention et la lutte universelles.

L'homme du monde lui-même et l'homme occupé de travaux spirituels échappent difficilement à l'influence de ce jubilé populaire. Ils absorbent, sans le vouloir, leur part de cette atmosphère d'insouciance. Pour moi, je ne manque jamais, en vrai Parisien, de passer la revue de toutes les baraques qui se pavanent à ces époques solennelles.

Elles se faisaient, en vérité, une concurrence formidable: elles piaillaient, beuglaient, hurlaient. C'était un mélange de cris, de détonations de cuivre et d'explosions de fusées. Les queues-rouges et les Jocrisses convulsaient les traits de leurs visages basanés, racornis par le vent, la pluie et le soleil; ils lançaient, avec l'aplomb des comédiens sûrs de leurs effets, des bons mots et des plaisanteries d'un comique solide et

Everywhere the populace on vacation was overflowing, spreading, laughing. It was one of those holidays that the tumblers, the mountebanks, the exhibitors of animals and the itinerant hawkers look forward to for a long time to make up for the slack times of the year. During those days it seems to me that the populace forgets everything, pain and work; it becomes like a child. For the young it is a day off, it is the horror of school put off for twenty-four hours. For the grown-ups it is an armistice concluded with the evil powers of life, a respite in the universal contention and struggle. The man of the world himself and the man engaged in spiritual works escape with difficulty the influence of this popular jubilee. They absorb, unwittingly, their share of this carefree atmosphere. As for myself, I never fail, as a true Parisian, to inspect all the stalls which are displayed during those solemn periods. In truth, they were competing fiercely: they squealed, bawled, roared. It was a mixture of shouts, of detonations of brass and explosions of fireworks. The buffoons and stooges convulsed the features of their tanned faces, hardened by the wind, the rain and the sun; they threw out, with the assurance of comedians sure of their effects, witticisms and jokes solidly and heavily comi-

lourd, comme celui de Molière. Les Hercules, fiers de l'énormité de leurs membres, sans front et sans crâne, comme les orangs-outangs, se prélassaient majestueusement sous les maillots lavés la veille pour la circonstance. Les danseuses, belles comme des fées ou des princesses, sautaient et cabriolaient sous le feu des lanternes qui remplissaient leurs jupes d'étincelles.

Tout n'était que lumière, poussière, cris, joie, tumulte; les uns dépensaient, les autres gagnaient, les uns et les autres également joyeux. Les enfants se suspendaient aux jupons de leurs mères pour obtenir quelque bâton de sucre, ou montaient sur les épaules de leurs pères pour mieux voir un escamoteur éblouissant comme un dieu. Et partout circulait, dominant tous les parfums, une odeur de friture qui était comme l'encens de cette fête.

Au bout, à l'extrême bout de la rangée de baraques, comme si, honteux, il s'était exilé lui-même de toutes ces splendeurs, je vis un pauvre saltimbanque, voûté, caduc, décrépit, une ruine d'homme, adossé contre un des poteaux de sa cahute; une cahute plus misérable que celle du sauvage le plus abruti, et dont deux bouts de chandelles, coulants et fumants, éclairaient trop bien encore la détresse.

Partout la joie, le gain, la débauche; partout la certitude du pain pour les lendemains; partout l'explosion frénétique de la vitalité. Ici la misère absolue, la misère affublée, pour comble d'horreur, de haillons comiques, où la nécessité,

cal like Molière's. The strongmen, proud of the hugeness of their limbs, without forehead or cranium, like orangutans, strutted majestically in tights washed the day before for the occasion. The dancers, beautiful as fairies or princesses, jumped and capered under the light of the lanterns which filled their skirts with sparks. All was light, dust, shouts, joy, commotion; some spent, others earned, both sides equally happy. The children hung on their mothers' skirts to get some sugarstick, or climbed on their fathers' shoulders the better to see a conjuror dazzling as a god. And everywhere flowed, overpowering all perfumes, a frying smell, that was like the incense of this feast. At the end, at the very end of the row of stalls, as if, ashamed, he had exiled himself away from all these splendors, I saw a poor mountebank, bent over, worn out, decrepit, a ruin of a man, leaning against the poles of his shanty; a shanty more miserable than that of the most brutelike savage, and whose distress was too well lit by two running and smoking bits of candle. Everywhere joy, gain, debauchery; everywhere the certainty of bread for tomorrow; everywhere the frenzied explosion of vitality. Here absolute misery, misery accoutered, to crown all horror, with comical rags, where necessity much more than art had introduced an element of contrast. He did not laugh, the wretch!

bien plus que l'art, avait introduit le contraste. Il ne riait pas, le misérable! Il ne pleurait pas, il ne dansait pas, il ne gesticulait pas, il ne criait pas; il ne chantait aucune chanson, ni gaie, ni lamentable, il n'implorait pas. Il était muet et immobile. Il avait renoncé, il avait abdiqué. Sa destinée était faite.

Mais quel regard profond, inoubliable, il promenait sur la foule et les lumières, dont le flot mouvant s'arrêtait à quelques pas de sa répulsive misère! Je sentis ma gorge serrée par la main terrible de l'hystérie, et il me sembla que mes regards étaient offusqués par ces larmes rebelles qui ne veulent pas tomber.

Que faire? A quoi bon demander à l'infortuné quelle curiosité, quelle merveille il avait à montrer dans ces ténèbres puantes, derrière son rideau déchiqueté? En vérité, je n'osais; et dût la raison de ma timidité vous faire rire, j'avouerai que je craignais de l'humilier. Enfin, je venais de me résoudre à déposer en passant quelque argent sur une de ses planches, espérant qu'il devinerait mon intention, quand un grand reflux du peuple, causé par je ne sais quel trouble, m'entraîna loin de lui.

Et, m'en retournant, obsédé par cette vision, je cherchai à analyser ma soudaine douleur, et je me dis: Je viens de voir l'image du vieil homme de lettres qui a survécu à la génération dont il fut le brillant amuseur; du vieux poëte sans amis, sans famille, sans enfants, dégradé par sa misère

He did not cry, he did not dance, he did not gesticulate, he did not shout; he sang no song, neither gay nor pitiful, he did not implore. He was mute and motionless. He had renounced, he had abdicated. His destiny was accomplished. But what a deep, unforgettable gaze he cast over the crowd and the lights, whose moving stream stopped a few feet away from his repulsive misery! I felt my throat tightening under the terrible hand of hysteria, and it seemed to me that my glance was blurred by those rebellious tears which refuse to fall. What was I to do? What was the use of asking the hapless creature what curiosity, what marvel he had for display in that stinky darkness behind his torn curtain? In truth I did not dare; and even if the reason for my timidity should make you laugh, I will confess that I was afraid to humiliate him. At last I had made up my mind to set down, as I went by, some money on one of his boards, hoping that he would guess at my intention, when a great surge of people, caused by I don't know what confusion, carried me away far from him. And, going home, obsessed by this vision, I tried to analyze my sudden suffering, and I told myself: I have just seen the image of the old literary man who has outlived the generation whose brilliant amuser he had been; of the old poet without friends, without family, without children, degraded

et par l'ingratitude publique, et dans la baraque de qui le monde oublieux ne veut plus entrer!

UN HÉMISPHÈRE DANS UNE CHEVELURE

Laisse-moi respirer longtemps, longtemps, l'odeur de tes cheveux, y plonger tout mon visage, comme un homme altéré dans l'eau d'une source, et les agiter avec ma main comme un mouchoir odorant, pour secouer des souvenirs dans l'air.

Si tu pouvais savoir tout ce que je vois! tout ce que je sens! tout ce que j'entends dans tes cheveux! Mon âme voyage sur le parfum comme l'âme des autres hommes sur la musique.

Tes cheveux contiennent tout un rêve, plein de voilures et de mâtures; ils contiennent de grandes mers dont les moussons me portent vers de charmants climats, où l'espace est plus bleu et plus profond, où l'atmosphère est parfumée par les fruits, par les feuilles et par la peau humaine.

Dans l'océan de ta chevelure, j'entrevois un port fourmillant de chants mélancoliques, d'hommes vigoureux de toutes nations et de navires de toutes formes découpant leurs architectures fines et compliquées sur un ciel immense où se prélasse l'éternelle chaleur.

Dans les caresses de ta chevelure, je retrouve les langueurs des longues heures passées sur un divan, dans la chambre d'un beau navire, bercées par le roulis imper-

by his misery and by public ingratitude, and in whose stall the forgetful world no longer wants to enter.

Let me breathe for a long, long time the scent of your hair, plunge all my face into it, as a thirsty man into the water of a spring, and wave it with my hand as a scented handkerchief, to shake memories in the air. If you only knew all I see! all I feel! all I hear in your hair! My soul travels on perfume as the soul of other men on music. Your hair holds a whole dream, full of sails and masts; it holds great seas whose monsoons carry me toward charming climes, where space is bluer and deeper, where the atmosphere is perfumed by fruits, by leaves and by human skin. In the ocean of your hair, I catch sight of a harbor swarming with melancholy songs, with vigorous men from all nations and with ships of all shapes, their fine and complicated architectures outlined against an immense sky where eternal warmth sits in state. In the caresses of your hair, I find again the languor of the long hours spent on a sofa, in the room of a beautiful ship, lulled by the imperceptible rolling of the harbor,

ceptible du port, entre les pots de fleurs et les gargoulettes rafraîchissantes.

Dans l'ardent foyer de ta chevelure, je respire l'odeur du tabac mêlée à l'opium et au sucre; dans la nuit de ta chevelure, je vois resplendir l'infini de l'azur tropical; sur les rivages duvetés de ta chevelure, je m'enivre des odeurs combinées du goudron, du musc et de l'huile de coco.

Laisse-moi mordre longtemps tes tresses lourdes et noires. Quand je mordille tes cheveux élastiques et rebelles il me semble que je mange des souvenirs.

L'INVITATION AU VOYAGE

Il est un pays superbe, un pays de Cocagne, dit-on, que je rêve de visiter avec une vieille amie. Pays singulier, noyé dans les brumes de notre Nord, et qu'on pourrait appeler l'Orient de l'Occident, la Chine de l'Europe, tant la chaude et capricieuse fantaisie s'y est donné carrière, tant elle l'a patiemment et opiniâtrement illustré de ses savantes et délicates végétations.

Un vrai pays de Cocagne, où tout est beau, riche, tranquille, honnête; où le luxe a plaisir à se mirer dans l'ordre; où la vie est grasse et douce à respirer; d'où le désordre, la turbulence et l'imprévu sont exclus; où le bonheur est marié au silence; où la cuisine elle-même est poétique, grasse et excitante à la fois; où tout vous ressemble, mon cher ange.

between the flower pots and the refreshing watercoolers. In the ardent hearth of your hair I breathe the scent of tobacco mixed with opium and sugar; in the night of your hair, I see shining the infinite of tropical blue; on the downy shores of your hair, I become intoxicated with the combined scents of tar, musk and coconut oil. Let me bite for a long time your heavy black plaits. When I nibble your rebellious, elastic locks, I feel as if I were eating memories.

There is a marvelous country, a land of milk and honey, they say, that I have been dreaming of visiting with an old friend. Strange country, drowned in the mists of our North, and that we could call the Orient of the Occident, the China of Europe, warm and capricious fantasy has given itself such a free reign there, it has patiently and doggedly illustrated it with so many of its elaborate and delicate vegetations. A true land of milk and honey, where everything is beautiful, rich, restful, honest; where luxury takes pleasure in seeing itself reflected in order; where life is soft and sweet to breathe; where disorder, turbulence and the unexpected are denied admittance; where happiness is married to silence; where cooking itself is poetic, rich and exciting at the same time;

Tu connais cette maladie fiévreuse qui s'empare de nous dans les froides misères, cette nostalgie du pays qu'on ignore, cette angoisse de la curiosité? Il est une contrée qui te ressemble, où tout est beau, riche, tranquille et honnête, où la fantaisie a bâti et décoré une Chine occidentale, où la vie est douce à respirer, où le bonheur est marié au silence. C'est là qu'il faut aller vivre, c'est là qu'il faut aller mourir!

Oui, c'est là qu'il faut aller respirer, rêver et allonger les heures par l'infini des sensations. Un musicien a écrit l'*Invitation à la valse;* quel est celui qui composera l'*Invitation au voyage,* qu'on puisse offrir à la femme aimée, à la sœur d'élection?

Oui, c'est dans cette atmosphère qu'il ferait bon vivre, — là-bas, où les heures plus lentes contiennent plus de pensées, où les horloges sonnent le bonheur avec une plus profonde et plus significative solennité.

Sur des panneaux luisants, ou sur des cuirs dorés et d'une richesse sombre, vivent discrètement des peintures béates, calmes et profondes, comme les âmes des artistes qui les créèrent. Les soleils couchants, qui colorent si richement la salle à manger ou le salon, sont tamisés par de belles étoffes ou par ces hautes fenêtres ouvragées que le plomb divise en nombreux compartiments. Les meubles sont vastes, curieux, bizarres, armés de serrures et de secrets comme des âmes raffinées. Les miroirs, les métaux, les

where everything resembles you, my dear angel. You know this feverish sickness which comes over us in the cold misery, this nostalgia of the unknown country, this anguish of curiosity? There is a land that resembles you, where everything is beautiful, rich, restful and honest, where fantasy has built and decorated an occidental China, where life is sweet to breathe, where happiness is married to silence. There we must go and live, there we must go and die! Yes, there we must go and breathe, dream and lengthen the hours by the infinite of sensations. A musician wrote the *Invitation to the Waltz;* who will compose the *Invitation to the Voyage,* that one could offer to the beloved, to the chosen sister? Yes, it is in this atmosphere that it would be good to live—over there, where the slower hours contain more thoughts, where the clocks ring for happiness with a deeper and more significant solemnity. On glossy panels or on dark, rich, gilded leather live discreetly blissful paintings, calm and deep, like the souls of the artists who created them. The setting suns that color so richly the dining room or the living room are softened, their light coming through beautiful materials or through these high figured windows that lead divides in numerous compartments. The pieces of furniture are vast, curious, odd, armed with locks and secrets like refined souls. The mirrors, the metals, the materials, the gold and silver plate and china

étoffes, l'orfèvrerie et la faïence y jouent pour les yeux une symphonie muette et mystérieuse; et de toutes choses, de tous les coins, des fissures des tiroirs et des plis des étoffes s'échappe un parfum singulier, un *revenez-y* de Sumatra, qui est comme l'âme de l'appartement.

Un vrai pays de Cocagne, te dis-je, où tout est riche, propre et luisant, comme une belle conscience, comme une magnifique batterie de cuisine, comme une splendide orfèvrerie, comme une bijouterie bariolée! Les trésors du monde y affluent, comme dans la maison d'un homme laborieux et qui a bien mérité du monde entier. Pays singulier, supérieur aux autres, comme l'Art l'est à la Nature, où celle-ci est réformée par le rêve, où elle est corrigée, embellie, refondue.

Qu'ils cherchent, qu'ils cherchent encore, qu'ils reculent sans cesse les limites de leur bonheur, ces alchimistes de l'horticulture! Qu'ils proposent des prix de soixante et de cent mille florins pour qui résoudra leurs ambitieux problèmes! Moi, j'ai trouvé ma *tulipe noire* et mon *dahlia bleu!*

Fleur incomparable, tulipe retrouvée, allégorique dahlia, c'est là, n'est-ce pas, dans ce beau pays si calme et si rêveur, qu'il faudrait aller vivre et fleurir? Ne serais-tu pas encadrée dans ton analogie, et ne pourrais-tu pas te mirer, pour parler comme les mystiques, dans ta propre *correspondance?*

Des rêves! toujours des rêves! et plus l'âme est ambi-

---

play for the eyes a mute and mysterious symphony; and from every thing, from every corner, from the cracks of the drawers and the folds of the drapes escapes a singular perfume, a *come back again* of Sumatra, which is like the soul of the apartment. A true land of milk and honey, I tell you, where everything is rich, clean and shiny, like a beautiful conscience, like a beautiful set of kitchen utensils, like spendid gold and silver plates, like multicolored jewelry! The treasures of the world abound there, as in the house of a laborious man who deserves well of the entire world. A strange country, superior to others, as Art is to Nature, where the latter is reshaped by dream, where it is corrected, embellished, recast. Let them seek, let them seek again, let them push back unceasingly the limits of their happiness, those alchemists of horticulture! Let them offer prizes of sixty and of one hundred thousand florins for whoever will solve their ambitious problems! As for myself, I have found my *black tulip* and my *blue dahlia!* Incomparable flower, rediscovered tulip, allegorical dahlia, it is there, isn't it, in that beautiful country so calm and so dreamy, that we should go to live and flower? Wouldn't you be framed by your analogy, and couldn't you admire your reflection, to speak as mystics, in your own *correspondence?* Dreams! always dreams! and the more delicate and am-

tieuse et délicate, plus les rêves s'éloignent du possible. Chaque homme porte en lui sa dose d'opium naturel, incessamment sécrétée et renouvelée, et, de la naissance à la mort, combien comptons-nous d'heures remplies par la jouissance positive, par l'action réussie et décidée? Vivrons-nous jamais, passerons-nous jamais dans ce tableau qu'a peint mon esprit, ce tableau qui te ressemble?

Ces trésors, ces meubles, ce luxe, cet ordre, ces parfums, ces fleurs miraculeuses, c'est toi. C'est encore toi, ces grands fleuves et ces canaux tranquilles. Ces énormes navires qu'ils charrient, tout chargés de richesses, et d'où montent les chants monotones de la manœuvre, ce sont mes pensées qui dorment ou qui roulent sur ton sein. Tu les conduis doucement vers la mer qui est l'Infini, tout en réfléchissant les profondeurs du ciel dans la limpidité de ta belle âme; — et quand, fatigués par la houle et gorgés des produits de l'Orient, ils rentrent au port natal, ce sont encore mes pensées enrichies qui reviennent de l'Infini vers toi.

ENIVREZ-VOUS

Il faut être toujours ivre. Tout est là: c'est l'unique question. Pour ne pas sentir l'horrible fardeau du Temps qui brise vos épaules et vous penche vers la terre, il faut vous enivrer sans trêve.

bitious the soul, the farther dreams are removed from what is possible. Each man carries in him his dose of natural opium, ceaselessly secreted and renewed, and, from birth to death, how many hours can we count that have been filled with positive pleasure, with successful and deliberate action? Shall we ever live, shall we ever move into that picture that my spirit painted, that picture which resembles you? Those treasures, that furniture, that luxury, that order, those perfumes, those miraculous flowers, they are you. Still you, those great rivers and tranquil canals. Those enormous ships that they carry, all laden with riches, and from which rise the monotonous chanteys of maneuvering, are my thoughts which sleep or roll on your breast. You lead them gently toward the sea that is the Infinite, while reflecting the depths of the sky in the limpidity of your beautiful soul; and when, wearied by the swell and gorged with the products of the Orient, they return to their native haven, they are also my enriched thoughts returning from the Infinite to you.

You must always be drunk. That's the one thing: it's the only problem. So as not to feel the horrible burden of time breaking your shoulders and bowing you toward the ground, you must get drunk without cease.

Mais de quoi? De vin, de poésie ou de vertu, à votre guise. Mais enivrez-vous.

Et si quelquefois, sur les marches d'un palais, sur l'herbe verte d'un fossé, dans la solitude morne de votre chambre, vous vous réveillez, l'ivresse déjà diminuée ou disparue, demandez au vent, à la vague, à l'étoile, à l'oiseau, à l'horloge, à tout ce qui fuit, à tout ce qui gémit, à tout ce qui roule, à tout ce qui chante, à tout ce qui parle, demandez quelle heure il est; et le vent, la vague, l'étoile, l'oiseau, l'horloge, vous répondront: « Il est l'heure de s'enivrer! Pour n'être pas les esclaves martyrisés du Temps, enivrez-vous sans cesse! De vin, de poésie ou de vertu, à votre guise. »

LES FENÊTRES

Celui qui regarde du dehors à travers une fenêtre ouverte ne voit jamais autant de choses que celui qui regarde une fenêtre fermée. Il n'est pas d'objet plus profond, plus mystérieux, plus fécond, plus ténébreux, plus éblouissant qu'une fenêtre éclairée d'une chandelle. Ce qu'on peut voir au soleil est toujours moins intéressant que ce qui se passe derrière une vitre. Dans ce trou noir ou lumineux vit la vie, rêve la vie, souffre la vie.

Par delà des vagues de toits, j'aperçois une femme mûre, ridée déjà, pauvre, toujours penchée sur quelque chose, et qui ne sort jamais. Avec son visage, avec son vêtement, avec

But on what? On wine, on poetry, on virtue, as you wish. But get drunk. And if sometimes on the steps of a palace, on the green grass of a ditch, in the dreary solitude of your room, you wake up, your drunkenness already diminished or gone, ask the wind, the wave, the star, the bird, the clock, ask everything that flees, everything that moans, everything that rolls, everything that sings, everything that speaks, ask what time it is; and the wind, the wave, the star, the bird, the clock will answer you: "It is time to get drunk! So as not to be the martyred slaves of time, get drunk without cease! On wine, on poetry, or on virtue, as you wish."

Looking from outside through an open window one never sees as many things as looking through a closed window. There is nothing more profound, more mysterious, more fruitful, more obscure, more dazzling than a candlelit window. What can be seen in the sunlight is always less interesting than what happens behind a windowpane. In that dark or luminous hole, life lives, life dreams, life suffers. Beyond the waves of the roofs, I see a middle-aged woman, already wrinkled, poor, always bent over something, and who never goes out. With her face, with her clothes, with

son geste, avec presque rien, j'ai refait l'histoire de cette femme, ou plutôt sa légende, et quelquefois je me la raconte à moi-même en pleurant.

Si c'eût été un pauvre vieux homme, j'aurais refait la sienne tout aussi aisément.

Et je me couche, fier d'avoir vécu et souffert dans d'autres que moi-même.

Peut-être me direz-vous: « Es-tu sûr que cette légende soit la vraie? » Qu'importe ce que peut être la réalité placée hors de moi, si elle m'a aidé à vivre, à sentir que je suis et ce que je suis?

ANYWHERE OUT OF THE WORLD
N'importe où hors du monde

Cette vie est un hôpital où chaque malade est possédé du désir de changer de lit. Celui-ci voudrait souffrir en face du poêle, et celui-là croit qu'il guérirait à côté de la fenêtre.

Il me semble que je serais toujours bien là où je ne suis pas, et cette question de déménagement en est une que je discute sans cesse avec mon âme.

« Dis-moi, mon âme, pauvre âme refroidie, que penserais-tu d'habiter Lisbonne? Il doit y faire chaud, et tu t'y ragaillardirais comme un lézard. Cette ville est au bord de l'eau; on dit qu'elle est bâtie en marbre, et que le peuple y a une telle haine du végétal, qu'il arrache tous les arbres.

---

her gesture, with almost nothing, I have rewritten the story of that woman, or rather her legend, and sometimes I tell it to myself, crying. Had it been a poor old man, I could have done the same to his story just as easily. And I lie down, proud of having lived and suffered through others and not through me. Perhaps you will tell me: "Are you sure that this legend is the real one?" What does the nature of a reality which is not in me matter, if it helped me to live, to feel that I am and what I am?

Life is a hospital where each patient is obsessed by the desire to change beds. This one would like to suffer in front of the stove, that one thinks that he would recover in front of the window. It seems to me that I shall always be comfortable wherever I am not, and that question of moving is a ceaseless topic of discussion with my soul. "Tell me, my soul, poor, chilled soul, what would you think of living in Lisbon? It must be warm there and you would cheer up there, like a lizard. That city is on the water's edge; they say that it is built in marble, and that its people have such a hatred for plants that they pull up all the trees. There is a land-

Voilà un paysage selon ton goût; un paysage fait avec la lumière et le minéral, et le liquide pour les réfléchir! »

Mon âme ne répond pas.

« Puisque tu aimes tant le repos, avec le spectacle du mouvement, veux-tu venir habiter la Hollande, cette terre béatifiante? Peut-être te divertiras-tu dans cette contrée dont tu as souvent admiré l'image dans les musées. Que penserais-tu de Rotterdam, toi qui aimes les forêts de mâts, et les navires amarrés au pied des maisons? »

Mon âme reste muette.

« Batavia te sourirait peut-être davantage? Nous y trouverions d'ailleurs l'esprit de l'Europe marié à la beauté tropicale. »

Pas un mot. — Mon âme serait-elle morte?

« En es-tu donc venue à ce point d'engourdissement que tu ne te plaises que dans ton mal? S'il en est ainsi, fuyons vers les pays qui sont les analogies de la Mort. — Je tiens notre affaire, pauvre âme! Nous ferons nos malles pour Tornéo. Allons plus loin encore, à l'extrême bout de la Baltique; encore plus loin de la vie, si c'est possible; installons-nous au pôle. Là le soleil ne frise qu'obliquement la terre, et les lentes alternatives de la lumière et de la nuit suppriment la variété et augmentent la monotonie, cette moitié du néant. Là, nous pourrons prendre de longs bains de ténèbres, cependant que, pour nous divertir, les aurores boréales nous enverront de temps en temps leurs gerbes

scape to your taste; a landscape made of light and minerals, and the liquid to reflect them!" My soul does not answer. "Since you are so fond of rest and of the sight of movement, would you like to come and live in Holland, that blissful land? Perhaps you would enjoy yourself in that country whose image you have often admired in museums. What about Rotterdam since you like the forests of masts, and the ships moored under the houses?" My soul remains speechless. "Batavia would perhaps appeal to you more? Besides we would find there the spirit of Europe married to tropical beauty." Not a word. Could it be that my soul is dead? "Have you reached that point of numbness which allows you to feel comfortable only in your suffering? If such is the case, let's flee to countries which are the analogies of Death. I have just what you need, poor soul! We shall pack our trunks for Tornes. Let's go even farther; to the extreme end of the Baltic sea; even farther away from life, if it is possible; let's settle at the pole. There the sun skims the earth only on a slant, and the slow successions of light and night suppress the variety and augment monotony, that half of nothingness. There we will bathe at length in the darkness, while to amuse us, the northern lights will send us from time to time their pink bouquets, like the reflections of a display of fire-

roses, comme des reflets d'un feu d'artifice de l'Enfer! »

Enfin, mon âme fait explosion, et sagement elle me crie:
« N'importe où! pourvu que ce soit hors de ce monde! »

Stéphane Mallarmé

(1842–1898)

LE PITRE CHÂTIÉ

Yeux, lacs avec ma simple ivresse de renaître
Autre que l'histrion qui du geste évoquais
Comme plume la suie ignoble des quinquets,
J'ai troué dans le mur de toile une fenêtre.

De ma jambe et des bras limpide nageur traître,
A bonds multipliés, reniant le mauvais
Hamlet! c'est comme si dans l'onde j'innovais
Mille sépulcres pour y vierge disparaître.

Hilare or de cymbale à des poings irrité,
Tout à coup le soleil frappe la nudité
Qui pure s'exhala de ma fraîcheur de nacre,

Rance nuit de la peau quand sur moi vous passiez,
Ne sachant pas, ingrat! que c'était tout mon sacre,
Ce fard noyé dans l'eau perfide des glaciers.

works from Hell!" At last my soul explodes and wisely it cries to me:
"Anywhere! as long as it is out of this world!"

Eyes, lakes, with my simple intoxicating desire to be reborn other than
the actor, I, who with gestures was evoking as with a feather the ignoble
soot of the lamps, I have pierced in the wall of cloth a window. With my
leg and arms, limpid treacherous swimmer, with many bounds, renouncing
the bad Hamlet! It is as if in the wave I was making a thousand
sepulchers to disappear into them virgin. Hilarious, irritated gold of the
cymbal on fists that beat it, suddenly the sun strikes the nudity which
was exhaled pure from my mother-of-pearl coolness, rancid night of the
skin when you passed over me not knowing, ungrateful one, that this was
my only consecration, the grease paint drowned in the perfidious water of
glaciers.

LES FENÊTRES

Las du triste hôpital, et de l'encens fétide
Qui monte en la blancheur banale des rideaux
Vers le grand crucifix ennuyé du mur vide,
Le moribond sournois y redresse un vieux dos,

Se traîne et va, moins pour chauffer sa pourriture
Que pour voir du soleil sur les pierres, coller
Les poils blancs et les os de la maigre figure
Aux fenêtres qu'un beau rayon clair veut hâler.

Et la bouche, fiévreuse et d'azur bleu vorace,
Telle, jeune, elle alla respirer son trésor,
Une peau virginale et de jadis! encrasse
D'un long baiser amer les tièdes carreaux d'or.

Ivre, il vit, oubliant l'horreur des saintes huiles,
Les tisanes, l'horloge et le lit infligé,
La toux; et quand le soir saigne parmi les tuiles,
Son œil, à l'horizon de lumière gorgé,

Voit des galères d'or, belles comme des cygnes,
Sur un fleuve de pourpre et de parfums dormir
En berçant l'éclair fauve et riche de leurs lignes
Dans un grand nonchaloir chargé de souvenir!

Ainsi, pris du dégoût de l'homme à l'âme dure
Vautré dans le bonheur, où ses seuls appétits

Weary of the dull hospital and the rank fumes rising into the banal whiteness of the curtains toward the large bored crucifix of the empty wall, the dying dissembler straightens his old spine, drags himself and goes, less to warm his rotting body than to see the sunlight on the stones, to glue the white hairs and the bones of his gaunt face to the windows that a clear sun-ray tries to bronze, and his mouth, feverish and greedy for the blue azure, as once when young it inhaled its treasure, a virginal skin and of long ago! soils with a long bitter kiss the tepid panes of gold. Drunk, he lives, forgetting the horror of the holy oils, the infusions, the clock and the inflicted bed, the cough; and when evening bleeds along the tiles, his eye, on the horizon gorged with light, sees golden galleys, beautiful as swans, sleeping on a river of crimson and of fragrance rocking the rich tawny flash of their lines in a great apathy charged with remem-

Mangent, et qui s'entête à chercher cette ordure
Pour l'offrir à la femme allaitant ses petits,

Je fuis et je m'accroche à toutes les croisées
D'où l'on tourne l'épaule à la vie, et, béni,
Dans leur verre, lavé d'éternelles rosées,
Que dore le matin chaste de l'Infini

Je me mire et me vois ange! et je meurs, et j'aime
— Que la vitre soit l'art, soit la mysticité —
A renaître, portant mon rêve en diadème,
Au ciel antérieur où fleurit la Beauté!

Mais, hélas! Ici-bas est maître: sa hantise
Vient m'écœurer parfois jusqu'en cet abri sûr,
Et le vomissement impur de la Bêtise
Me force à me boucher le nez devant l'azur.

Est-il moyen, ô Moi qui connais l'amertume,
D'enfoncer le cristal par le monstre insulté
Et de m'enfuir, avec mes deux ailes sans plume
— Au risque de tomber pendant l'éternité?

BRISE MARINE

La chair est triste, hélas! et j'ai lu tous les livres.
Fuir! là-bas fuir! Je sens que des oiseaux sont ivres

brance! Thus, seized with disgust for man with his blunt soul, wallowing in contentment, where only his appetites eat, and who insists on fetching this filth to present it to the woman suckling her brood, I flee and cling to all the windows from where one turns one's back on life, and blessed, in their glass washed by eternal dews, gilded by the chaste morning of the Infinite, I look at myself and see me as an angel! and I die and I love—may the glass be art, may it be mysteriousness—to be reborn, wearing my dream as a crown, in the anterior sky where Beauty flowers! But, alas! Here-below is master: its obsession sickens me at times even in this safe shelter, and the impure vomit of Stupidity forces me to stop up my nose before the azure. Is there a way, O Self who knows bitterness, to break open the crystal insulted by the monster and to escape with my two featherless wings—at the risk of falling throughout eternity?

The flesh is sad, alas! and I've read all the books. To flee! to flee over there! I feel that the birds are drunk from being among unknown foam

D'être parmi l'écume inconnue et les cieux!
Rien, ni les vieux jardins reflétés par les yeux
Ne retiendra ce cœur qui dans la mer se trempe
O nuits! ni la clarté déserte de ma lampe
Sur le vide papier que la blancheur défend,
Et ni la jeune femme allaitant son enfant.
Je partirai! Steamer balançant ta mâture,
Lève l'ancre pour une exotique nature!
Un Ennui, désolé par les cruels espoirs,
Croit encore à l'adieu suprême des mouchoirs!
Et, peut-être, les mâts, invitant les orages
Sont-ils de ceux qu'un vent penche sur les naufrages
Perdus, sans mâts, sans mâts, ni fertiles îlots ...
Mais, ô mon cœur, entends le chant des matelots!

L'APRÈS-MIDI D'UN FAUNE
Eglogue
    Le Faune

Ces nymphes, je les veux perpétuer.
                          Si clair,
Leur incarnat léger, qu'il voltige dans l'air
Assoupi de sommeils touffus.

                       Aimai-je un rêve?
Mon doute, amas de nuit ancienne, s'achève

and skies! Nothing, neither the old gardens reflected in the eyes will retain this heart which bathes in the sea, oh nights! nor the vacant brightness of my lamp on the empty paper that its whiteness protects, nor the young woman nursing her child. I shall leave! Steamer swaying your masts, raise the anchor for an exotic nature! A tedium, chagrined by cruel hopes, still believes in the supreme farewell of handkerchiefs! And perhaps the masts, inviting the storms, are of those that a wind bends over shipwrecks lost, without masts, without masts, or fertile islands. . . . But, O my heart, listen to the song of the sailors!

These nymphs, I want to perpetuate them. So bright their light flesh that it floats in the air heavy with tufted sleeps. Did I love a dream? My

En maint rameau subtil, qui, demeuré les vrais
Bois mêmes, prouve, hélas! que bien seul je m'offrais
Pour triomphe la faute idéale de roses.
Réfléchissons. ...

        ou si les femmes dont tu gloses
Figurent un souhait de tes sens fabuleux!
Faune, l'illusion s'échappe des yeux bleus
Et froids, comme une source en pleurs, de la plus chaste:
Mais l'autre, tout soupirs, dis-tu qu'elle contraste
Comme brise du jour chaude dans ta toison?
Que non! par l'immobile et lasse pâmoison
Suffoquant de chaleurs le matin frais s'il lutte,
Ne murmure point d'eau que ne verse ma flûte
Au bosquet arrosé d'accords; et le seul vent
Hors des deux tuyaux prompt à s'exhaler avant
Qu'il disperse le son dans une pluie aride,
C'est, à l'horizon pas remué d'une ride,
Le visible et serein souffle artificiel
De l'inspiration, qui regagne le ciel.

O bords siciliens d'un calme marécage
Qu'à l'envi des soleils ma vanité saccage,
Tacite sous les fleurs d'étincelles, CONTEZ
« *Que je coupais ici les creux roseaux domptés*
« *Par le talent; quand, sur l'or glauque de lointaines*
« *Verdures dédiant leur vigne à des fontaines,*
« *Ondoie une blancheur animale au repos:*

doubt, heap of old night, ends in many a subtle branch which, being still the true woods themselves, proves, alas! that all alone I was offering myself as a triumph the ideal sin of roses. Let us reflect. . . . Or if the women of whom you speak represent a desire of your fabulous senses! Faun, illusion flows from the blue and cold eyes of the more chaste like a weeping spring: but the other, all sighs, would you say that she contrasts like the warm day breeze on your fleece? But no! through the immobile and tired swoon suffocating with heat the cool morning if it struggles, there is a murmur of water that is not poured by my flute on the thicket sprinkled with chords; and the only wind quick to exhale from the two pipes before it disperses the sound in an arid rain is, on the horizon not moved by any ripple, the visible and serene artificial breath of inspiration returning to the sky. O Sicilian shores of a calm swamp that envious of the sun my vanity plunders, silent beneath flowers of sparkling light, TELL "*that I was cutting here hollow reeds tamed by talent; when on the greenish gold of far off verdures offering their vine to the fountains ripples an animal whiteness at rest: and that at the slow*

« *Et qu'au prélude lent où naissent les pipeaux*
« *Ce vol de cygnes, non! de naïades se sauve*
« *Ou plonge. ...* »

Inerte, tout brûle dans l'heure fauve
Sans marquer par quel art ensemble détala
Trop d'hymen souhaité de qui cherche le *la*:
Alors m'éveillerai-je à la ferveur première,
Droit et seul, sous un flot antique de lumière,
Lys! et l'un de vous tous pour l'ingénuité.

Autre que ce doux rien par leur lèvre ébruité,
Le baiser, qui tout bas des perfides assure,
Mon sein, vierge de preuve, atteste une morsure
Mystérieuse, due à quelque auguste dent;
Mais, bast! arcane tel élut pour confident
Le jonc vaste et jumeau dont sous l'azur on joue:
Qui, détournant à soi le trouble de la joue,
Rêve, dans un solo long, que nous amusions
La beauté d'alentour par des confusions
Fausses entre elle-même et notre chant crédule;
Et de faire aussi haut que l'amour se module
Evanouir du songe ordinaire de dos
Ou de flanc pur suivis avec mes regards clos,
Une sonore, vaine et monotone ligne.

Tâche donc, instrument des fuites, ô maligne
Syrinx, de refleurir aux lac où tu m'attends!

*prelude with which the pipes are born this flight of swans, no! of naiads
flees or dives. . . ."* Inert, everything burns in the tawny hour without
noting by what art disappeared all at once in one rush too much hymen
desired by him who seeks the A: then shall I awaken to the first fervor
erect and alone, under an ancient flood of light, lily! and one of you all
for ingenuousness. Other than the sweet nothing sounded by their lips,
the kiss which softly insures some perfidious ones, my breast, virgin of
proof, bears witness to a mysterious bite, due to an august tooth; but,
enough! such a secret chose as confidant the large and twin reed on which
we play under the blue sky: which diverting to itself the cheek's emotion
dreams, in a long solo, that we bewilder the beauty around us by false
confusions between itself and our credulous song; and that as high as love
is sung we should make vanish out of the ordinary dream of a back or a
pure thigh followed by closed eyes a sonorous, vain and monotonous line.
Try then, instrument of flights, O malignant Syrinx, to flower again by
the lakes where you await me! As for me, proud of my murmur, I am

Moi, de ma rumeur fier, je vais parler longtemps
Des déesses; et par d'idolâtres peintures,
A leur ombre enlever encore des ceintures:
Ainsi, quand des raisins j'ai sucé la clarté,
Pour bannir un regret par ma feinte écarté,
Rieur, j'élève au ciel d'été la grappe vide
Et, soufflant dans ses peaux lumineuses, avide
D'ivresse, jusqu'au soir je regarde au travers.

O nymphes, regonflons des SOUVENIRS divers.
« *Mon œil, trouant les joncs, dardait chaque encolure*
« *Immortelle, qui noie en l'onde sa brûlure*
« *Avec un cri de rage au ciel de la forêt;*
« *Et le splendide bain de cheveux disparaît*
« *Dans les clartés et les frissons, ô pierreries!*
« *J'accours; quand, à mes pieds, s'entrejoignent (meurtries*
« *De la langueur goûtée à ce mal d'être deux)*
« *Des dormeuses parmi leurs seuls bras hasardeux;*
« *Je les ravis, sans les désenlacer, et vole*
« *A ce massif, haï par l'ombrage frivole,*
« *De roses tarissant tout parfum au soleil,*
« *Où notre ébat au jour consumé soit pareil.* »
Je t'adore, courroux des vierges, ô délice
Farouche du sacré fardeau nu qui se glisse
Pour fuir ma lèvre en feu buvant, comme un éclair
Tressaille! la frayeur secrète de la chair:
Des pieds de l'inhumaine au cœur de la timide

going to speak at length about goddesses; and in their shadow by idolatrous paintings take off still more girdles: thus, when I have sucked the
brightness of grapes in order to banish a regret which my feint removes,
laughing, I raise to the summer sky the empty bunch and blowing in its
luminous skins, eager for intoxication, until evening I look through it.
O nymphs, let us once again inflate various MEMORIES. "*My eye, piercing
the reeds, stung as with a dart each immortal nape that drowns its burn
in the wave with a cry of rage to the forest sky; and the splendid bath of
hair disappears in brightness and shimmering, O precious stones! I come
running; when at my feet join (bruised by the languor tasted in the ill
of being two) sleeping nymphs entwined in their own hazardous arms;
I carry them off, without untwining them, and fly to this thicket, scorned
by the frivolous shade, of roses drying up all perfume in the sun, where
our sport might be like the day consumed.*" I adore you, wrath of virgins,
O wild delight in the holy naked burden that slips away in order to flee
my burning lip which drinks, as a lightning flickers! the secret terror of
the flesh: from the feet of the inhuman nymph to the heart of the timid

Que délaisse à la fois une innocence, humide
De larmes folles ou de moins tristes vapeurs.
« *Mon crime, c'est d'avoir, gai de vaincre ces peurs*
« *Traîtresses, divisé la touffe échevelée*
« *De baisers que les dieux gardaient si bien mêlée:*
« *Car, à peine j'allais cacher un rire ardent*
« *Sous les replis heureux d'une seule (gardant*
« *Par un doigt simple, afin que sa candeur de plume*
« *Se teignît à l'émoi de sa sœur qui s'allume,*
« *La petite, naïve et ne rougissant pas:)*
« *Que de mes bras, défaits par de vagues trépas,*
« *Cette proie, à jamais ingrate se délivre*
« *Sans pitié du sanglot dont j'étais encore ivre.* »

Tant pis! vers le bonheur d'autres m'entraîneront
Par leur tresse nouée aux cornes de mon front:
Tu sais, ma passion, que pourpre et déjà mûre,
Chaque grenade éclate et d'abeilles murmure;
Et notre sang, épris de qui le va saisir,
Coule pour tout l'essaim éternel du désir.
A l'heure où ce bois d'or et de cendres se teinte,
Une fête s'exalte en la feuillée éteinte:
Etna! c'est parmi toi visité de Vénus
Sur ta lave posant ses talons ingénus,
Quand tonne un somme triste où s'épuise la flamme.
Je tiens la reine!

O sûr châtiment ...

one bereft all at once of an innocence, humid with wild tears or less sad
vapors. *"My crime is, gay at conquering their treacherous fears, to have
divided the tousled tuft of kisses that the gods had kept so completely
mingled: for, I was barely about to hide my ardent laughter under the
happy folds of one alone (holding by a simple finger, so that her feathery
candor be tinted by her sister's kindling passion, the little one naïve and
not blushing) when from my arms, undone by vague death, the forever
ungrateful prey frees itself without pity for the sob with which I was still
drunk."* So much the worse! toward happiness others will lead me by
their braids knotted in the horns of my forehead: you know, my passion,
that, purple and already ripe, each pomegranate bursts and murmurs with
bees; and our blood, enamored of what is going to seize it, flows for all
the eternal swarm of desire. At the hour when this wood is tinted with
gold and ashes, a feast gloriously rises amid the colorless leaves: Etna!
it is on you visited by Venus on your lava placing her ingenuous heels
when a sad slumber thunders or the flame is dead. I hold the queen!
O sure punishment. . . . No, but my soul emptied of words and my

Non, mais l'âme

De paroles vacante et ce corps alourdi
Tard succombent au fier silence de midi:
Sans plus il faut dormir en l'oubli du blasphème,
Sur le sable altéré gisant et comme j'aime
Ouvrir ma bouche à l'astre efficace des vins!

Couple, adieu; je vais voir l'ombre que tu devins.

LA CHEVELURE

La chevelure vol d'une flamme à l'extrême
Occident de désirs pour la tout déployer
Se pose (je dirais mourir un diadème)
Vers le front couronné son ancien foyer

Mais sans or soupirer que cette vive nue
L'ignition du feu toujours intérieur
Originellement la seule continue
Dans le joyau de l'œil véridique ou rieur

Une nudité de héros tendre diffame
Celle qui ne mouvant astre ni feux au doigt
Rien qu'à simplifier avec gloire la femme

Accomplit par son chef fulgurante l'exploit
De semer de rubis le doute qu'elle écorche
Ainsi qu'une joyeuse et tutélaire torche.

heavy body succumbed late to the proud silence of noon: without more ado we must sleep, forgetting the blasphemy, and lying on the thirsty sand how I love to open my mouth to the efficacious star of wines! Couple, farewell! I am going to see the shadow you became.

The mass of hair, flight of a flame at the extreme west of desires to spread it entirely, comes to rest (I should say dying a diadem) toward the crowned forehead, its former hearth; but without any gold sighing except this moving cloud, the igniting of an eternal inner fire, originally the only one, continues in the jewel of the truthful or laughing eye. The nudeness of a tender hero defames the one who moving neither star nor sparkles on her finger, just by simplifying woman, sparkling gloriously, accomplishes with her head the feat of sowing with rubies the doubt that she flays like a joyful and tutelary torch.

« LE VIERGE, LE VIVACE ET LE BEL AUJOURD'HUI »

Le vierge, le vivace et le bel aujourd'hui
Va-t-il nous déchirer avec un coup d'aile ivre
Ce lac dur oublié que hante sous le givre
Le transparent glacier des vols qui n'ont pas fui!

Un cygne d'autrefois se souvient que c'est lui
Magnifique mais qui sans espoir se délivre
Pour n'avoir pas chanté la région où vivre
Quand du stérile hiver a resplendi l'ennui.

Tout son col secouera cette blanche agonie
Par l'espace infligée à l'oiseau qui le nie,
Mais non l'horreur du sol où le plumage est pris.

Fantôme qu'à ce lieu son pur éclat assigne,
Il s'immobilise au songe froid de mépris
Que vêt parmi l'exil inutile le Cygne.

LE TOMBEAU D'EDGAR POE

Tel qu'en Lui-même enfin l'éternité le change,
Le Poëte suscite avec un glaive nu
Son siècle épouvanté de n'avoir pas connu
Que la mort triomphait dans cette voix étrange!

Eux, comme un vil sursaut d'hydre oyant jadis l'ange

The virginal, vigorous and beautiful today, will it tear for us with a blow of its drunken wing this hard, forgotten lake haunted under the frost by the transparent glacier of flights that have not flown! A swan of former days remembers that it is he who magnificent but without hope frees himself because he did not sing of the country in which to live when the tedium of sterile winter shone. His whole neck will shake off the white agony inflicted by space on the bird that denies it, but not the horror of the soil in which his feathers are caught. A phantom whose pure brilliance relegates to this place, he remains immobile in the cold dream of scorn that in his useless exile dons the swan.

Such as into Himself at last eternity changes him, the Poet arouses with a naked sword his century, appalled at not having known that death was triumphing in this strange voice! They, like a vile writhing of a hydra

Donner un sens plus pur aux mots de la tribu
Proclamèrent très haut le sortilège bu
Dans le flot sans honneur de quelque noir mélange.

Du sol et de la nue hostiles, ô grief!
Si notre idée avec ne sculpte un bas-relief
Dont la tombe de Poe éblouissante s'orne,

Calme bloc ici-bas chu d'un désastre obscur,
Que ce granit du moins montre à jamais sa borne
Aux noirs vols du Blasphème épars dans le futur.

LE TOMBEAU DE CHARLES BAUDELAIRE

Le temple enseveli divulgue par la bouche
Sépulcrale d'égout bavant boue et rubis
Abominablement quelque idole Anubis
Tout le museau flambé comme un aboi farouche

Ou que le gaz récent torde la mèche louche
Essuyeuse on le sait des opprobres subis
Il allume hagard un immortel pubis
Dont le vol selon le réverbère découche

Quel feuillage séché dans les cités sans soir
Votif pourra bénir comme elle se rasseoir
Contre le marbre vainement de Baudelaire

Au voile qui la ceint absente avec frissons

long ago hearing the angel give a purer meaning to the words of the tribe, proclaimed loudly that the spell was drunk in the honorless flow of some dark mixture. Of the earth and the sky, enemies to each other, O struggle! If our ideal vision cannot sculpt from it a bas-relief with which Poe's dazzling tomb may be adorned, calm block here fallen from an obscure disaster, may this granite at least show forever its limits to the dark flights of Blasphemy scattered in the future.

    The buried temple reveals through the sepulchral mouth of the sewer abominably drooling mud and rubies an idol Anubis, his whole muzzle ablaze like a savage bark. Or as the recent gas twists the questionable wick, wiper, we know, of insults suffered, haggard it lights up an immortal pubis whose flight moves according to the street lamp. What votive leaves

Celle son Ombre même un poison tutélaire
Toujours à respirer si nous en périssons.

« À LA NUE ACCABLANTE TU »

A la nue accablante tu
Basse de basalte et de laves
A même les échos esclaves
Par une trompe sans vertu

Quel sépulcral naufrage (tu
Le sais, écume, mais y baves)
Suprême une entre les épaves
Abolit le mât dévêtu

Ou cela que furibond faute
De quelque perdition haute
Tout l'abîme vain éployé

Dans le si blanc cheveu qui traîne
Avarement aura noyé
Le flanc enfant d'une sirène.

dried in cities without evening can bless as it can and allow to sit in vain against the marble of Baudelaire. Shudderingly absent from the veil that clothes it, his shade itself, a protective poison always to be breathed although we die of it.

Unmentioned to the crushing cloud, low with basalt and lava against the enslaved echoes, by a worthless trumpet—what sepulchral shipwreck (you know it, foam, but slobber there), one and supreme among flotsam, abolishes the stripped mast or that which, furious for lack of some high perdition all the vain abyss spread wide, in the so white and trailing hair, will have frugally drowned: the infant womb of a siren?

Arthur Rimbaud

(1854–1891)

ROMAN

I

On n'est pas sérieux, quand on a dix-sept ans.
— Un beau soir, foin des bocks et de la limonade,
Des cafés tapageurs aux lustres éclatants!
— On va sous les tilleuls verts de la promenade.

Les tilleuls sentent bon dans les bons soirs de juin!
L'air est parfois si doux, qu'on ferme la paupière;
Le vent chargé de bruits, — la ville n'est pas loin, —
A des parfums de vigne et des parfums de bière ...

II

— Voilà qu'on aperçoit un tout petit chiffon
D'azur sombre, encadré d'une petite branche,
Piqué d'une mauvaise étoile, qui se fond
Avec de doux frissons, petite et toute blanche ...

Nuit de juin! Dix-sept ans! — On se laisse griser.
La sève est du champagne et vous monte à la tête ...
On divague; on se sent aux lèvres un baiser
Qui palpite là, comme une petite bête ...

I. One is not serious at seventeen.—Some fine evening, a fig for beer and
lemonade, and noisy cafés with shining chandeliers!—one goes to the
promenade, under the green linden trees. The lindens smell good on a fine
evening in June! The air is sometimes so gentle that you close your eyes;
the wind, laden with noise—the city is not far—smells of vines and of
beer. . . . II. And then you notice a tiny rag of dark blue, framed by a
little branch, studded with one poor star, which melts with soft shivering,
small and white. . . . June evening! Seventeen!—One allows oneself to
get drunk. The sap is a champagne that goes to your head. . . . You
dream wildly, you feel on your lips a kiss quavering there, like a small
animal. . . . III. Your crazy heart plays Robinson through novels—when,

III

Le cœur fou Robinsonne à travers les romans,
— Lorsque, dans la clarté d'un pâle réverbère,
Passe une demoiselle aux petits airs charmants,
Sous l'ombre du faux-col effrayant de son père ...

Et, comme elle vous trouve immensément naïf,
Tout en faisant trotter ses petites bottines,
Elle se tourne, alerte et d'un mouvement vif ...
— Sur vos lèvres alors meurent les cavatines ...

IV

Vous êtes amoureux. Loué jusqu'au mois d'août.
Vous êtes amoureux. — Vos sonnets la font rire.
Tous vos amis s'en vont, vous êtes mauvais goût.
— Puis l'adorée, un soir, a daigné vous écrire! ...

— Ce soir-là, ... — vous rentrez aux cafés éclatants,
Vous demandez des bocks ou de la limonade ...
— On n'est pas sérieux, quand on a dix-sept ans
Et qu'on a des tilleuls verts sur la promenade.

LE DORMEUR DU VAL

C'est un trou de verdure où chante une rivière
Accrochant follement aux herbes des haillons
D'argent; où le soleil, de la montagne fière,
Luit: c'est un petit val qui mousse de rayons.

under the light of a pale street lamp a young lady goes by with a charming little look under the shadow of her father's frightening stiff collar. . . . And since she finds you hugely naïve, while trotting along in her little shoes, she turns around, agile and with a quick gesture. . . . Then on your lips cavatinas die away. . . . IV. You are in love. Hired until the month of August. You are in love; your sonnets make her laugh, all your friends leave you, you are poor company.—Then the adored one, one evening condescended to write to you! . . . That evening, . . . you go back to the shining cafés, you ask for beer or lemonade. . . . One is not serious at seventeen when there are green lindens on the promenade.

It is a verdant hollow where a river sings, catching rags of silver crazily to the grass; where the sun of the proud mountain shines: it is a little vale effervescent with rays of light. A young soldier, with his mouth open,

Un soldat jeune, bouche ouverte, tête nue,
Et la nuque baignant dans le frais cresson bleu,
Dort; il est étendu dans l'herbe, sous la nue,
Pâle dans son lit vert où la lumière pleut.

Les pieds dans les glaïeuls, il dort. Souriant comme
Sourirait un enfant malade, il fait un somme:
Nature, berce-le chaudement: il a froid.

Les parfums ne font pas frissonner sa narine;
Il dort dans le soleil, la main sur la poitrine
Tranquille. Il a deux trous rouges au côté droit.

TÊTE DE FAUNE

Dans la feuillée, écrin vert taché d'or,
Dans la feuillée incertaine et fleurie
De fleurs splendides où le baiser dort,
Vif et crevant l'exquise broderie,

Un faune effaré montre ses deux yeux
Et mord les fleurs rouges de ses dents blanches.
Brunie et sanglante ainsi qu'un vin vieux,
Sa lèvre éclate en rires sous les branches.

Et quand il a fui — tel qu'un écureuil —
Son rire tremble encore à chaque feuille,
Et l'on voit épeuré par un bouvreuil
Le Baiser d'or du Bois, qui se recueille.

bare head, and the nape of his neck bathing in cool blue watercress, sleeps; he is stretched out in the grass, under the sky, pale in his green bed on which the light rains down. With his feet in swordgrass, he sleeps. Smiling as a sick child would, he takes a nap: Nature, lull him warmly: he is cold. The scents do not make his nostrils quiver; he sleeps in the sun with his hand on his quiet chest. He has two red holes in his right side.

In the foliage, green jewel case spotted with gold, in the uncertain foliage blossoming with splendid flowers where a kiss sleeps, lively and breaking through the exquisite embroidery, a flurried faun shows his two eyes and bites the red flowers with his white teeth. Tanned and blood-stained like old wine, his lips let laughter burst forth under the branches. And when he has fled—squirrellike—his laughter still trembles on each

LE BATEAU IVRE

Comme je descendais des Fleuves impassibles,
Je ne me sentis plus guidé par les haleurs:
Dés Peaux-Rouges criards les avaient pris pour cibles,
Les ayant cloués nus aux poteaux de couleurs.

J'étais insoucieux de tous les équipages,
Porteur de blés flamands ou de cotons anglais.
Quand avec mes haleurs ont fini ces tapages,
Les Fleuves m'ont laissé descendre où je voulais.

Dans les clapotements furieux des marées,
Moi, l'autre hiver, plus sourd que les cerveaux d'enfants,
Je courus! Et les Péninsules démarrées
N'ont pas subi tohu-bohus plus triomphants.

La tempête a béni mes éveils maritimes.
Plus léger qu'un bouchon j'ai dansé sur les flots
Qu'on appelle rouleurs éternels de victimes,
Dix nuits, sans regretter l'œil niais des falots!

Plus douce qu'aux enfants la chair des pommes sures,
L'eau verte pénétra ma coque de sapin
Et des taches de vins bleus et des vomissures
Me lava, dispersant gouvernail et grappin.

leaf, and one sees, frightened by a bullfinch, the golden kiss of the woods communing with itself.

As I descended impassive Rivers, I felt that haulers were no longer guiding me: screaming redskins had taken them for their targets and nailed them nude to colored stakes. I gave no thought to crews, I carried Flemish wheat or English cotton. When with my haulers gone the din ceased, the Rivers let me drift where I willed. Through the furious lapping of the tides, I, the other winter, deafer than children's minds, I ran! And the drifting peninsulas were not subjected to more triumphant uproars. The tempest blessed my awakenings at sea. Lighter than a cork I danced on the waves which they call endless rollers of victims, ten nights, without regretting the silly eye of lanterns! Sweeter than the flesh of sour apples is to children, the green water seeped into my pinewood hull and washed away blue wine stains, vomitings, scattering rudder and grappling-anchor. And henceforth I bathed in the Poem of the Sea,

Et dès lors, je me suis baigné dans le Poème
De la Mer, infusé d'astres et lactescent,
Dévorant les azurs verts; où, flottaison blême
Et ravie, un noyé pensif parfois descend;

Où, teignant tout à coup les bleuités, délires
Et rythmes lents sous les rutilements du jour,
Plus fortes que l'alcool, plus vastes que nos lyres,
Fermentent les rousseurs amères de l'amour!

Je sais les cieux crevant en éclairs, et les trombes
Et les ressacs et les courants: je sais le soir,
L'Aube exaltée ainsi qu'un peuple de colombes,
Et j'ai vu quelquefois ce que l'homme a cru voir.

J'ai vu le soleil bas, taché d'horreurs mystiques,
Illuminant de longs figements violets,
Pareils à des acteurs de drames très antiques
Les flots roulant au loin leurs frissons de volets!

J'ai rêvé la nuit verte aux neiges éblouies,
Baiser montant aux yeux des mers avec lenteurs,
La circulation des sèves inouïes,
Et l'éveil jaune et bleu des phosphores chanteurs!

J'ai suivi, des mois pleins, pareille aux vacheries
Hystériques, la houle à l'assaut des récifs,
Sans songer que les pieds lumineux des Maries
Pussent forcer le mufle aux Océans poussifs!

infused with stars, milk-white, devouring azure greens; where, livid and
ecstatic floating, a pensive drowned man sometimes descends; where,
staining suddenly the blueness, delirium and slow rhythms under the glow
of the day, stronger than alcohol, vaster than our lyres, the bitter redness
of love ferments. I know the skies splitting with lightning, and the whirlwinds and the surf and the currents; I know the night, the Dawn exalted
like a flock of doves, and I have sometimes seen what man imagines to
have seen! I have seen the low sun, stained with mystic horrors, lighting
with long purple clots like actors in ancient tragedies the waves rolling
far away their flicker of shutter slats! I have dreamed the green night
with bedazzled snow, kiss rising to the sea's eyes slowly, the flow of
extraordinary saps, and the yellow and blue awakening of melodious
phosphorus! I have followed, for whole months, like tricks of maddened
cows, the surge of the sea storming the reefs, without thinking that the
luminous feet of the Marys could force a muzzle on the panting Ocean!

J'ai heurté, savez-vous, d'incroyables Florides
Mêlant aux fleurs des yeux de panthères à peaux
D'hommes! Des arcs-en-ciel tendus comme des brides
Sous l'horizon des mers, à de glauques troupeaux!

J'ai vu fermenter les marais énormes, nasses
Où pourrit dans les joncs tout un Léviathan!
Des écroulements d'eaux au milieu des bonaces,
Et les lointains vers les gouffres cataractant!

Glaciers, soleils d'argent, flots nacreux, cieux de braises,
Echouages hideux au fond des golfes bruns
Où les serpents géants dévorés des punaises
Choient, des arbres tordus, avec de noirs parfums!

J'aurais voulu montrer aux enfants ces dorades
Du flot bleu, ces poissons d'or, ces poissons chantants.
— Des écumes de fleurs ont bercé mes dérades
Et d'ineffables vents m'ont ailé par instants.

Parfois, martyr lassé des pôles et des zones,
La mer dont le sanglot faisait mon roulis doux
Montait vers moi ses fleurs d'ombre aux ventouses jaunes
Et je restais, ainsi qu'une femme à genoux ...

Presque île, ballottant sur mes bords les querelles
Et les fientes d'oiseaux clabaudeurs aux yeux blonds.
Et je voguais, lorsqu'à travers mes liens frêles

I have struck, you know, incredible Floridas mingling flowers and the eyes of panthers with human hides! Rainbows stretched like bridle reins below the sea's horizon to glaucous herds! I have seen the ferment of enormous marshes, weirs where a whole Leviathan rots in the reeds! Collapses of water within the calm of the sea, and the distances cataracting toward the chasms! Glaciers, silver suns, pearl waves, skies like coals, hideous beaching at the bottom of brown gulfs where giant serpents devoured by bugs fall from gnarled trees with black perfumes! I should have liked to show to children the dolphinlike fish of the blue waves, those golden fish, those singing fish. Foams of flowers have lulled my driftings and ineffable winds have at times given me wings. Sometimes I felt like a martyr weary of poles and zones; the sea whose sobbing softened my rolling raised toward me its shadowy flowers with yellow suckers and I stayed there, like a woman on her knees. . . . Near island, tossing on my sides the quarrels and droppings of blond-eyed gossiping birds. And I sailed on when through my frail lines drowned men drifted

Des noyés descendaient dormir, à reculons! ...

Or moi, bateau perdu sous les cheveux des anses,
Jeté par l'ouragan dans l'éther sans oiseau,
Moi dont les Monitors et les voiliers des Hanses
N'auraient pas repêché la carcasse ivre d'eau;

Libre, fumant, monté de brumes violettes,
Moi qui trouais le ciel rougeoyant comme un mur
Qui porte, confiture exquise aux bons poètes,
Des lichens de soleil et des morves d'azur;

Qui courais, taché de lunules électriques,
Planche folle, escorté des hippocampes noirs,
Quand les juillets faisaient crouler à coups de triques
Les cieux ultramarins aux ardents entonnoirs;

Moi qui tremblais, sentant geindre à cinquante lieues
Le rut des Béhémots et les Maelstroms épais,
Fileur éternel des immobilités bleues,
Je regrette l'Europe aux anciens parapets!

J'ai vu des archipels sidéraux! et des îles
Dont les cieux délirants sont ouverts au vogueur:
— Est-ce en ces nuits sans fond que tu dors et t'exiles,
Million d'oiseaux d'or, ô future Vigueur? —

Mais, vrai, j'ai trop pleuré! Les Aubes sont navrantes.
Toute lune est atroce et tout soleil amer:

down to sleep, backward! . . . Now I, a boat lost under the hair of
coves, hurled by the hurricane in the birdless ether, I whose carcass
drunken with water would not have been fished up by Monitors or Hansa
ships; free, smoking, equipped with violet fogs, I who pierced the sky
reddening like a wall that bears, exquisite jam for good poets, lichens of
sun and snots of azure; who, spotted with electric noon-shaped lights
ran, a crazy plank escorted by black sea horses, when the Julys brought
down with cudgel blows the ultramarine skies with fiery funnels; I who
shook, feeling fifty leagues away the rut of rutting Behemoth and thick
Maelstroms, eternal spinner of blue immobilities, I long for Europe with
its ancient parapets! I have seen sidereal archipelagoes! And islands
whose delirious skies are open to the voyager: Is it in these depthless
nights that you sleep and exile yourself, a million golden birds, O future
vigor?—But really, I have wept too much! Dawns are heart-breaking. All
moons are atrocious and all suns bitter: pungent love has bloated me

L'âcre amour m'a gonflé de torpeurs enivrantes.
O que ma quille éclate! O que j'aille à la mer!

Si je désire une eau d'Europe, c'est la flache
Noire et froide où vers le crépuscule embaumé
Un enfant accroupi plein de tristesses, lâche
Un bateau frêle comme un papillon de mai.

Je ne puis plus, baigné de vos langueurs, ô lames,
Enlever leur sillage aux porteurs de cotons,
Ni traverser l'orgueil des drapeaux et des flammes,
Ni nager sous les yeux horribles des pontons.

VOYELLES

A noir, E blanc, I rouge, U vert, O bleu: voyelles,
Je dirai quelque jour vos naissances latentes:
A, noir corset velu des mouches éclatantes
Qui bombinent autour des puanteurs cruelles,

Golfes d'ombre; E, candeurs des vapeurs et des tentes,
Lances des glaciers fiers, rois blancs, frissons d'ombelles;
I, pourpres, sang craché, rire des lèvres belles
Dans la colère ou les ivresses pénitentes;

U, cycles, vibrements divins des mers virides,
Paix des pâtis semés d'animaux, paix des rides
Que l'alchimie imprime aux grands fronts studieux;

with heady torpors. Oh that my keel might burst! Oh that I might go
down to the sea! If I want any water of Europe, it's a black and cold
puddle where in a scented twilight a squatting child, full of sorrows
launches a boat frail as a butterfly in May. I can no longer, bathed in
your languors, O billows, overhaul the wake of cotton freighters, nor
cross the pride of flags and pennants, nor swim beneath the horrible eyes
of prison-ships.

A black, E white, I red, U green, O blue: O vowels, I shall tell, some
day, your latent births: A, black, hairy corset of gaudy flies that bumble
around cruel stinks, gulfs of darkness; E, candors of vapors and of tents,
spears of proud glaciers, white kings, flutter of flower clusters; I, deep
reds, coughed-up blood, laughter of lips beautiful in anger or penitent
ecstasy; U, cycles, divine vibrations of seas growing green, peace of the
pastures sown with animals, peace of the wrinkles that alchemy stamps,

O, suprême Clairon plein de strideurs étranges,
Silences traversés des Mondes et des Anges:
— O l'Oméga, rayon violet de Ses Yeux!

CHANSON DE
LA PLUS HAUTE TOUR

Oisive jeunesse
A tout asservie,
Par délicatesse
J'ai perdu ma vie.
Ah! Que le temps vienne
Où les cœurs s'éprennent.

Je me suis dit: laisse,
Et qu'on ne te voie:
Et sans la promesse
De plus hautes joies.
Que rien ne t'arrête,
Auguste retraite.

J'ai tant fait patience
Qu'à jamais j'oublie;
Craintes et souffrances
Aux cieux sont parties.
Et la soif malsaine
Obscurcit mes veines.

Ainsi la prairie
A l'oubli livrée,
Grandie, et fleurie
D'encens et d'ivraies

on studious brows; O, supreme Clarion, full of strange stridences, silences
crossed by Worlds and Angels: O, Omega, the violet ray of His Eyes!

Idle youth enslaved by everything, through delicacy I wasted my life.
Ah! May the time come when hearts fall in love. I told myself: give up,
let no one see you: and without the promise of the highest joys. Let
nothing stop you, solemn withdrawal. I was so patient that I forget forever; dread and sufferings have taken to the skies, and an unhealthy thirst
darkens my veins. Thus the prairie, given over to neglect, grows and
flowers with rosemary and darnels to the wild buzzing of a thousand dirty

Au bourdon farouche
De cent sales mouches.

Ah! Mille veuvages
De la si pauvre âme
Qui n'a que l'image
De la Notre-Dame!
Est-ce que l'on prie
La Vierge Marie?

Oisive jeunesse
A tout asservie,
Par délicatesse
J'ai perdu ma vie.
Ah! Que le temps vienne
Où les cœurs s'éprennent!

L'ÉTERNITÉ

Elle est retrouvée.
Quoi? — L'Eternité,
C'est la mer allée
Avec le soleil.

Ame sentinelle,
Murmurons l'aveu
De la nuit si nulle
Et du jour en feu.

Des humains suffrages,
Des communs élans
Là tu te dégages
Et voles selon.

flies. Ah! a thousand widowhoods of so pitiful a soul who has only the image of Our Lady! Does one pray to the Virgin Mary? Idle youth enslaved by everything, through delicacy I wasted my life. Ah! May the time come when hearts fall in love!

It has been found again. What? Eternity. It is the sea gone with the sun. Sentinel soul, let us murmur the vow of the night so void and of the fiery day. There, from human sanctions, from common impulses you free yourself and soar accordingly. Since from you alone, embers of satin,

Puisque de vous seules,
Braises de satin,
Le Devoir s'exhale
Sans qu'on dise: enfin.

Là pas d'espérance,
Nul orietur.
Science avec patience,
Le supplice est sûr.

Elle est retrouvée.
Quoi? — L'Eternité.
C'est la mer allée
Avec le soleil.

« O SAISONS, Ô CHÂTEAUX! »

O saisons, ô châteaux!
Quelle âme est sans défauts?

J'ai fait la magique étude
Du bonheur, qu'aucun n'élude.

Salut à lui, chaque fois
Que chante le coq gaulois.

Ah! je n'aurai plus d'envie:
Il s'est chargé de ma vie.

Ce charme a pris âme et corps
Et dispersé les efforts.

O saisons, ô châteaux!

Duty is exhaled without one saying: at last. There no hope, no beginning.
Science with patience, anguish is certain. It has been found again. What?
Eternity. It is the sea gone with the sun.

O seasons, O castles! What soul is without faults? I pursued the magic
study of happiness that no one eludes. Hail to it, every time the cock of
Gaul crows. Ah! I shall have no more yearning: it has taken my life
over. That spell has taken body and soul and scattered all efforts. O

L'heure de sa fuite, hélas!
Sera l'heure du trépas.

O saisons, ô châteaux!

APRÈS LE DÉLUGE

Aussitôt que l'idée du Déluge se fut rassise,

Un lièvre s'arrêta dans les sainfoins et les clochettes mouvantes, et dit sa prière à l'arc-en-ciel à travers la toile de
l'araignée.

Oh! les pierres précieuses qui se cachaient, — les fleurs
qui regardaient déjà.

Dans la grande rue sale les étals se dressèrent, et l'on tira
les barques vers la mer étagée là-haut comme sur les gra-
vures.

Le sang coula, chez Barbe-Bleue, — aux abattoirs, —
dans les cirques, où le sceau de Dieu blêmit les fenêtres. Le
sang et le lait coulèrent.

Les castors bâtirent. Les « mazagrans » fumèrent dans les
estaminets.

Dans la grande maison de vitres encore ruisselante les
enfants en deuil regardèrent les merveilleuses images.

Une porte claqua, — et sur la place du hameau, l'enfant
tourna ses bras, compris des girouettes et des coqs des
clochers de partout, sous l'éclatante giboulée.

Madame * * * établit un piano dans les Alpes. La

seasons, O castles! The hour of flight, alas! will be the hour of death. O
seasons, O castles!

As soon as the idea of the Deluge had subsided, a hare stopped, in the
clover and swaying flower bells, and said his prayer to the rainbow
through the spider's web. Oh! The precious stones that were hiding, the
flowers that were already looking around. In the large dirty street, the
stalls were set up, and they dragged the boats toward the sea tiered up
above as in prints. Blood flowed at Blue Beard's—at the slaughter houses
—in the arenas, where God's seal whitened the windows. Blood and milk
flowed. Beavers built. "Mazagrans" smoked in the little cafés. In the
large glass house still dripping, the children in mourning looked at
marvelous pictures. A door banged; and, on the square of the hamlet, the
child turned his arms, understood by the weather vanes and the cocks on
all steeples under the bursting shower. Madame * * * installed a piano in

messe et les premières communions se célébrèrent aux cent mille autels de la cathédrale.

Les caravanes partirent. Et le Splendide Hôtel fut bâti dans le chaos de glaces et de nuit du pôle.

Depuis lors, la Lune entendit les chacals piaulant par les déserts de thym, — et les églogues en sabots grognant dans le verger. Puis, dans la futaie violette, bourgeonnante, Eucharis me dit que c'était le printemps.

— Sourds, étang, — Ecume, roule sur le pont et pardessus les bois; — draps noirs et orgues, — éclairs et tonnerre, — montez et roulez; — Eaux et tristesses, montez et relevez les Déluges.

Car depuis qu'ils se sont dissipés, — oh! les pierres précieuses s'enfouissant, et les fleurs ouvertes! — c'est un ennui! et la Reine, la Sorcière qui allume sa braise dans le pot de terre, ne voudra jamais nous raconter ce qu'elle sait, et que nous ignorons.

MATINÉE D'IVRESSE

O *mon* Bien! O *mon* Beau! Fanfare atroce où je ne trébuche point! Chevalet féerique! Hourra pour l'œuvre inouïe et pour le corps merveilleux, pour la première fois! Cela commença sous les rires des enfants, cela finira par eux. Ce poison va rester dans toutes nos veines même quand, la fanfare tournant, nous serons rendu à l'ancienne inharmonie. O maintenant nous si digne de ces tortures! rassem-

---

the Alps. Masses and first communions were celebrated at the one hundred thousand altars of the cathedral. Caravans set out. And the Splendid Hotel was built in the chaos of ice and of the polar night. Ever after the moon heard the jackals howling in the deserts of thyme, and eclogues in wooden shoes growling in the orchard. Then in the violet budding forest, Eucharis told me that it was spring. Gush, pond; roll, foam across the bridge and over the woods; black palls and organs— lightning and thunder—ascend and roll; waters and sadness, ascend and raise up the Floods again. For since they have abated—oh! the precious stones that bury themselves, and the opened flowers! what a bore! and the Queen, the Sorceress who lights her fire in the earthen pot, will never tell us what she knows and we do not know.

O *my* Good! O *my* Beautiful! Dreadful fanfare where I do not falter! Enchanted torture rack! Hurrah for the unbelievable work and for the marvelous body, for the first time! It began with the laughter of children, it will end with their laughter. This poison will remain in all our veins even

blons fervemment cette promesse surhumaine faite à notre corps et à notre âme créés: cette promesse, cette démence! L'élégance, la science, la violence! On nous a promis d'enterrer dans l'ombre l'arbre du bien et du mal, de déporter les honnêtetés tyranniques, afin que nous amenions notre très pur amour. Cela commença par quelques dégoûts et cela finit, — ne pouvant nous saisir sur-le-champ de cette éternité, — cela finit par une débandade de parfums.

Rire des enfants, discrétion des esclaves, austérité des vierges, horreur des figures et des objets d'ici, sacrés soyezvous par le souvenir de cette veille. Cela commençait par toute la rustrerie, voici que cela finit par des anges de flamme et de glace.

Petite veille d'ivresse, sainte! quand ce ne serait que pour le masque dont tu nous as gratifié. Nous t'affirmons. méthode! Nous n'oublions pas que tu as glorifié hier chacun de nos âges. Nous avons foi au poison. Nous savons donner notre vie tout entière tous les jours.

Voici le temps des ASSASSINS.

AUBE

J'ai embrassé l'aube d'été.

Rien ne bougeait encore au front des palais. L'eau était morte. Les camps d'ombres ne quittaient pas la route du

when, the fanfare turning, we shall be returned to the former disharmony. O now, we who are so worthy of these tortures! may we fervently gather the superhuman promise made to our created body and soul: the promise, the madness! Elegance, science, violence! They promised us to bury in the shadow the tree of good and evil, to deport tyrannical decencies, so that we might bring forward our very pure love. It began with some disgust and ended—because we could not instantly seize this eternity—it ended in a stampede of perfumes. Laughter of children, discretion of slaves, austerity of virgins, loathing of the faces and objects here, may you be made sacred through the memory of this vigil. It was beginning with every kind of vulgarity, and now it ends with angels of flame and of ice. Small vigil of drunkenness, holy! if only because of the mask which you bestowed on us. We say yes to you, method! We do not forget that yesterday you glorified each one of our ages. We have faith in the poison. We know how to give our entire life everyday. Now is the age of the ASSASSINS.

I embraced the summer dawn. Nothing was stirring yet on the brow of the palaces. The water was dead. The groups of shade did not leave the wooded road. I walked, awakening the lively and warm breaths, and the

bois. J'ai marché, réveillant les haleines vives et tièdes, et les pierreries regardèrent, et les ailes se levèrent sans bruit.

La première entreprise fut, dans le sentier déjà empli de frais et blêmes éclats, une fleur qui me dit son nom.

Je ris au wasserfall blond qui s'échevela à travers les sapins: à la cime argentée je reconnus la déesse.

Alors je levai un à un les voiles. Dans l'allée, en agitant les bras. Par la plaine, où je l'ai dénoncée au coq. A la grand'ville, elle fuyait parmi les clochers et les dômes, et, courant comme un mendiant sur les quais de marbre, je la chassais.

En haut de la route, près d'un bois de lauriers, je l'ai entourée avec ses voiles amassés, et j'ai senti un peu son immense corps. L'aube et l'enfant tombèrent au bas du bois.

Au réveil, il était midi.

FLEURS

D'un gradin d'or, — parmi les cordons de soie, les gazes grises, les velours verts et les disques de cristal qui noircissent comme du bronze au soleil, — je vois la digitale s'ouvrir sur un tapis de filigranes d'argent, d'yeux et de chevelures.

Des pièces d'or jaune semées sur l'agate, des piliers d'acajou supportant un dôme d'émeraudes, des bouquets de satin blanc et de fines verges de rubis entourent la rose d'eau.

precious stones looked around, and the wings rose without a sound. The first adventure was, in the path already filled with fresh and pale glimmers, a flower who told me her name. I laughed at the blond waterfall that ran disheveled through the pines: on the silvery summit I recognized the goddess. Then I raised the veils one by one. In the lane, waving my arms. Across the plain, where I denounced her to the cock. In the big city she was fleeing among the steeples and the domes, and, running like a beggar on quays of marble, I chased her. Above the road, near a laurel wood I wrapped her in her gathered veils, and I felt a little her immense body. Dawn and the child fell below the wood. When I awoke, it was noon.

From a golden step—among the silken cords, the gray gauzes, the green velvets and the disks of crystal that turn black as bronze in the sun—I see the digitalis opening on a carpet of silver filigree, of eyes and hair. Yellow gold pieces strewn on the agate, pillows of mahogany supporting a dome of emeralds, bouquets of white satin and fine sprays of

Tels qu'un dieu aux énormes yeux bleus et aux formes de neige, la mer et le ciel attirent aux terrasses de marbre la foule des jeunes et fortes roses.

MARINE

Les chars d'argent et de cuivre —
Les proues d'acier et d'argent —
Battent l'écume, —
Soulèvent les souches des ronces.
Les courants de la lande,
Et les ornières immenses du reflux,
Filent circulairement vers l'est,
Vers les piliers de la forêt,
Vers les fûts de la jetée,
Dont l'angle est heurté par des tourbillons
     de lumière.

BARBARE

Bien après les jours et les saisons, et les êtres et les pays,
   Le pavillon en viande saignante sur la soie des mers et des fleurs arctiques; (elles n'existent pas.)
   Remis des vieilles fanfares d'héroïsme — qui nous attaquent encore le cœur et la tête — loin des anciens assassins, —
   — Oh! le pavillon en viande saignante sur la soie des mers et des fleurs arctiques; (elles n'existent pas.)

rubies surround the rose of the water. Like a god with enormous blue eyes and members of snow, the sea and the sky draw to the marble terraces the crowd of young and strong roses.

Chariots of silver and of copper—prows of steel and of silver—thresh the foam, uproot the stumps of the brambles. The currents of the heath and the immense ruts of the ebb, flow circularly toward the east, toward the pillars of the forest, toward the tree trunks of the jetty, whose edge is whipped by whirlwinds of light.

A long time after the days and the seasons, and the beings and the countries, the banner of raw meat on the silks of the seas and the arctic flowers; (they don't exist). Recovered from the old fanfares of heroism— which still attack our hearts and our heads—far from the old assassins. Oh! the banner of raw meat on the silk of the seas and the arctic flowers; (they don't exist). Delight! The live embers, raining in gusts of frost—

Douceurs!

Les brasiers, pleuvant aux rafales de givre, — Douceurs!
— Les feux à la pluie du vent de diamants jetée par le cœur
terrestre éternellement carbonisé pour nous. — O monde! —

(Loin des vieilles retraites et des vieilles flammes, qu'on
entend, qu'on sent,)

Les brasiers et les écumes. La musique, virement des
gouffres et choc des glaçons aux astres.

O Douceurs, ô monde, ô musique! Et là, les formes, les
sueurs, les chevelures et les yeux, flottant. Et les larmes,
blanches, bouillantes, — ô douceurs! — et la voix féminine
arrivée au fond des volcans et des grottes arctiques.

Le pavillon...

DÉMOCRATIE

« Le drapeau va au paysage immonde, et notre patois
étouffe le tambour.

« Aux centres nous alimenterons la plus cynique prostitu-
tion. Nous massacrerons les révoltes logiques.

« Aux pays poivrés et détrempés! — au service des plus
monstrueuses exploitations industrielles ou militaires.

« Au revoir ici, n'importe où. Conscrits de bon vouloir,
nous aurons la philosophie féroce; ignorants pour la science,
roués pour le confort; la crevaison pour le monde qui va.
C'est la vraie marche. En avant, route! »

Delight!—The fires with the rain of the wind of diamonds thrown by
the terrestrial heart eternally carbonized for us. O world! (Far from the
old retreats and the old flames that one hears, that one feels.) The
embers and the foams. The music, veerings of gulfs and clashes of icicles
against stars. O Delight, O world, O music! And there, the forms, the
sweat, the hair and the eyes, are floating. And the tears white, boiling—
O delight!—and the feminine voice that has reached the bottom of the
volcanoes and of the arctic grottoes. The banner . . .

"The flag moves over the base landscape, and our jargon muffles the
drum. In the important centers we shall nourish the most cynical prosti-
tution. We shall massacre logical rebellions. In spicy and inundated
lands!—in the service of the most monstrous industrial or military
exploitations. Farewell here, no matter where. Conscripts of good will, we
shall have a ferocious philosophy; ignorant as to science, clever as to
comfort; death for the world that goes. This is the real march. Forward,
march!"

Paul Verlaine

(1844–1896)

MON RÊVE FAMILIER

Je fais souvent ce rêve étrange et pénétrant
D'une femme inconnue, et que j'aime, et qui m'aime,
Et qui n'est, chaque fois, ni tout à fait la même
Ni tout à fait une autre, et m'aime et me comprend.

Car elle me comprend, et mon cœur, transparent
Pour elle seule, hélas! cesse d'être un problème
Pour elle seule, et les moiteurs de mon front blême,
Elle seule les sait rafraîchir, en pleurant.

Est-elle brune, blonde ou rousse? — Je l'ignore.
Son nom? Je me souviens qu'il est doux et sonore
Comme ceux des aimés que la Vie exila.

Son regard est pareil au regard des statues,
Et, pour sa voix, lointaine, et calme, et grave, elle a
L'inflexion des voix chères qui se sont tues.

I often have the strange and penetrating dream of an unknown woman
whom I love and who loves me, and who is, each time, neither exactly
the same nor exactly another, and loves me and understands me. For she
understands me, and my heart transparent to her alone, alas! ceases to be
a problem to her alone, and the sweat of my pale brow, she alone knows
how to cool it with her tears. Is she brunette, blond or auburn? I don't
know. Her name? I remember that it is soft and sonorous like the names
of the loved ones that life exiled. Her gaze is like the gaze of statues, and
her voice, distant, and calm, and grave, has the inflection of the dear
voices that have become silent.

CHANSON D'AUTOMNE

Les sanglots longs
Des violons
    De l'automne
Blessent mon cœur
D'une langueur
    Monotone.

Tout suffocant
Et blême, quand
    Sonne l'heure,
Je me souviens
Des jours anciens
    Et je pleure;

Et je m'en vais
Au vent mauvais
    Qui m'emporte
Deçà, delà,
Pareil à la
    Feuille morte.

CLAIR DE LUNE

Votre âme est un paysage choisi
Que vont charmant masques et bergamasques
Jouant du luth et dansant et quasi
Tristes sous leurs déguisements fantasques.

Tout en chantant sur le mode mineur

The long sobs of the violins of autumn wound my heart with monotonous languor. Choking and pale when the hour strikes, I remember past days and I cry; and I go with the ill wind that carries me away. Here, there, like a dead leaf.

Your soul is a chosen landscape that mummers and masked dancers charm, playing on the lute, and dancing, and almost sad beneath their fantastic disguises. While singing in the minor key of love the conqueror and easy life, they don't seem to believe in their happiness and their song mingles

L'amour vainqueur et la vie opportune,
Ils n'ont pas l'air de croire à leur bonheur
Et leur chanson se mêle au clair de lune,

Au calme clair de lune triste et beau,
Qui fait rêver les oiseaux dans les arbres
Et sangloter d'extase les jets d'eau,
Les grands jets d'eau sveltes parmi les marbres.

LE FAUNE

Un vieux faune de terre cuite
Rit au centre des boulingrins,
Présageant sans doute une suite
Mauvaise à ces instants sereins

Qui m'ont conduit et t'ont conduite,
Mélancoliques pèlerins,
Jusqu'à cette heure dont la fuite
Tournoie au son des tambourins.

« LA LUNE BLANCHE »

La lune blanche
Luit dans les bois;
De chaque branche
Part une voix
Sous la ramée ...

O bien-aimée.

with the moonlight, the calm moonlight, sad and beautiful, which makes
the birds dream in the trees and the fountains sob with ecstasy, the tall
sweet fountains among the marbles.

An old terra-cotta faun laughs in the middle of the lawns, auguring no
doubt a bad sequence to these serene moments which led me and led you,
melancholy pilgrims, up to this hour which flees in a whirl of tambourines.

The white moon shines in the trees; from each branch comes a voice
beneath the boughs. . . . O my beloved. The pond reflects, deep mirror,

L'étang reflète,
Profond miroir,
La silhouette
Du saule noir
Où le vent pleure ...

Rêvons, c'est l'heure.

Un vaste et tendre
Apaisement
Semble descendre
Du firmament
Que l'astre irise ...

C'est l'heure exquise.

« DANS L'INTERMINABLE »

Dans l'interminable
Ennui de la plaine
La neige incertaine
Luit comme du sable.

Le ciel est de cuivre
Sans lueur aucune.
On croirait voir vivre
Et mourir la lune.

Comme des nuées
Flottent gris les chênes
Des forêts prochaines
Parmi les buées.

the silhouette of the black willows where the wind weeps. . . . Let us dream, it is the hour. A vast and tender appeasement seems to descend from the firmament that the star tints in rainbow colors. . . . It is the exquisite hour.

In the interminable tedium of the plain the vague snow shines like sand. The sky is copper without any light. As though one were watching the moon live and die. Like clouds, the oaks of the nearby forests grayly float among the vapors. The sky is copper without any light. As though

Le ciel est de cuivre
Sans lueur aucune.
On croirait voir vivre
Et mourir la lune

Corneille poussive
Et vous, les loups maigres,
Par ces bises aigres
Quoi donc vous arrive?

Dans l'interminable
Ennui de la plaine
La neige incertaine
Luit comme du sable.

BRUXELLES

> *Chevaux de Bois.*

> *Par saint-Gille,*
> *Viens-nous-en,*
> *Mon agile*
> *Alezan.*

> V. HUGO

Tournez, tournez, bons chevaux de bois,
Tournez cent tours, tournez mille tours,
Tournez souvent et tournez toujours,
Tournez, tournez au son des hautbois.

Le gros soldat, la plus grosse bonne
Sont sur vos dos comme dans leur chambre;
Car, en ce jour, au bois de la Cambre,
Les maîtres sont tous deux en personne.

---

one were watching the moon live and die. Wheezing crow and you, lean
wolves, in these bitter winds what happens to you? In the interminable
tedium of the plain the vague snow shines like sand.

[*Merry-go-round. Toward Saint-Giles, Come along, My agile Chestnut.
V. Hugo*] Turn, turn, good wooden horses, turn a hundred, turn a thousand times, turn often and keep turning, turn, turn to the sound of the
oboes. The fat soldier, the fattest maid are as at ease on your backs as
in their rooms; for today their two masters are in person in the woods

Tournez, tournez, chevaux de leur cœur,
Tandis qu'autour de tous vos tournois
Clignote l'œil du filou sournois,
Tournez au son du piston vainqueur.

C'est ravissant comme ça vous soûle,
D'aller ainsi dans ce cirque bête!
Bien dans le ventre et mal dans la tête,
Du mal en masse et du bien en foule.

Tournez, tournez, sans qu'il soit besoin
D'user jamais de nuls éperons,
Pour commander à vos galops ronds,
Tournez, tournez, sans espoir de foin.

Et dépêchez, chevaux de leur âme:
Déjà, voici que la nuit qui tombe
Va réunir pigeon et colombe,
Loin de la foire et loin de madame.

Tournez, tournez! le ciel en velours
D'astres en or se vêt lentement.
Voici partir l'amante et l'amant.
Tournez au son joyeux des tambours.

« MON DIEU M'A DIT:
« MONS FILS IL FAUT M'AIMER. TU VOIS » »

Mon Dieu m'a dit: « Mon fils il faut m'aimer. Tu vois
Mon flanc percé, mon cœur qui rayonne et qui saigne,

of la Cambre. Turn, turn, horses of their heart; while all around your tourneys winks the eye of the clever pickpocket, turn to the sound of the conquering cornet. It's delightful how drunk it makes you, to ride thus in this stupid ring! Feeling fine in the stomach and sick in the head, lots of evil and a heap of good. Turn, turn, without ever having to use spurs to command your circular gallopings, turn, turn without hope of hay. And hurry, horses of their soul: already the night that falls will unite pigeon and dove, far from the fair and far from madame. Turn, turn! The velvet sky slowly dons golden stars. Behold the departure of mistress and lover. Turn to the joyful sound of the drums.

My God said to me: "My son, you must love me. You see my pierced side, my heart that shines and bleeds, and my injured feet which Magda-

Et mes pieds offensés que Madeleine baigne
De larmes, et mes bras douloureux sous le poids

De tes péchés, et mes mains! Et tu vois la croix,
Tu vois les clous, le fiel, l'éponge, et tout t'enseigne
A n'aimer, en ce monde amer où la chair règne,
Que ma Chair et mon Sang, ma parole et ma voix.

Ne t'ai-je pas aimé jusqu'à la mort moi-même,
O mon frère en mon Père, ô mon fils en l'Esprit,
Et n'ai-je pas souffert, comme c'était écrit?

N'ai-je pas sangloté ton angoisse suprême
Et n'ai-je pas sué la sueur de tes nuits,
Lamentable ami qui me cherches où je suis? »

« LE CIEL EST, PAR-DESSUS LE TOIT »

Le ciel est, par-dessus le toit,
   Si bleu, si calme!
Un arbre, par-dessus le toit,
   Berce sa palme.

La cloche, dans le ciel qu'on voit,
   Doucement tinte.
Un oiseau sur l'arbre qu'on voit
   Chante sa plainte.

Mon Dieu, mon Dieu, la vie est là,
   Simple et tranquille.

lene bathes with tears, and my arms suffering under the weight of your sins, and my hands! And you see the cross, you see the nails, the gall, the sponge and everything teaches you to love, in this bitter world where the flesh reigns, only my Flesh and my Blood, my word and my voice. Did I not love you myself unto death, O my brother in my Father, O my son in the Ghost, and did I not suffer as it was written? Did I not sob your supreme anguish and did I not sweat the sweat of your nights, pitiful friend who seeks me where I am?"

   The sky, above the roof, is so blue, so calm! A tree, above the roof, gently rocks its palm. The bell in the sky you see softly rings. A bird in the tree you see sings its lament. My God, my God, life is there, simple

Cette paisible rumeur-là
    Vient de la ville.

— Qu'as-tu fait, ô toi que voilà
    Pleurant sans cesse,
Dis, qu'as-tu fait, toi que voilà,
    De ta jeunesse?

ART POÉTIQUE

De la musique avant toute chose,
Et pour cela préfère l'Impair
Plus vague et plus soluble dans l'air,
Sans rien en lui qui pèse ou qui pose.

Il faut aussi que tu n'ailles point
Choisir tes mots sans quelque méprise:
Rien de plus cher que la chanson grise
Où l'Indécis au Précis se joint.

C'est des beaux yeux derrière des voiles,
C'est le grand jour tremblant de midi,
C'est, par un ciel d'automne attiédi,
Le bleu fouillis des claires étoiles!

Car nous voulons la Nuance encor,
Pas la Couleur, rien que la nuance!
Oh! la nuance seule fiance
Le rêve au rêve et la flûte au cor!

Fuis du plus loin la Pointe assassine,

and calm. That peaceful murmur comes from the city.—What have you done, O you who are here endlessly weeping, say, what have you done, you who are here, with your youth?

Music before everything and therefore prefer uneven rhythms vaguer and more soluble in the air with nothing that weighs or settles. Also don't go and choose your words without some inexactitude: nothing is more precious than the gray song where the Imprecise and the Precise mingle. Beautiful eyes behind veils, the shimmering light of noon, and in the balmy autumn sky, the blue confusion of clear stars! For we still want Nuance, not Color, nothing but Nuance! Oh! nuance alone binds dream to dream and the flute to the horn! Flee as far as possible from murder-

L'Esprit cruel et le Rire impur,
Qui font pleurer les yeux de l'Azur,
Et tout cet ail de basse cuisine!

Prends l'éloquence et tords-lui son cou!
Tu feras bien, en train d'énergie,
De rendre un peu la Rime assagie,
Si l'on n'y veille, elle ira jusqu'où?

Oh! qui dira les torts de la Rime?
Quel enfant sourd ou quel nègre fou
Nous a forgé ce bijou d'un sou
Qui sonne creux et faux sous la lime?

De la musique encore et toujours!
Que ton vers soit la chose envolée
Qu'on sent qui fuit d'une âme en allée
Vers d'autres cieux à d'autres amours.

Que ton vers soit la bonne aventure
Eparse au vent crispé du matin
Qui va fleurant la menthe et le thym ...
Et tout le reste est littérature.

LANGUEUR

Je suis l'Empire à la fin de la décadence,
Qui regarde passer les grands Barbares blancs
En composant des acrostiches indolents

ous Conceits, cruel Wit and impure Laughter that make the eyes of the blue sky weep, and all the garlic used in vulgar dishes! Take eloquence and wring its neck! You'll do well while you're about it to make Rhyme a little wiser. If we don't watch it, to what lengths won't it go? Oh, who will tell the wrongs done by Rhyme? What deaf child or what mad Negro forged for us that cheap jewel which sounds hollow and false under the file? Music ever and always! May your verse be the soaring thing that we feel is fleeing from a soul that has gone toward other skies and other loves. Let your verse be the good fortune scattered to the brisk morning wind which goes smelling of mint and of thyme. . . . And all the rest is literature.

I am the Empire at the end of the decadence, that watches the tall, white Barbarians pass as I compose indolent acrostics with a golden

D'un style d'or où la langueur du soleil danse.

L'âme seulette a mal au cœur d'un ennui dense.
Là-bas on dit qu'il est de longs combats sanglants.
O n'y pouvoir, étant si faible aux vœux si lents,
O n'y vouloir fleurir un peu cette existence!

O n'y vouloir, ô n'y pouvoir mourir un peu!
Ah! tout est bu! Bathylle, as-tu fini de rire?
Ah! tout est bu, tout est mangé! Plus rien à dire!

Seul, un poème un peu niais qu'on jette au feu,
Seul, un esclave un peu coureur qui vous néglige,
Seul, un ennui d'on ne sait quoi qui vous afflige!

PARSIFAL

Parsifal a vaincu les Filles, leur gentil
Babil et la luxure amusante — et sa pente
Vers la Chair de garçon vierge que cela tente
D'aimer les seins légers et ce gentil babil;

Il a vaincu la Femme belle, au cœur subtil,
Etalant ses bras frais et sa gorge excitante;
Il a vaincu l'Enfer et rentre sous sa tente
Avec un lourd trophée à son bras puéril,

Avec la lance qui perça le Flanc suprême!

stylus on which the languor of the sun dances. The lonely heart feels
nauseated with boredom. Over there, they say, are long bloody fights. Oh,
not to be able, being so weak with slow desires, Oh, not to want to
revivify one's life a little thereby! Oh, not to want, not to be able to die
a little! Ah! all's been drunk! Bathyllus, will you stop laughing? Ah! all's
been drunk, all's been eaten! Nothing more to say! Only a poem slightly
stupid one throws in the fire, only a slave slightly dissipated who neglects
you, only boredom from an unknown source that afflicts you!

Parsifal has conquered the Girls, their pleasant chatter and amusing
lust—and his virgin boy's inclination toward the Flesh which tempts one
to love light breasts and pleasant chatter; he has conquered the beautiful
Woman, with the subtle heart, displaying her cool arms and her exciting
breasts; he has conquered Hell and returns to his tent with a heavy
trophy on his boyish arm, with the lance that pierced the supreme Side!

Il a guéri le roi, le voici roi lui-même,
Et prêtre du très saint Trésor essentiel.

En robe d'or il adore, gloire et symbole,
Le vase pur où resplendit le Sang réel,
— Et, ô ces voix d'enfants chantant dans la
    coupole!

À STÉPHANE MALLARMÉ

Des jeunes — c'est imprudent!
Ont, dit-on, fait une liste
Où vous passez symboliste.
Symboliste? Ce pendant

Que d'autres, dans leur ardent
Dégoût naïf ou fumiste
Pour cette pauvre rime *iste*,
M'ont bombardé décadent.

Soit! Chacun de nous, en somme,
Se voit-il si bien nommé?
Point ne suis tant enflammé

Que ça vers les n...ymphes, comme
Vous n'êtes pas mal armé
Plus que Sully n'est Prud'homme.

He has cured the king, now he is king himself, and priest of the holiest
essential Treasure. In golden robes he adores, glory and symbol, the pure
vessel where shines the real Blood. And, oh, these children's voices singing in the dome!

    Some youths—how imprudent!—Have, they say, made a list in which
you are a Symbolist. Symbolist? Meanwhile others in their ardent, naïve
or fake disgust for the poor rhyme *ist*, have bombarded me decadent. So
be it! Is each of us, in short, so well named? I am not as inflamed as
that toward the n . . . ymphs, just as you are not more badly armed
than Sully is an honest man. [The puns in this poem require some explanation. They are play on words on the names of the three poets mentioned. Verlaine becomes "vers les n" (toward the N), Mallarmé "mal
armé" (poorly armed) and Sully-Prudhomme "Sully Prud'homme" (honest man).]

(1860–1887)

COMPLAINTE DE LORD PIERROT

Au clair de la lune,
Mon ami Pierrot,
Filons, en costume,
Présider là-haut!
Ma cervelle est morte,
Que le Christ l'emporte!
Béons à la Lune,
La bouche en zéro.

Inconscient, descendez en nous par réflexes;
Brouillez les cartes, les dictionnaires, les sexes.

Tournons d'abord sur nous-même, comme un fakir!
(Agiter le pauvre être, avant de s'en servir.)

J'ai le cœur chaste et vrai comme une bonne lampe;
Oui, je suis en taille douce, comme une estampe.

Vénus, énorme comme le Régent,
Déjà se pâme à l'horizon des grèves;
Et c'est l'heure, ô gens nés casés, bonnes gens,
De s'étourdir en longs trilles de rêves!
Corybanthe, aux quatre vents tous les draps!
Disloque tes pudeurs, à bas les lignes!

Au clair de la lune, mon ami Pierrot, let us go in costume, to preside
up there! My brain is dead, may Christ take it! Let us gape at the moon,
our mouths zero-shaped. Unconsciousness, descend into us by reflexes;
confuse the cards, the dictionaries, the sexes. First of all let us go round
in circles like a dervish! (Shake the poor being, before using it.) My
heart is chaste and true like a good lamp; yes, I am a metal engraving,
like a print. Venus, enormous as the Regent, is already swooning on the
horizon of the shores; and now is the hour, O people born well off, good
people, to stupefy yourselves in long trills of dreams! Corybant, all the

En costume blanc, je ferai le cygne,
Après nous le Déluge, ô ma Léda!
Jusqu'à ce que tournent tes yeux vitreux,
Que tu grelottes en rires affreux,
Hop! enlevons sur les horizons fades
Les menuets de nos pantalonades!
     Tiens! l'Univers
     Est à l'envers ...

    —Tout cela vous honore,
    Lord Pierrot, mais encore?

—Ah! qu'une, d'elle-même, un beau soir sût venir,
Ne voyant que boire à mes lèvres, ou mourir!

Je serais, savez-vous, la plus noble conquête
Que femme, au plus ravi du Rêve, eût jamais faite!

    D'ici-là, qu'il me soit permis
    De vivre de vieux compromis.

    Où commence, où finit l'humaine
    Ou la divine dignité?

    Jonglons avec les entités,
    Pierrot s'agite et Tout le mène!
    Laissez faire, laissez passer;
    Laissez passer, et laissez faire;
    Le semblable, c'est le contraire,
    Et l'univers c'est pas assez!
    Et je me sens, ayant pour cible

sheets to the four winds! Dislodge your modesty, down with lines! In a white costume I shall play the swan, after us the Deluge, O my Leda! Until your vitreous eyes turn, until you shiver in horrible laughter, on! let us carry on insipid horizons the minuet of your masquerades! Look! the Universe is wrong side up . . . —All this honors you, Lord Pierrot, but what next?—Ah! if one of them, by her own desire, would come one fine evening, wanting either to drink at my lips, or die! I would be, do you know, the most noble conquest that a woman, at the pinnacle of Dream, ever made! Until then, may I be permitted to live by old compromises. Where begins, where ends dignity, human or divine? Let us juggle with the entities, Pierrot moves and Everything leads him! Let things be and let things pass; let things pass and let things be; the similar is the contrary, and the universe is not enough! And I feel, having as target

Adopté la vie impossible,
De moins en moins localisé!

— Tout cela vous honore,
Lord Pierrot, mais encore?

— Il faisait, ah! si chaud, si sec.
Voici qu'il pleut, qu'il pleut, bergères!
Les pauvres Vénus bocagères
Ont la roupie à leur nez grec!

— Oh! de moins en moins drôle;
Pierrot sait mal son rôle?

— J'ai le cœur triste comme un lampion forain ...
Bah! j'irai passer la nuit dans le premier train;

Sûr d'aller, ma vie entière,
Malheureux comme les pierres. *(Bis.)*

COMPLAINTE DU ROI DE THULÉ

Il était un roi de Thulé,
Immaculé,
Qui loin des jupes et des choses,
Pleurait sur la métempsycose
Des lys en roses,
Et quel palais!

Ses fleurs dormant, il s'en allait,
Traînant des clés,

---

adopted the impossible life, less and less localized:—All this honors you,
Lord Pierrot, but what next?—The weather was, ah! so hot and dry. Now
it is raining, it is raining, shepherdesses! The poor grovey Venuses have
snot on their Grecian noses!—Oh! it's less and less amusing; does Pierrot
know his role badly?—My heart is sad as a Venetian lantern at a fair.
. . . Bah! I shall spend the night in the first train. Certain of being, my
whole life through, as unhappy as the stones. *(Repeat.)*

There once was a king of Thule, immaculate, who far from skirts and
things, cried over the metempsychosis of lilies to roses, and what a
palace! His flowers asleep, he went away, dragging keys, to embroider

Broder aux seuls yeux des étoiles,
Sur une tour, un certain Voile
De vive toile,
Aux nuits de lait!

Quand le voile fut bien ourlé,
Loin de Thulé,
Il rama fort sur les mers grises,
Vers le soleil qui s'agonise,
Féerique Eglise!
Il ululait:

« Soleil-crevant, encore un jour,
Vous avez tendu votre phare
Aux holocaustes vivipares,
Du culte qu'ils nomment l'Amour.

« Et comme, devant la nuit fauve,
Vous vous sentez défaillir,
D'un dernier flot d'un sang martyr
Vous lavez le seuil de l'Alcôve!

« Soleil! Soleil! moi je descends
Vers vos navrants palais polaires,
Dorloter dans ce Saint-Suaire
Votre cœur bien en sang,
En le berçant! »

Il dit, et, le Voile étendu,
Tout éperdu,
Vers les coraux et les naufrages,
Le roi raillé des doux corsages,

exclusively for the eyes of the stars, on a tower, a certain veil of colorful cloth, for milky nights! When the veil was all hemmed, far from Thule, he rowed hard on the gray seas, toward the dying sun, magic Church! He ululated: "Croaking sun, for still another day, you have extended your light to the viviparous holocausts of the cult they name Love. And as, before the tawny night, you feel yourself fainting with a last wave of martyred blood you wash the threshold of the Alcove! Sun! Sun! I am going down toward your sad polar palaces, to pamper in this Holy Shroud your really bleeding heart by rocking it!" He said, and, the Veil extended, completely at a loss, toward the corals and the shipwrecks, the king mocked by soft bosoms, beautiful as a wise man, went down! Good

Beau comme un Mage
Est descendu!

Braves amants! aux nuits de lait,
Tournez vos clés!
Une ombre, d'amour pur transie,
Viendrait vous gémir cette scie:
« Il était un roi de Thulé
Immaculé … »

COMPLAINTE DE L'OUBLI DES MORTS

Mesdames et Messieurs,
Vous dont la mère est morte,
C'est le bon fossoyeux
Qui gratte à votre porte.

Les morts
C'est sous terre;
Ça n'en sort
Guère.

Vous fumez dans vos bocks,
Vous soldez quelque idylle,
Là-bas chante le coq,
Pauvres morts hors des villes!

Grand-papa se penchait,
Là, le doigt sur la tempe,
Sœur faisait du crochet,
Mère montait la lampe.

lovers! During milky nights, turn your keys! A shadow frozen by purest love might come to complain and repeat this song: "There was a king of Thule immaculate. . . ."

Ladies and Gentlemen, you whose mother is dead, it is the good gravedigger who is scratching at your door. The dead are underground; they hardly ever come out. You blow smoke in your beer, you settle some amorous deal, down there the cock sings, poor dead ones beyond the cities! Grandfather was bent over, there, his finger on his temple, Sister was crocheting, mother was raising the wick. The dead are discreet, they

Les morts
C'est discret,
Ça dort
Trop au frais.

Vous avez bien dîné,
Comment va cette affaire?
Ah! les petits morts-nés
Ne se dorlotent guère!

Notez, d'un trait égal,
Au livre de la caisse,
Entre deux frais de bal:
Entretien tombe et messe.

C'est gai,
Cette vie;
Hein, ma mie,
O gué?

Mesdames et Messieurs,
Vous dont la sœur est morte,
Ouvrez au fossoyeux
Qui claque à votre porte;

Si vous n'avez pitié,
Il viendra (sans rancune)
Vous tirer par les pieds,
Une nuit de grand'lune!

Importun
Vent qui rage!
Les défunts?
Ça voyage ...

sleep, kept in too cool a place. You ate well, how is business? Ah! our
stillborn babies are not much caressed! Note with an equal stroke, in the
account book, between the expenses for two balls: upkeep for the tomb
and mass. It's gay, this life! Isn't it, my sweet? Gay! gay! Ladies and
Gentlemen, you whose sister is dead, open for the gravedigger who raps
at your door, if you don't take pity, he will come (without rancor) and
drag you by the feet one moonlit night! Importunate, raging wind! The
dead? They travel. . . .

LITANIES DES PREMIERS
QUARTIERS DE LA LUNE

Lune bénie
Des insomnies,

Blanc médaillon
Des Endymions,

Astre fossile
Que tout exile,

Jaloux tombeau
De Salammbô,

Embarcadère
Des grands Mystères,

Madone et miss
Dianc-Artémis,

Sainte Vigie
De nos orgies,

Jettatura
Des baccarats,

Dame très lasse
De nos terrasses,

Philtre attisant
Les vers-luisants,

Rosace et dôme
Des derniers psaumes,

Blessed moon of insomnias, white medallion of Endymions, fossil star
that everything exiles, jealous tomb of Salammbô, landing stage of great
Mysteries, Madonna and *miss* Diana-Artemis, Holy Vigil of our orgies, ill
luck at baccarat, tired lady of our terraces, philter stirring up the glow-
worms, rose window and dome of the final psalms, beautiful cat's eye of

Bel œil-de-chat
De nos rachats,

Sois l'Ambulance
De nos croyances!

Sois l'édredon
Du Grand-Pardon!

L'HIVER QUI VIENT

Blocus sentimental! Messageries du Levant! ...
Oh! tombée de la pluie! Oh! tombée de la nuit,
Oh! le vent! ...
La Toussaint, la Noël, et la Nouvelle Année,
Oh, dans les bruines, toutes mes cheminées! ...
D'usines. ...

On ne peut plus s'asseoir, tous les bancs sont mouillés;
Crois-moi, c'est bien fini jusqu'à l'année prochaine,
Tous les bancs sont mouillés, tant les bois sont rouillés,
Et tant les cors ont fait ton ton, ont fait ton taine! ...

Ah! nuées accourues des côtes de la Manche,
Vous nous avez gâté notre dernier dimanche.

Il bruine;
Dans la forêt mouillée, les toiles d'araignées
Ploient sous les gouttes d'eau, et c'est leur ruine.
Soleils plénipotentiaires des travaux en blonds Pactoles

our salvation, be the Ambulance of our beliefs! be the eiderdown of the Great Pardon!

Sentimental blockade! Shipments from the East! . . . oh! the falling of the rain! oh! the falling of the night, oh! the wind! . . . All Saints' Day, Christmas, and the New Year, oh! in the drizzle, all my chimneys! . . . of factories. . . . We cannot sit down any more, all the benches are wet; believe me, it is over until next year, all the benches are wet, the woods are so rusty, and the horns have so often sounded "ton ton," have sounded "ton taine"! . . . Ah! clouds that have run across from the coasts of the Channel, you have spoiled our last Sunday. It is drizzling; in the wet forest the spiderwebs bend under the drops of water, and it's their death. Plenipotentiary suns of labors in blond rivers of gold of agri-

Des spectacles agricoles,
Où êtes-vous ensevelis?
Ce soir un soleil fichu gît au haut du coteau,
Gît sur le flanc, dans les genêts, sur son manteau.
Un soleil blanc comme un crachat d'estaminet
Sur une litière de jaunes genêts,
De jaunes genêts d'automne.
Et les cors lui sonnent!
Qu'il revienne ...
Qu'il revienne à lui!
Taïaut! Taïaut! et hallali!
O triste antienne, as-tu fini! ...
Et font les fous! ...
Et il gît là, comme une glande arrachée dans un cou,
Et il frissonne, sans personne! ...

Allons, allons, et hallali!
C'est l'Hiver bien connu qui s'amène;
Oh! les tournants des grandes routes,
Et sans petit Chaperon Rouge qui chemine! ...
Oh! leurs ornières des chars de l'autre mois,
Montant en don quichottesques rails
Vers les patrouilles des nuées en déroute
Que le vent malmène vers les transatlantiques bercails! ...
Accélérons, accélérons, c'est la saison bien connue, cette
    fois.
Et le vent, cette nuit, il en a fait de belles!
O dégâts, ô nids, ô modestes jardinets!
Mon cœur et mon sommeil: ô échos des cognées! ...

cultural exhibits, where are you buried? This evening a finished sun lies on the top of the hills, lies on its side, in the broom, on its coat. A sun as white as tavern spit on a litter of yellow broom, of yellow autumn broom. And the horns call to him! Come back. . . . Come back to yourself! Tally ho! Tally ho! and to the kill! O sad anthem, have you finished! . . . And they act like fools! . . . And it lies there, like a gland torn from a neck, and it shivers, without anyone! . . . Onward and onward, and to the kill! It's well-known Winter coming on; oh! the turns of the highways, and without Little Red Riding Hood on the way! . . . Oh, their ruts made by last month's carts, ascend in quixotic rails toward the retreating cloud patrols that the wind manhandles toward transatlantic folds! . . . Accelerate, accelerate, it's the well-known season, this time. And the wind, last night, really put on a show! O damage, O nests, O modest gardens! My heart and my sleep: O echoes of ax-blows! . . . All those branches still had their green leaves, the undergrowth is

Tous ces rameaux avaient encor leurs feuilles vertes,
Les sous-bois ne sont plus qu'un fumier de feuilles mortes;
Feuilles, folioles, qu'un bon vent vous emporte
Vers les étangs par ribambelles,
Ou pour le feu du garde-chasse,
Ou les sommiers des ambulances
Pour les soldats loin de la France.

C'est la saison, c'est la saison, la rouille envahit les masses,
La rouille ronge en leurs spleens kilométriques
Les fils télégraphiques des grandes routes où nul ne passe.

Les cors, les cors, les cors — mélancoliques! ...
Mélancoliques! ...
S'en vont, changeant de ton,
Changeant de ton et de musique,
Ton ton, ton taine, ton ton! ...
Les cors, les cors, les cors! ...
S'en sont allés au vent du Nord.

Je ne puis quitter ce ton: que d'échos! ...
C'est la saison, c'est la saison, adieu vendanges! ...
Voici venir les pluies d'une patience d'ange,
Adieu vendanges, et adieu tous les paniers,
Tous les paniers Watteau des bourrées sous les marronniers,
C'est la toux dans les dortoirs du lycée qui rentre,
C'est la tisane sans le foyer,
La phtisie pulmonaire attristant le quartier,
Et toute la misère des grands centres.

nothing more than a dung heap of dead leaves; leaves, little leaves, may a good wind carry you toward the ponds in clusters, either for the fire of the gamekeeper, or for the mattresses of the ambulances for soldiers far from France. It's the season, it's the season, the rust invades the sledge-hammers, the rust gnaws the kilometric spleen of the telegraph wires of the highways where no one passes. The horns, the horns, the horns—melancholy! . . . melancholy! . . . go away, changing tune, changing tone and music, "ton ton, ton taine, ton ton!" . . . The horns, the horns, the horns have gone away with the North wind. I cannot leave this tone: so many echoes! . . . It's the season, it's the season, farewell, harvests! . . . Now come the rains with their angelic patience. Farewell, harvests, and farewell, all the baskets, all the Watteau hoopskirts for the peasant dance under the chestnut trees. It's the cough in the dormitories of the just reopening school, it's the linden tea without the hearth, pulmonary tuberculosis afflicting the neighborhood, and all the misery of the large cities. But, woolens, rubbers, medicines, dream, curtains drawn back

Mais, lainages, caoutchoucs, pharmacie, rêve,
Rideaux écartés du haut des balcons des grèves
Devant l'océan de toitures des faubourgs,
Lampes, estampes, thé, petits-fours,
Serez-vous pas mes seules amours! ...
(Oh! et puis, est-ce que tu connais, outre les pianos,
Le sobre et vespéral mystère hebdomadaire
Des statistiques sanitaires
Dans les journaux?)

Non, non! c'est la saison et la planète falote!
Que l'autan, que l'autan
Effiloche les savates que le Temps se tricote!
C'est la saison, oh déchirements! c'est la saison!
Tous les ans, tous les ans,
J'essaierai en chœur d'en donner la note.

Isidore Ducasse
(Comte de Lautréamont)
(1846–1870)

EXTRAIT DU PREMIER CHANT,
« JE ME PROPOSE, SANS ÊTRE ÉMU... »

Je me propose, sans être ému, de déclamer à grande voix
la strophe sérieuse et froide que vous allez entendre. Vous,
faites attention à ce qu'elle contient, et gardez-vous de l'im-

from the top of balconies of shores facing the ocean of suburban roofs,
lamps, prints, tea cakes, won't you be my only loves! . . . (oh! and then,
do you know, aside from the pianos, the sober and weekly vesperal mystery of the sanitary statistics in the newspapers?) No, no! it's the season
and the pale planet! May the south wind, may the south wind unravel
the slippers that Time knits for itself! It's the season, oh rendings! it's
the season! Every year, every year, I shall try in chorus to give its key.

I propose, without being moved, to declaim out loud the serious and
cold stanza that you are going to hear. You, be attentive to what it contains, and beware of the painful impression that it will certainly leave

pression pénible qu'elle ne manquera pas de laisser, comme une flétrissure, dans vos imaginations troublées. Ne croyez pas que je sois sur le point de mourir, car je ne suis pas encore un squelette, et la vieillesse n'est pas collée à mon front. Ecartons en conséquence toute idée de comparaison avec le cygne, au moment où son existence s'envole, et ne voyez devant vous qu'un monstre, dont je suis heureux que vous ne puissiez pas apercevoir la figure; mais moins horrible est-elle que son âme. Cependant, je ne suis pas un criminel... Assez sur ce sujet. Il n'y a pas longtemps que j'ai revu la mer et foulé le pont des vaisseaux, et mes souvenirs sont vivaces comme si je l'avais quittée la veille. Soyez néanmoins, si vous le pouvez, aussi calmes que moi, dans cette lecture que je me repens déjà de vous offrir, et ne rougissez pas à la pensée de ce qu'est le cœur humain. O poulpe au regard de soie! toi, dont l'âme est inséparable de la mienne; toi, le plus beau des habitants du globe terrestre, et qui commandes à un sérail de quatre cents ventouses; toi, en qui siègent noblement, comme dans leur résidence naturelle, par un commun accord, d'un lien indestructible, la douce vertu communicative et les grâces divines, pourquoi n'es-tu pas avec moi, ton ventre de mercure contre ma poitrine d'aluminium, assis tous les deux sur quelque rocher du rivage, pour contempler ce spectacle que j'adore!

Vieil océan, aux vagues de cristal, tu ressembles propor-

tionnellement à ces marques azurées que l'on voit sur le dos meurtri des mousses; tu es un immense bleu, appliqué sur le corps de la terre: j'aime cette comparaison. Ainsi, à ton premier aspect, un souffle prolongé de tristesse, qu'on croirait être le murmure de ta brise suave, passe, en laissant des ineffaçables traces, sur l'âme profondément ébranlée, et tu rappelles au souvenir de tes amants, sans qu'on s'en rende toujours compte, les rudes commencements de l'homme où il fait connaissance avec la douleur, qui ne le quitte plus. Je te salue, vieil océan!

Vieil océan, ta forme harmonieusement sphérique, qui réjouit la face grave de la géométrie, ne me rappelle que trop les petits yeux de l'homme, pareils à ceux du sanglier pour la petitesse, et à ceux des oiseaux de nuit pour la perfection circulaire du contour. Cependant, l'homme s'est cru beau dans tous les siècles. Moi, je suppose plutôt que l'homme ne croit à sa beauté que par amour-propre; mais, qu'il n'est pas beau réellement et qu'il s'en doute; car, pourquoi regarde-t-il la figure de son semblable, avec tant de mépris? Je te salue, vieil océan!

Vieil océan, tu es le symbole de l'identité: toujours égal à toi-même. Tu ne varies pas d'une manière essentielle, et si tes vagues sont quelque part en furie, plus loin, dans quelque autre zone, elles sont dans le calme le plus complet. Tu n'es pas comme l'homme qui s'arrête dans la rue, pour voir deux bouledogues s'empoigner au cou, mais qui

sees on the bruised back of mosses; you are an immense blueness, stuck on the body of the earth: I like that comparison. Thus, at your first appearance, a prolonged breath of sadness, that seems to be the murmur of your suave breeze, passes, leaving ineffable traces, on the profoundly shaken soul, and you recall to the mind of your lovers, without their always realizing it, the primitive beginnings of man, in which he makes the acquaintance of suffering which does not leave him. I greet you, old ocean! Old ocean, your harmoniously spherical form, which unwrinkles the serious face of geometry, reminds me too much of the small eyes of man, like those of the boar in smallness, and like those of night birds in the circular perfection of their contour. Nevertheless man throughout the centuries has thought he was handsome. As for me I suppose rather that man believes in his beauty only through self-love; but, that he is not really handsome and that he knows it; for why does he look upon the face of his brothers with so much scorn? I greet you, old ocean! Old ocean, you are the symbol of identity: always like unto yourself. You do not change in any essential manner, and if your waves are wild in some places, farther on, in other zones, they are in the most complete state of calm. You are not like the man who stops in the street to watch two

ne s'arrête pas, quand un enterrement passe; qui est ce matin accessible, et ce soir de mauvaise humeur; qui rit aujourd'hui et pleure demain. Je te salue, vieil océan!

Vieil océan, il n'y aurait rien d'impossible à ce que tu caches dans ton sein de futures utilités pour l'homme. Tu lui as déjà donné la baleine. Tu ne laisses pas facilement deviner aux yeux avides des sciences naturelles les mille secrets de ton intime organisation: tu es modeste. L'homme se vante sans cesse, et pour des minuties. Je te salue, vieil océan!

Vieil océan, les différentes espèces de poissons que tu nourris n'ont pas juré fraternité entre elles. Chaque espèce vit de son côté. Les tempéraments et les conformations qui varient dans chacune d'elles, expliquent, d'une manière satisfaisante, ce qui ne paraît d'abord qu'une anomalie. Il en est ainsi de l'homme, qui n'a pas les mêmes motifs d'excuse. Un morceau de terre est-il occupé par trente millions d'êtres humains, ceux-ci se croient obligés de ne pas se mêler de l'existence de leurs voisins, fixés comme des racines sur le morceau de terre qui suit. En descendant du grand au petit, chaque homme vit comme un sauvage dans sa tanière, et en sort rarement pour visiter son semblable, accroupi pareillement dans une autre tanière. La grande famille universelle des humains est une utopie digne de la logique la plus médiocre. En outre, du spectacle de tes mamelles fécondes se dégage la notion d'ingratitude; car

bulldogs biting at each other's necks, but who does not stop when a funeral procession passes; man who is pleasant in the morning and ill-tempered in the evening; who laughs today and cries tomorrow. I greet you, old ocean! Old ocean, it is not impossible that you hide in your bosom useful possibilities for man. You have already given him the whale. You do not allow the avid eyes of the natural sciences to imagine easily the thousand secrets of your inner organization: you are modest. Man is always bragging and for trifles. I greet you, old ocean! Old ocean, the different species of fish that you nurture have not taken the oath of fraternity. Each species lives by itself. The temperaments and the forms that vary in each species explain satisfactorily what at first appears to be an anomaly. It is the same with man who does not have the same excuse. If a tract of land is occupied by thirty million human beings, they consider themselves obliged not to mingle in the life of their neighbors who remain fixed like roots on the plot of ground next to theirs. From the great to the small, each man lives like a savage in his den and rarely emerges to visit his brother, who is in turn crouched in another den. The vast universal family of mankind is a utopia in keeping with the most mediocre logic. What's more, from the sight of your fertile breasts comes

on pense aussitôt à ces parents nombreux, assez ingrats envers le Créateur, pour abandonner le fruit de leur misérable union. Je te salue, vieil océan!

Vieil océan, ta grandeur matérielle ne peut se comparer qu'à la mesure qu'on se fait de ce qu'il a fallu de puissance active pour engendrer la totalité de ta masse. On ne peut pas t'embrasser d'un coup d'œil. Pour te contempler, il faut que la vue tourne son télescope, par un mouvement continu, vers les quatre points de l'horizon, de même qu'un mathématicien, afin de résoudre une équation algébrique, est obligé d'examiner séparément les divers cas possibles, avant de trancher la difficulté. L'homme mange des substances nourrissantes, et fait d'autres efforts, dignes d'un meilleur sort, pour paraître gras. Qu'elle se gonfle tant qu'elle voudra, cette adorable grenouille. Sois tranquille, elle ne t'égalera pas en grosseur; je le suppose, du moins. Je te salue, vieil océan!

Vieil océan, tes eaux sont amères. C'est exactement le même goût que le fiel que distille la critique sur les beauxarts, sur les sciences, sur tout. Si quelqu'un a du génie, on le fait passer pour un idiot; si quelque autre est beau de corps, c'est un bossu affreux. Certes, il faut que l'homme sente avec force son imperfection, dont les trois quarts d'ailleurs ne sont dus qu'à lui-même, pour la critiquer ainsi! Je te salue, vieil océan!

the notion of ingratitude; for one thinks immediately of those numerous parents so ungrateful toward the Creator as to abandon the fruit of their miserable union. I greet you, old ocean! Old ocean, your material grandeur can be compared only to the measure one must imagine for the creative power it took to engender the totality of your mass. You cannot be encompassed in one glance. In order to contemplate you, we must turn our vision's telescope, in a continuous movement toward the four corners of the horizon, in the same way as a mathematician, in order to solve an algebraic equation, is obliged to examine separately the different possibilities before resolving the difficulty. Man eats nourishing substances and makes other efforts, worthy of a better fate, in order to appear fat. Let this adorable frog, man, blow itself up as much as it will. Don't worry, the frog will never be as fat as you; at least so I imagine. I greet you, old ocean! Old ocean, your waters are bitter. It's exactly the same taste as the bile distilled by critics on fine arts, science, on everything. If someone is a genius they call him an idiot; if someone has a beautiful body, he is a hideous hunchback. Surely man must feel strongly about his imperfection, of which a good three-quarters is due to his own fault, to criticize it so! I greet you, old ocean!

Paul Valéry
(1871–1945)

FÉERIE

La lune mince verse une lueur sacrée,
Toute une jupe d'un tissu d'argent léger,
Sur les bases de marbre où vient l'Ombre songer
Que suit d'un char de perle une gaze nacrée.

Pour les cygnes soyeux qui frôlent les roseaux
De carènes de plume à demi lumineuse,
Elle effeuille infinie une rose neigeuse,
Dont les pétales font des cercles sur les eaux ...

Est-ce vivre? ... O désert de volupté pâmée
Où meurt le battement faible de l'eau lamée,
Usant le seuil secret des échos de cristal ...

La chair confuse des molles roses commence
A frémir, si d'un cri le diamant fatal
Fêle d'un fil de jour toute la fable immense.

AURORE

La confusion morose
Qui me servait de sommeil,

The thin moon pours a sacred gleam, a whole skirt of light silver fabric on the marble bases where the Shadow, followed by the mother-of-pearl gauze of a pearly chariot, comes to dream. For the silky swans that brush against the reeds with half luminous feathery hulls, it plucks off endlessly a snowy rose, whose petals make circles on the waters. . . . Is this living? . . . O desert of rapturous pleasure where, using the secret threshold of crystal echoes, the feeble lapping of spangled water dies . . . The indistinct flesh of languid roses begins to quiver if with one cry the fatal diamond cracks with a thread of daylight the whole immense fable.

The morose confusion which served me as sleep is dissipated with the rosy appearance of the sun. In my soul I move forward, winged with

Se dissipe dès la rose
Apparence du soleil.
Dans mon âme je m'avance,
Tout ailé de confiance:
C'est la première oraison!
A peine sorti des sables,
Je fais des pas admirables
Dans les pas de ma raison.

Salut! encore endormies
A vos sourires jumeaux,
Similitudes amies
Qui brillez parmi les mots!
Au vacarme des abeilles
Je vous aurai par corbeilles,
Et sur l'échelon tremblant
De mon échelle dorée,
Ma prudence évaporée
Déjà pose son pied blanc.

Quelle aurore sur ces croupes
Qui commencent de frémir!
Déjà s'étirent par groupes
Telles qui semblaient dormir:
L'une brille, l'autre bâille;
Et sur un peigne d'écaille,
Egarant ses vagues doigts,
Du songe encore prochaine,
La paresseuse l'enchaîne
Aux prémisses de sa voix.

Quoi! c'est vous, mal déridées!

confidence: it is the first prayer! Having hardly emerged from the sands,
I make admirable strides following in the steps of my reason. Hail! still
asleep with your twin smiles, comparisons, friends who shine among the
words! Accompanied by the buzzing of the bees I shall catch you by the
basketful, and on the trembling rung of my golden ladder, my evaporated
prudence has already placed its white foot. What dawn on these flanks
that begin to quiver! Those who seemed to sleep now in groups begin to
stretch: one shines, the other yawns; and on a tortoiseshell comb, allow-
ing her uncertain fingers to wander still close to dream, the indolent
chains her dreams to the first notes of her voice. What! so it's you, still
all creases! What did you do last night, mistresses of the soul, Ideas,

Que fîtes-vous, cette nuit,
Maîtresses de l'âme, Idées,
Courtisanes par ennui?
— Toujours sages, disent-elles,
Nos présences immortelles
Jamais n'ont trahi ton toit!
Nous étions non éloignées,
Mais secrètes araignées
Dans les ténèbres de toi!

Ne seras-tu pas de joie
Ivre! à voir de l'ombre issus
Cent mille soleils de soie
Sur tes énigmes tissus?
Regarde ce que nous fîmes:
Nous avons sur tes abîmes
Tendu nos fils primitifs,
Et pris la nature nue
Dans une trame ténue
De tremblants préparatifs ...

Leur toile spirituelle,
Je la brise, et vais cherchant
Dans ma forêt sensuelle
Les oracles de mon chant.
Etre! Universelle oreille!
Toute l'âme s'appareille
A l'extrême du désir ...
Elle s'écoute qui tremble
Et parfois ma lèvre semble
Son frémissement saisir.

Voici mes vignes ombreuses,

courtesans through boredom?—Always well behaved, they say our immortal presence never betrayed your roof! We were not far away, but we were secret spiders in your shadows! Will you not be drunk with joy! to see issuing from the shadow one hundred thousand suns of silk woven in your enigmas? Look at what we did: we have hung our primitive threads over your abyss, and caught naked nature in a delicate woof of trembling preparations. . . . I break their spiritual web, and I go searching in the forest of my senses for the oracles of my song. Being! Universal ear! At the extreme point of desire the whole soul is prepared. . . . It hears itself tremble and sometimes my lip seems to seize its vibration. Here are

Les berceaux de mes hasards!
Les images sont nombreuses
A l'égal de mes regards ...
Toute feuille me présente
Une source complaisante
Où je bois ce frêle bruit ...
Tout m'est pulpe, tout amande.
Tout calice me demande
Que j'attende pour son fruit.

Je ne crains pas les épines!
L'éveil est bon, même dur!
Ces idéales rapines
Ne veulent pas qu'on soit sûr:
Il n'est pour ravir un monde
De blessure si profonde
Qui ne soit au ravisseur
Une féconde blessure,
Et son propre sang l'assure
D'être le vrai possesseur.

J'approche la transparence
De l'invisible bassin
Où nage mon Espérance
Que l'eau porte par le sein.
Son col coupe le temps vague
Et soulève cette vague
Que fait un col sans pareil ...
Elle sent sous l'onde unie
La profondeur infinie,
Et frémit depuis l'orteil.

my shady vines, the cradles of my changes! The images are as many as
my glances. . . . Every leaf offers me an obliging source from which I
drink the frail sound. . . . For me everything is pulp, is almond. Every
corolla asks me to wait for its fruit. I do not fear the thorns! The
awakening is good even though it is hard! These ideal plunderings do not
want us to be certain: there is no wound so deep, suffered in order to
violate a world, that is not for the violator a fertile wound, and his own
blood assures him of being the true possessor. I approach the trans-
parency of the invisible basin in which swims my hope whom the water
holds up by the breast. Her neck divides the uncertain time and swells
the one wave that this unique neck made. . . . Under the smooth wave
she feels infinite depth, and trembles from the tip of her toe.

LES PAS

Tes pas, enfants de mon silence,
Saintement, lentement placés,
Vers le lit de ma vigilance
Procèdent muets et glacés.

Personne pure, ombre divine,
Qu'ils sont doux, tes pas retenus!
Dieux! ... tous les dons que je devine
Viennent à moi sur ces pieds nus!

Si, de tes lèvres avancées,
Tu prépares pour l'apaiser,
A l'habitant de mes pensées
La nourriture d'un baiser,

Ne hâte pas cet acte tendre,
Douceur d'être et de n'être pas,
Car j'ai vécu de vous attendre,
Et mon cœur n'était que vos pas.

LA DORMEUSE

Quels secrets dans son cœur brûle ma jeune amie,
Ame par le doux masque aspirant une fleur?
De quels vains aliments sa naïve chaleur
Fait ce rayonnement d'une femme endormie?

Souffle, songes, silence, invincible accalmie,

Your steps, children of my silence, sacredly, slowly placed, toward the
bed of my vigilance proceed mute and icy. Pure person, divine shadow,
how gentle they are, your restrained steps! Gods! . . . all the gifts I
guess at come to me on these bare feet! If with your offered lips you prepare, in order to appease the inhabitant of my thoughts, the nourishment
of a kiss, do not hasten that tender act, sweetness of being and not being,
for I have lived by waiting for you, and my heart was but your steps.

What secrets does my young friend burn in her heart, a soul inhaling
a flower through the soft mask? With what useless foods does her naïve
heat create the radiance of woman asleep? Breath, dreams, silence,
invincible calm, you triumph, o peace more powerful than a tear, when

Tu triomphes, ô paix plus puissante qu'un pleur,
Quand de ce plein sommeil l'onde grave et l'ampleur
Conspirent sur le sein d'une telle ennemie.

Dormeuse, amas doré d'ombres et d'abandons,
Ton repos redoutable est chargé de tels dons,
O biche avec langueur longue auprès d'une grappe,

Que malgré l'âme absente, occupée aux enfers,
Ta forme au ventre pur qu'un bras fluide drape,
Veille; ta forme veille, et mes yeux sont ouverts.

LA PYTHIE

A Pierre Louÿs

La Pythie exhalant la flamme
De naseaux durcis par l'encens,
Haletante, ivre, hurle! ... l'âme
Affreuse, et les flancs mugissants!
Pâle, profondément mordue,
Et la prunelle suspendue
Au point le plus haut de l'horreur,
Le regard qui manque à son masque
S'arrache vivant à la vasque,
A la fumée, à la fureur!

Sur le mur, son ombre démente
Où domine un démon majeur,
Parmi l'odorante tourmente
Prodigue un fantôme nageur,

the grave waters and the fulness of this deep sleep conspire on the breast
of such an enemy. Sleeper, golden heap of shadows and surrender, your
awesome sleep is laden with such gifts; o doe, with long languor near a
bunch of grapes, that in spite of the absent soul, busy in hades, your
form with the pure belly draped by a fluid arm, keeps watch; your form
keeps watch, and my eyes are open.

The Pythoness exhaling the flame from nostrils hardened by incense,
panting, drunk, howls! . . . her soul full of terror and her sides bellowing! Pale, deeply bitten, and her pupil hung at the highest point of
horror, the glance absent from her mask is torn living from the basin,
from the smoke, from the frenzy! On the wall her insane shadow in
which a major demon reigns, amid the scented storm throws a phantom
swimmer, whose colossal trance, breaking the balance of the room, if the

De qui la transe colossale,
Rompant les aplombs de la salle,
Si la folle tarde à hennir,
Mime de noirs enthousiasmes,
Hâte les dieux, presse les spasmes
De s'achever dans l'avenir!

Cette martyre en sueurs froides,
Ses doigts sur mes doigts se crispant,
Vocifère entre les ruades
D'un trépied qu'étrangle un serpent:
— Ah! maudite! ... Quels maux je souffre!
Toute ma nature est un gouffre!
Hélas! Entr'ouverte aux esprits,
J'ai perdu mòn propre mystère! ...
Une Intelligence adultère
Exerce un corps qu'elle a compris!

Don cruel! Maître immonde, cesse
Vite, vite, ô divin ferment,
De feindre une vaine grossesse
Dans ce pur ventre sans amant!
Fais finir cette horrible scène!
Vois de tout mon corps l'arc obscène
Tendre à se rompre pour darder
Comme son trait le plus infâme,
Que mon sein ne peut plus garder!

Qui me parle, à ma place même?
Quel écho me répond: Tu mens!
Qui m'illumine? ... Qui blasphème?

mad woman is late in neighing, mimes dark enthusiasms, hastens the
gods, hurries the spasms toward their end in the future! The martyr in
cold sweats, her fingers contracting on her fingers, shouts between the
brusque kicks of a tripod that a serpent strangles: Ah, accursed! . . .
What ills I suffer! My whole nature is an abyss! Alas! Opened to the
spirits, I have lost my own mystery! . . . An adulterous Intelligence
exerts a body it has understood! Cruel gift! Foul master, cease, quickly,
quickly, O divine leaven, to feign a sterile pregnancy in my pure belly
that has no lover! Make this horrible scene end! See the obscene arch of
my whole body stretch to the breaking point in order to dart as its most
infamous arrow, implacably to the sky, the soul that my bosom can no
longer keep! Who speaks to me in my own place? What echo answers
me: You lie! Who illumines me? . . . Who blasphemes? And who, with

Et qui, de ces mots écumants,
Dont les éclats hachent ma langue,
La fait brandir une harangue
Brisant la bave et les cheveux
Que mâche et trame le désordre
D'une bouche qui veut se mordre
Et se reprendre ses aveux?

Dieu! Je ne me connais de crime
Que d'avoir à peine vécu! ...
Mais si tu me prends pour victime
Et sur l'autel d'un corps vaincu
Si tu courbes un monstre, tue
Ce monstre, et la bête abattue,
Le col tranché, le chef produit
Par les crins qui tirent les tempes,
Que cette plus pâle des lampes
Saisisse de marbre la nuit!

Alors, par cette vagabonde
Morte, errante, et lune à jamais,
Soit l'eau des mers surprise, et l'onde
Astreinte à d'éternels sommets!
Que soient les humains faits statues,
Les cœurs figés, les âmes tues,
Et par les glaces de mon œil,
Puisse un peuple de leurs paroles
Durcir en un peuple d'idoles
Muet de sottise et d'orgueil!

Eh! Quoi! ... Devenir la vipère

these foaming words whose splinters cut my tongue, makes it brandish a
harangue, breaking the drool, and the hair which the disorder of a
mouth that wants to bite itself and withdraw its confessions chews and
weaves? God! I am guilty of no crime except of hardly having lived!
. . . But if you take me as a victim and over the altar of a vanquished
body if you bend a monster, kill that monster, and the beast stricken, the
neck severed, the head held up by the hairs that pull the temples, let
this palest of lamps turn the night into marble! Then by this vagabond
dead, wandering, and perpetual moon, let the water of the seas be
astounded and the wave forced to eternal summits! Let the humans be
made statues, the hearts immobilized, the souls silenced, and by the ice
of my eye, may a host of their words harden into a host of idoles mute
with stupidity and pride! But what! . . . Become the viper whose whole

Dont tout le ressort de frissons
Surprend la chair que désespère
Sa multitude de tronçons! ...
Reprendre une lutte insensée! ...
Tourne donc plutôt ta pensée
Vers la joie enfuie, et reviens,
O mémoire, à cette magie
Qui ne tirait son énergie
D'autres arcanes que des tiens!

Mon cher corps ... Forme préférée,
Fraîcheur par qui ne fut jamais
Aphrodite désaltérée,
Intacte nuit, tendres sommets,
Et vos partages indicibles
D'une argile en îles sensibles,
Douce matière de mon sort,
Quelle alliance nous vécûmes,
Avant que le don des écumes
Ait fait de toi ce corps de mort!

Toi, mon épaule, où l'or se joue
D'une fontaine de noirceur,
J'aimais de te joindre ma joue
Fondue à sa même douceur! ...
Ou, soulevée à mes narines,
Ouverte aux distances marines,
Les mains pleines de seins vivants,
Entre mes bras aux belles anses
Mon abîme a bu les immenses
Profondeurs qu'apportent les vents!

mainspring of shudderings surprises the flesh that its multitude of sections
makes desperate! . . . Take up again a senseless struggle! . . . Turn your
thoughts rather toward the joy that has fled, and return, O memory, to
that magic which drew its energy from no other secrets than your own!
My dear body . . . Preferred form, coolness by which Aphrodite's thirst
was never quenched, intact night, tender summits, and your unutterable
divisions of clay into sentient islands, gentle substance of my fate, in what
union we lived, before the gift of the foam made of you this dead body!
You, my shoulder, on which gold mocks a fountain of darkness, I loved
to join to you my cheek melted into similar smoothness! . . . Or raised
to my nostrils, opened to ocean distances, my hands full of living breasts,
between the beautiful curve of my arms, my abyss drank the immense
depths that the winds bring! Alas! O roses, every lyre contains modula-

Hélas! ô roses, toute lyre
Contient la modulation!
Un soir, de mon triste délire
Parut la constellation!
Le temple se change dans l'antre,
Et l'ouragan des songes entre
Au même ciel qui fut si beau!
Il faut gémir, il faut atteindre
Je ne sais quelle extase, et ceindre
Ma chevelure d'un lambeau!

Ils m'ont connue aux bleus stigmates
Apparus sur ma pauvre peau;
Ils m'assoupirent d'aromates
Laineux et doux comme un troupeau;
Ils ont, pour vivant amulette,
Touché ma gorge qui halète
Sous les ornements vipérins;
Etourdie, ivre d'empyreumes,
Ils m'ont, au murmure des neumes,
Rendu des honneurs souterrains.

Qu'ai-je donc fait qui me condamne
Pure, à ces rites odieux?
Une sombre carcasse d'âne
Eût bien servi de ruche aux dieux!
Mais une vierge consacrée,
Une conque neuve et nacrée
Ne doit à la divinité
Que sacrifice et que silence,

tion! One evening appeared the constellation of my sad delirium! The temple changes into a den, and the hurricane of dreams enters into the very sky that was so beautiful! I must moan, I must reach I know not what ecstasy and tie my hair with a rag! They recognized me because of the blue stigmata which appeared on my poor skin; they made me drowsy with aromatics woolly and soft as a flock; as a living amulet, they touched my bosom panting under viperine ornaments; they paid me, stunned, drunk with the acrid smell of burnt offerings, subterranean honors to the murmuring of plainsongs. What have I done that condemns me pure, to these odious rites? The dark carcass of an ass would have served well as a hive for the gods! But a consecrated virgin, a new mother-of-pearl shell owes to the divinity only sacrifice and silence, and the intimate violence that virginity does to itself! Why, Creative Power,

Et cette intime violence
Que se fait la virginité!

Pourquoi, Puissance Créatrice,
Auteur du mystère animal,
Dans cette vierge pour matrice,
Semer les merveilles du mal?
Sont-ce les dons que tu m'accordes?
Crois-tu, quand se brisent les cordes
Que le son jaillisse plus beau?
Ton plectre a frappé sur mon torse,
Mais tu ne lui laisses la force
Que de sonner comme un tombeau!

Sois clémente, sois sans oracles!
Et de tes merveilleuses mains,
Change en caresses les miracles,
Retiens les présents surhumains!
C'est en vain que tu communiques
A nos faibles tiges, d'uniques
Commotions de ta splendeur!
L'eau tranquille est plus transparente
Que toute tempête parente
D'une confuse profondeur!

Va, la lumière la divine
N'est pas l'épouvantable éclair
Qui nous devance et nous devine
Comme un songe cruel et clair!
Il éclate! ... Il va nous instruire! ...
Non! ... La solitude vient luire
Dans la plaie immense des airs

author of the animal mystery, sow in this virgin, used as matrix, the wonders of evil? Are these the gifts you make me? Do you believe that when the strings break the sound gushes forth more beautifully? Your plectrum struck my torso, but you only leave it enough strength to resound like a tomb! Be merciful, be without oracles! and with your marvelous hands, change miracles into caresses, hold back the superhuman gifts! In vain you communicate to our feeble stems, unique commotions of your splendor! The quiet water is more transparent than any tempest related to a confused depth! Surely, light the divine is not the dreadful lightning which anticipates us and divines us like a cruel and bright dream! It bursts! . . . It is going to teach us! . . . No! . . . Solitude appears and shines in the immense wound of the airs where no pale

Où nulle pâle architecture,
Mais la déchirante rupture
Nous imprime de purs déserts!

N'allez donc, mains universelles,
Tirer de mon front orageux
Quelques suprêmes étincelles!
Les hasards font les mêmes jeux!
Le passé, l'avenir sont frères
Et par leurs visages contraires
Une seule tête pâlit
De ne voir où qu'elle regarde
Qu'une même absence hagarde
D'îles plus belles que l'oubli.

Noirs témoins de tant de lumières
Ne cherchez plus ... Pleurez, mes yeux! ...
O pleurs dont les sources premières
Sont trop profondes dans les cieux! ...
Jamais plus amère demande! ...
Mais la prunelle la plus grande
De ténèbres se doit nourrir! ...
Tenant notre race atterrée,
La distance désespérée
Nous laisse le temps de mourir!

Entends, mon âme, entends ces fleuves!
Quelles cavernes sont ici?
Est-ce mon sang? ... Sont-ce les neuves
Rumeurs des ondes sans merci?
Mes secrets sonnent leurs aurores!
Tristes airains, tempes sonores,

architecture but the heart-breaking rupture imprints pure deserts for us!
Do not then, universal hands, draw from my stormy brow a few supreme
sparks! Chance plays the same games! The past, the future are brothers
and through their opposed faces come single head pales at seeing, wherever
she looks, only the same haggard absence of islands more beautiful than
forgetfulness. Dark witnesses of so much light seek no longer. . . . Cry,
my eyes! O tears whose primary sources are too deep in the skies! . . .
never a more bitter request! . . . But the largest pupil must feed on
shadows! . . . Keeping our race pinned to the ground, desperate distance
leaves us time to die! Hear, my soul, hear these rivers! What caverns are
here? Is it my blood? . . . Are they the new murmurs of merciless
waves? My secrets sound their dawns! Sad brasses, sonorous temples,

Que dites-vous de l'avenir!
Frappez, frappez, dans une roche,
Abattez l'heure la plus proche ...
Mes deux natures vont s'unir!

O formidablement gravie,
Et sur d'effrayants échelons,
Je sens dans l'arbre de ma vie
La mort monter de mes talons!
Le long de ma ligne frileuse,
Le doigt mouillé de la fileuse
Trace une atroce volonté!
Et par sanglots grimpe la crise
Jusque dans ma nuque où se brise
Une cime de volupté!

Ah! brise les portes vivantes!
Fais craquer les vains scellements,
Epais troupeau des épouvantes,
Hérissé d'étincellements!
Surgis des étables funèbres
Où te nourissaient mes ténèbres
De leur fabuleuse foison!
Bondis, de rêves trop repue,
O horde épineuse et crépue,
Et viens fumer dans l'or, Toison!

*

Telle, toujours plus tourmentée,
Déraisonne, râle et rugit
La prophétesse fomentée
Par les souffles de l'or rougi.

what do you say of the future! Strike, strike in a rock, strike down the nearest hour. . . . My two natures are going to unite! O formidably climbed, and on frightening rungs, I feel in the tree of my life death mounting from my heels! All along my chilly line, the wet finger of the spinner traces an atrocious will! And in sobs the crisis moves right up to my nape where a peak of voluptuous pleasure breaks! Ah! break the living doors! Crack the useless seals, thick flock of horrors, bristling with sparks! Come forth from the funeral stables in which my shadows nourished you with their fabulous profusion! Leap forth, O thorny, hairy horde grown fat on too many dreams, and come to smoke in the gold, Fleece! * Thus, in ever greater torment, raves, rattles and moans the prophetess incited by the breath of the reddened gold. But at last the

Mais enfin le ciel se déclare!
L'oreille du pontife hilare
S'aventure vers le futur:
Une attente sainte la penche,
Car une voix nouvelle et blanche
Echappe de ce corps impur:

*

Honneur des Hommes, Saint LANGAGE,
Discours prophétique et paré,
Belles chaînes en qui s'engage
Le dieu dans la chair égaré,
Illumination, largesse!
Voici parler une Sagesse
Et sonner cette auguste Voix
Qui se connaît quand elle sonne
N'être plus la voix de personne
Tant que des ondes et des bois!

LE CIMETIÈRE MARIN

Μή, φίλα ψυχά, βίον ἀθάνατον
σπεῦδε, τὰν δ'ἔμπρακτον
ἄντλει μαχανάν

PINDARE, *Pythiques, III.*

Ce toit tranquille, où marchent des colombes,
Entre les pins palpite, entre les tombes;
Midi le juste y compose de feux
La mer, la mer, toujours recommencée!

heaven manifests itself! The ear of the mirthful pontiff ventures toward
the future: a holy expectation bends it forward, for a new, blank voice
rises from the impure body: * *Honor of Men, Holy LANGUAGE, prophetic and adorned speech, beautiful chains in which becomes enmeshed
the god who has strayed in the flesh, illumination, bounty! Now Wisdom
is speaking and the august Voice is sounding which knows when it sounds
that it is no longer the voice of anyone so much as the voice of the
waves and the woods!*

[*O my soul, seek not after immortal life, but exhaust the realm of the
possible.* Pindar, *Pythics, III.*] This quiet roof, where the doves are walking, shimmers between the pines, between the tombs; Noon, the just, com-
poses there with fires the sea, the sea, always beginning anew! Oh, what

O récompense après une pensée
Qu'un long regard sur le calme des dieux!

Quel pur travail de fins éclairs consume
Maint diamant d'imperceptible écume,
Et quelle paix semble se concevoir!
Quand sur l'abîme un soleil se repose,
Ouvrages purs d'une éternelle cause,
Le Temps scintille et le Songe est savoir.

Stable trésor, temple simple à Minerve,
Masse de calme, et visible réserve,
Eau sourcilleuse, Œil qui gardes en toi
Tant de sommeil sous un voile de flamme,
O mon silence! ... Edifice dans l'âme,
Mais comble d'or aux mille tuiles, Toit!

Temple du Temps, qu'un seul soupir résume,
A ce point pur je monte et m'accoutume,
Tout entouré de mon regard marin;
Et comme aux dieux mon offrande suprême,
La scintillation sereine sème
Sur l'altitude un dédain souverain.

Comme le fruit se fond en jouissance,
Comme en délice il change son absence
Dans une bouche où sa forme se meurt,
Je hume ici ma future fumée,
Et le ciel chante à l'âme consumée
Le changement des rives en rumeur.

a reward after thought is a long glance on the calm of the gods! What pure work of fine lightnings consumes a thousand diamonds of invisible foam, and what peace seems to be conceived! When on the abyss a sun reposes, pure creations of an eternal cause, Time sparkles and Dream is knowledge. Stable treasure, simple temple to Minerva, mass of calm and visible reserve, haughty water, Eye that contains within yourself so much sleep under a veil of flame, O my silence! . . . Building in the soul, but attic of gold with a thousand tiles, Roof! Temple of Time, that a single sigh sums up, to this pure point I ascend and accustom myself, completely surrounded by my sea gaze; and as my supreme offering to the gods, the serene scintillation sows a sovereign disdain over the heights. As the fruit melts in enjoyment, as into delight it changes its absence in a mouth, where its form dies, I breathe here my future smoke, and the sky sings to the consumed soul the changing of the murmuring shores. Beautiful

Beau ciel, vrai ciel, regarde-moi qui change!
Après tant d'orgueil, après tant d'étrange
Oisiveté, mais pleine de pouvoir,
Je m'abandonne à ce brillant espace,
Sur les maisons des morts mon ombre passe
Qui m'apprivoise à son frêle mouvoir.

L'âme exposée aux torches du solstice,
Je te soutiens, admirable justice
De la lumière aux armes sans pitié!
Je te rends pure à ta place première:
Regarde-toi! ... Mais rendre la lumière
Suppose d'ombre une morne moitié.

O pour moi seul, à moi seul, en moi-même,
Auprès d'un cœur, aux sources du poème,
Entre le vide et l'événement pur,
J'attends l'écho de ma grandeur interne,
Amère, sombre et sonore citerne,
Sonnant dans l'âme un creux toujours futur!

Sais-tu, fausse captive des feuillages,
Golfe mangeur de ces maigres grillages,
Sur mes yeux clos, secrets éblouissants,
Quel corps me traîne à sa fin paresseuse,
Quel front l'attire à cette terre osseuse?
Une étincelle y pense à mes absents.

Fermé, sacré, plein d'un feu sans matière,
Fragment terrestre offert à la lumière,

sky, look at me changing! After so much pride, after so much strange idleness, but full of power, I abandon myself to this shining space, on the houses of the dead my shadow passes and accustoms me to its frail movement. My soul exposed to the torches of the solstice, I bear you, admirable justice of light with its pitiless weapons! I give you back pure to your place of origin: look at yourself! But to give back light implies a gloomy half of shadow. O for me alone, in myself, beside a heart, at the sources of the poem, between emptiness and the pure event, I wait for the echo of my inner greatness, bitter, somber and sonorous cistern sounding in the soul an ever future hollowness. Do you know, false captive of the foliage, gulf that eats these blue railings, shining secrets over my closed eyes, what body drags me to its lazy end, what brow attracts it to this bony earth? A spark there thinks of my absent ones. Closed, holy, full of an immaterial fire, terrestrial fragment offered to the light, this site pleases me,

Ce lieu me plaît, dominé de flambeaux,
Composé d'or, de pierre et d'arbres sombres,
Où tant de marbre est tremblant sur tant d'ombres;
La mer fidèle y dort sur mes tombeaux!

Chienne splendide, écarte l'idolâtre!
Quand solitaire au sourire de pâtre,
Je pais longtemps, moutons mystérieux,
Le blanc troupeau de mes tranquilles tombes,
Eloignes-en les prudentes colombes,
Les songes vains, les anges curieux!

Ici venu, l'avenir est paresse.
L'insecte net gratte la sécheresse;
Tout est brûlé, défait, reçu dans l'air
A je ne sais quelle sévère essence ...
La vie est vaste, étant ivre d'absence,
Et l'amertume est douce, et l'esprit clair.

Les morts cachés sont bien dans cette terre
Qui les réchauffe et sèche leur mystère.
Midi là-haut, Midi sans mouvement
En soi se pense et convient à soi-même ...
Tête complète et parfait diadème,
Je suis en toi le secret changement.

Tu n'as que moi pour contenir tes craintes!
Mes repentirs, mes doutes, mes contraintes
Sont le défaut de ton grand diamant ...

dominated by torches, composed of gold, of stone and of dark trees, where so much marble trembles over so many shadows; the faithful sea sleeps there on my tombs!

Magnificent bitch, keep the idolator out! When solitary, with a shepherd's smile, I graze for a long time, mysterious sheep, the white flock of my quiet tombs, keep away from them the prudent doves, the vain dreams, the inquisitive angels! Once here, the future is idleness. The unambiguous insect scratches the dryness; everything is burned, undone, received in the air to I know not what severe essence. . . . Life is vast, being drunk with absence, and bitterness is sweet, and the mind clear. The hidden dead are at ease in this earth which warms them and dries their mystery. Noon up above, Noon without movement can be conceived of itself and is sufficient unto itself. . . . Complete head and perfect diadem, I am the secret change within you. You have only me to contain your fears! My repentances, my doubts, my constraints are the flaw

Mais dans leur nuit toute lourde de marbres,
Un peuple vague aux racines des arbres
A pris déjà ton parti lentement.

Ils ont fondu dans une absence épaisse,
L'argile rouge a bu la blanche espèce,
Le don de vivre a passé dans les fleurs!
Où sont des morts les phrases familières,
L'art personnel, les âmes singulières?
La larve file où se formaient des pleurs.

Les cris aigus des filles chatouillées,
Les yeux, les dents, les paupières mouillées,
Le sein charmant qui joue avec le feu,
Le sang qui brille aux lèvres qui se rendent,
Les derniers dons, les doigts qui les défendent,
Tout va sous terre et rentre dans le jeu!

Et vous, grande âme, espérez-vous un songe
Qui n'aura plus ces couleurs de mensonge
Qu'aux yeux de chair l'onde et l'or font ici?
Chanterez-vous quand serez vaporeuse?
Allez! Tout fuit! Ma présence est poreuse,
La sainte impatience meurt aussi!

Maigre immortalité noire et dorée,
Consolatrice affreusement laurée,
Qui de la mort fais un sein maternel,
Le beau mensonge et la pieuse ruse!

in your great diamond. . . . But in their night heavy with marbles, a
vague people at the roots of the trees has already slowly taken your side.
They have melted into a thick absence, the red clay has drunk up the
white species, the gift of life has passed into the flowers! Where are the
familiar phrases of the dead, the personal art, the individual souls? The
larva spins where tears used to form. The sharp cries of tickled girls,
the eyes, the teeth, the moist eyelids, the charming breast that plays with
the fire, the blood that shines on surrendered lips, the ultimate gifts, the
fingers that defend them, everything goes underground and back to the
game! And you, vast soul, do you hope for a dream that will no longer
have the colors of the lie which the wave and the gold tell here to eyes
of flesh? Will you sing when you are vapor? Come now! Everything flees!
My presence is porous, holy impatience also dies! Thin immortality black
and golden, consoler hideously bedecked with laurels, who makes of death a
maternal bosom, what a beautiful lie and pious artifice! Who does not know

Qui ne connaît, et qui ne les refuse,
Ce crâne vide et ce rire éternel!

Pères profonds, têtes inhabitées,
Qui sous le poids de tant de pelletées,
Etes la terre et confondez nos pas,
Le vrai rongeur, le ver irréfutable
N'est point pour vous qui dormez sous la table,
Il vit de vie, il ne me quitte pas!

Amour, peut-être, ou de moi-même haine?
Sa dent secrète est de moi si prochaine
Que tous les noms lui peuvent convenir!
Qu'importe! Il voit, il veut, il songe, il touche!
Ma chair lui plaît, et jusque sur ma couche,
A ce vivant je vis d'appartenir!

Zénon! Cruel Zénon! Zénon d'Elée!
M'as-tu percé de cette flèche ailée
Qui vibre, vole, et qui ne vole pas!
Le son m'enfante et la flèche me tue!
Ah! le soleil ... Quelle ombre de tortue
Pour l'âme, Achille immobile à grands pas!

Non, non! ... Debout! Dans l'ère successive!
Brisez, mon corps, cette forme pensive!
Buvez, mon sein, la naissance du vent!
Une fraîcheur, de la mer exhalée,
Me rend mon âme ... O puissance salée!
Courons à l'onde en rejaillir vivant!

and who does not refuse the empty skull and the eternal laugh! Deep fathers,
uninhabited heads who, under the weight of so many spadefuls of earth, are
the soil and confound our steps, the true gnawer, the irrefutable worm is
not for you who sleep beneath the slab, he lives on life, he does not
leave me! Love, perhaps, or hatred of myself? Its secret tooth is so close
to me that all names are suitable to him! What does it matter! It sees,
it wants, it dreams, it touches! It likes my flesh and even on my couch I
live because I belong to this living creature! Zeno! cruel Zeno! Zeno of
Elea! Have you pierced me with the winged arrow that vibrates, flies, and
does not fly! Sound engenders me and the arrow kills me! Ah, the sun
... What a tortoise's shadow for the soul, Achilles motionless with his
giant stride! No, no! ... Up! Into the coming era! Break, my body, this
pensive form! Drink, my breast, the birth of wind! A coolness, exhaled
from the sea, gives me back my soul. ... O salted power! Let us run to

Oui! Grande mer de délires douée,
Peau de panthère et chlamyde trouée
De mille et mille idoles du soleil,
Hydre absolue, ivre de ta chair bleue,
Qui te remords l'étincelante queue
Dans un tumulte au silence pareil,

Le vent se lève! ... il faut tenter de vivre!
L'air immense ouvre et referme mon livre,
La vague en poudre ose jaillir des rocs!
Envolez-vous, pages tout éblouies!
Rompez, vagues! Rompez d'eaux réjouies
Ce toit tranquille où picoraient des focs!

PALME

De sa grâce redoutable
Voilant à peine l'éclat,
Un ange met sur ma table
Le pain tendre, le lait plat;
Il me fait de la paupière
Le signe d'une prière
Qui parle à ma vision:
— Calme, calme, reste calme!
Connais le poids d'une palme
Portant sa profusion!

Pour autant qu'elle se plie
A l'abondance des biens,
Sa figure est accomplie,

the waves and leap out of them alive! Yes! Immense sea gifted with deliriums, skin of panther and Greek mantle pierced with thousands and thousands of idols of the sun, absolute hydra, drunk with your own blue flesh, forever biting your sparkling tail in a tumult comparable to silence. The wind is rising! . . . we must attempt to live! The vast air opens and closes my book, the powdered wave dares to splash forth from the rocks! Fly away, sun-dazzled pages! Break, waves! Break with joyous waters the quiet roof where sails were pecking!

Hardly veiling the brightness of his awesome grace, an angel places on my table tender bread, flat milk; a motion of his eyelid is the sign of a prayer which speaks to my vision: Calm, calm, remain calm! Know the weight of a palm bearing its profuseness! Inasmuch as it bends under the abundance of its riches, its form is completed, its heavy fruits are its

Ses fruits lourds sont ses liens.
Admire comme elle vibre,
Et comme une lente fibre
Qui divise le moment,
Départage sans mystère
L'attirance de la terre
Et le poids du firmament!

Ce bel arbitre mobile
Entre l'ombre et le soleil,
Simule d'une sybille
La sagesse et le sommeil,
Autour d'une même place
L'ample palme ne se lasse
Des appels ni des adieux ...
Qu'elle est noble, qu'elle est tendre!
Qu'elle est digne de s'attendre
A la seule main des dieux!

L'or léger qu'elle murmure
Sonne au simple doigt de l'air,
Et d'une soyeuse armure
Charge l'âme du désert.
Une voix impérissable
Qu'elle rend au vent de sable
Qui l'arrose de ses grains,
A soi-même sert d'oracle,
Et se flatte du miracle
Que se chantent les chagrins.

Cependant qu'elle s'ignore
Entre le sable et le ciel,

bonds. See how admirably it quivers and, like a slow fiber dividing the
moment, separates without mystery the attraction of the earth from
the weight of the firmament! Beautiful immobile arbitrator between the
shadow and the sun, it imitates the wisdom and sleep of a sibyl, around
the same spot the ample palm-frond never tires of greetings and of fare-
wells. . . . How noble it is, how tender! How worthy to expect the hand
of the gods alone! The light gold that it whispers sounds under the simple
finger of the air, and with a silken armor clads the soul of the desert. An
indestructible voice that it gives back to the wind of sand which waters it
with its grains, serves as its own oracle and attributes to itself the miracle
that sorrows sing to themselves. While the palm-frond remains ignorant
of itself between the sand and the sky, each day that shines anew makes

Chaque jour qui luit encore
Lui compose un peu de miel.
Sa douceur est mesurée
Par la divine durée
Qui ne compte pas les jours,
Mais bien qui les dissimule
Dans un suc où s'accumule
Tout l'arome des amours.

Parfois si l'on désespère,
Si l'adorable rigueur
Malgré tes larmes n'opère
Que sous ombre de langueur,
N'accuse pas d'être avare
Une Sage qui prépare
Tant d'or et d'autorité:
Par la sève solennelle
Une espérance éternelle
Monte à la maturité!

Ces jours qui te semblent vides
Et perdus pour l'univers
Ont des racines avides
Qui travaillent les déserts.
La substance chevelue
Par les ténèbres élue
Ne peut s'arrêter jamais
Jusqu'aux entrailles du monde,
De poursuivre l'eau profonde
Que demandent les sommets.

Patience, patience,
Patience dans l'azur!

a little honey for it. Its sweetness is measured by a divine duration which does not count the days but rather hides them in a juice in which all the aromas of love accumulate. Sometimes when one despairs, when the adorable rigor in spite of your tears operates only beneath the shadows of languor, do not accuse of being avaricious a Sage who prepares so much gold and authority: through the solemn sap an eternal hope rises to maturity! These days which seem empty to you and lost for the universe have avid roots which work in the deserts. The hairy substance chosen by the shadows can never, until it reaches the bowels of the earth, stop pursuing the deep water that the heights require. Patience, patience,

Chaque atome de silence
Est la chance d'un fruit mûr!
Viendra l'heureuse surprise:
Une colombe, la brise,
L'ébranlement le plus doux,
Une femme qui s'appuie,
Feront tomber cette pluie
Où l'on se jette à genoux!

Qu'un peuple à présent s'écroule,
Palme! ... irrésistiblement!
Dans la poudre qu'il se roule
Sur les fruits du firmament!
Tu n'as pas perdu ces heures
Si légère tu demeures
Après ces beaux abandons;
Pareille à celui qui pense
Et dont l'âme se dépense
A s'accroître de ses dons!

Paul Claudel

(1868–1955)

III. MAGNIFICAT

ARGUMENT: *Le poëte se souvient des bienfaits de Dieu et élève vers lui un cantique de reconnaissance. — Parce que vous m'avez délivré des Idoles. Solennité et magnificence des*

patience in the blue sky! Each atom of silence is the possibility of a ripe fruit! The happy surprise will come: a dove, the breeze, the mildest shake, a woman leaning will make the rain fall in which we throw ourselves on our knees! Now let a crowd fall down, palm tree! . . . irresistibly! Let it roll in the dust on the fruits of the firmament! You have not lost those hours if you remain light after these beautiful renunciations; like he who thinks and whose soul spends itself in developing through its gifts!

The poet remembers the blessings of God and raises his voice to Him in a hymn of thanksgiving.—Because you freed me from the Idols. Solem-

choses réelles qui sont un spectacle d'activité; tout sert. Le poëte demande sa place parmi les serviteurs. — Parce que vous m'avez délivré de la mort. Horreur et exécration d'une philosophie abrutissante et homicide. Embrassement du devoir poétique qui est de trouver Dieu en toutes choses et de les rendre assimilables à l'Amour. — Pause. Lassitude des choses créées. Soumission pure et simple à la volonté et à l'ordination divines. — Soyez béni, mon Dieu, qui m'avez délivré de moi-même et qui vous êtes vous-même placé entre mes bras sous la figure de ce petit enfant nouveau-né. Le poëte apportant Dieu, entre dans la Terre Promise.

Mon âme magnifie le Seigneur.

O les longues rues amères autrefois et le temps où j'étais seul et un!

La marche dans Paris, cette longue rue qui descend vers Notre-Dame!

Alors comme le jeune athlète qui se dirige vers l'Ovale au milieu du groupe empressé de ses amis et de ses entraîncurs,

Et celui-ci lui parle à l'oreille, et, le bras qu'il abandonne, un autre rattache la bande qui lui serre les tendons,

Je marchais parmi les pieds précipités de mes dieux!

Moins de murmures dans la forêt à la Saint-Jean d'été,

Il est un moins nombreux ramage en Damas quand au

---

nity and magnificence of real things that give the spectacle of their activity; everything is useful. The poet asks that he be placed among the servants.—Because you have freed me from death. Horror and execration of a deadening and homicidal philosophy. Embracing of the poetic duty which is to find God in all things and to render them so that they can be assimilated by Love.—Pause. Weariness caused by created things. Pure and simple submission to the divine will and the divine ordination.— Blessed be my God, who has freed me from myself, you who are yourself placed in my arms in the guise of this little newborn child. The poet bearing God enters the Promised Land.

My soul glorifies the Lord.

Oh, the long bitter streets of former days and the time when I was alone and one! The walk in Paris, that long street that descends toward Notre Dame! At that time, like the young athlete who goes toward the track amidst the enthusiastic group of his friends and trainers, and one man speaks in his ear, and, the arm that he abandons, another man fixes the strap that holds tight his tendons, at that time I walked amid the hasty steps of my gods! Fewer murmurs in the forest at the summer feast of Saint John, and there is less singing in Damas, when the story of the waters that tumultuously descend the hills is mingled with the sigh of the

récit des eaux qui descendent des monts en tumulte

S'unit le soupir du désert et l'agitation au soir des hauts platanes dans l'air ventilé,

Que de paroles dans ce jeune cœur comblé de désirs!

O mon Dieu, un jeune homme et le fils de la femme vous est plus agréable qu'un jeune taureau!

Et je fus devant vous comme un lutteur qui plie,

Non qu'il se croie faible, mais parce que l'autre est plus fort.

Vous m'avez appelé par mon nom

Comme quelqu'un qui le connaît, vous m'avez choisi entre tous ceux de mon âge.

O mon Dieu, vous savez combien le cœur des jeunes gens est plein d'affection et combien il ne tient pas à sa souillure et à sa vanité!

Et voici que vous êtes quelqu'un tout à coup!

Vous avez foudroyé Moïse de votre puissance, mais vous êtes à mon cœur ainsi qu'un être sans péché.

O que je suis bien le fils de la femme! car voici que la raison, et la leçon des maîtres, et l'absurdité, tout cela ne tient pas un rien

Contre la violence de mon cœur et contre les mains tendues de ce petit enfant!

O larmes! ô cœur trop faible! ô mine des larmes qui saute!

Venez, fidèles, et adorons cet enfant nouveau-né.

Ne me croyez pas votre ennemi! Je ne comprends point, et je ne vois point, et je ne sais point où vous êtes. Mais je

---

desert and the evening agitation of the tall plane trees in the ventilated air, than words in this young heart overflowing with desires! O my God, a young man and the son of woman is more pleasing to you than a young bull! And I stood before you like a fighter that yields, not because he thinks he is weak, but because the other is stronger. You called me by my name like someone who knows me, you chose me from among all those of my age. O my God, you know how full of affliction is the heart of youth and how youth does not want this heart to become stained or vain! And suddenly you are someone! You struck Moses with your power, but you are in my heart like a being without sin. Oh, I am really the son of woman! because now reason and the lessons of masters and absurdity, all these carry no weight against the violence of my heart and against the outstretched hands of this little child! O tears! O too feeble heart! O mine of tears that explodes!

Come ye faithful, and let us adore this newborn child. Do not think that I am your enemy. I do not understand, and I do not see and I do

tourne vers vous ce visage couvert de pleurs.

Qui n'aimerait celui qui nous aime? Mon esprit a exulté dans mon Sauveur. Venez, fidèles, et adorons ce petit qui nous est né.

—Et maintenant je ne suis plus un nouveau venu, mais un homme dans le milieu de sa vie, sachant,

Qui s'arrête et qui se tient debout en grande force et patience et qui regarde de tous côtés.

Et de cet esprit et bruit que vous avez mis en moi,

Voici que j'ai fait beaucoup de paroles et d'histoires inventées, et personnes ensemble dans mon cœur avec leurs voix différentes.

Et maintenant, suspendu le long débat,

Voici que je m'entends vers vous tout seul un autre qui commence

A chanter avec la voix plurielle comme le violon que l'archet prend sur la double corde.

Puisque je n'ai rien pour séjour ici que ce pan de sable et la vue jamais interrompue sur les sept sphères de cristal superposées,

Vous êtes ici avec moi, et je m'en vais faire à loisir pour vous seul un beau cantique, comme un pasteur sur le Carmel qui regarde un petit nuage.

En ce mois de décembre et dans cette canicule du froid, alors que toute étreinte est resserrée et raccourcie, et cette nuit même toute brillante,

not know where you are. But I turn toward you a face covered with tears. Who would not love he who loves us? My spirit has rejoiced in my Lord. Come ye faithful, and let us adore this child who is born unto us. —And now I am no longer a newcomer, but a man in the middle of his life, who knows, who stops and who stands erect with great strength and patience and who looks all around. And with this spirit and noise that you have placed in me, I have made many words and invented stories, and people together in my heart with their different voices. And now that the long debate is over, I hear myself turned toward you alone as another who begins to sing with a plural voice like the violin that the bow strikes on the double chord. Since I have nothing for my sojourn here except this bit of sand and the never interrupted view over the seven superposed spheres of crystal. You are here with me, and I am going to make at leisure for you alone a beautiful hymn, like a shepherd on Carmel who watches a little cloud.

In this month of December and in these dog days of the cold when every embrace is tightened and shortened, and in this very night, all shining, the spirit of joy does not enter less directly into my body than when the word was spoken to John in the desert under the pontificate of

L'esprit de joie ne m'entre pas moins droit au corps

Que lorsque parole fut adressée à Jean dans le désert sous le pontificat de Caïphe et d'Anne, Hérode

Etant tétrarque de Galilée, et Philippe son frère de l'Iturée et de la région Trachonitide, et Lysanias d'Abilène.

Mon Dieu, qui nous parlez avec les paroles mêmes que nous vous adressons,

Vous ne méprisez pas plus ma voix en ce jour que celle d'aucun de vos enfants ou de Marie même votre servante,

Quand dans l'excès de son cœur elle s'écria vers vous parce que vous avez considéré son humilité!

O mère de mon Dieu! ô femme entre toutes les femmes!

Vous êtes donc arrivée après ce long voyage jusqu'à moi! et voici que toutes les générations en moi jusqu'à moi vous ont nommée bienheureuse!

Ainsi dès que vous entrez Elisabeth prête l'oreille,

Et voici déjà le sixième mois de celle qui était appelée stérile.

O combien mon cœur est lourd de louanges et qu'il a de peine à s'élever vers Vous,

Comme le pesant encensoir d'or tout bourré d'encens et de braise,

Qui un instant volant au bout de sa chaîne déployée

Redescend, laissant à sa place

Un grand nuage dans le rayon de soleil d'épaisse fumée!

Que le bruit se fasse voix et que la voix en moi se fasse parole!

Parmi tout l'univers qui bégaie, laissez-moi préparer mon

Caiph and of Anne. Herod was then the tetrarch of Galilee, and Philip his brother was tetrarch of Ituria of the Trachonitide region, and Lysanias was tetrarch of Abilene. My God, you who speak to us with the very words that we address to you, you do not any more scorn my voice on this day than the voice of any of your children or of Mary herself your servant, when in the excess of her heart she cried out to you because you took her humility into consideration! O mother of my God! O woman among all women! You have finally reached me after this long voyage! and all the generations in me and I myself have called you blessed! Thus as soon as you enter Elizabeth listens, and now she, who was called sterile, is already in her sixth month. Oh how heavy with praise is my heart and how difficult it is for my heart to ascend toward You, like the weighty gold censer stuffed with incense and embers, which flying for a second at the end of its stretched out chain comes down, leaving in its place a large cloud of thick smoke in the sun's ray! May the noise become voice and may the voice in me become word! From among the

cœur comme quelqu'un qui sait ce qu'il a à dire,

Parce que cette profonde exultation de la Créature n'est pas vaine, ni ce secret que gardent les Myriades célestes en une exacte vigile;

Que ma parole soit équivalente à leur silence!

Ni cette bonté des choses, ni ce frisson des roseaux creux, quand sur ce vieux tumulus entre la Caspienne et l'Aral,

Le Roi Mage fut témoin d'une grande préparation dans les astres.

Mais que je trouve seulement la parole juste, que j'exhale seulement

Cette parole de mon cœur, l'ayant trouvée, et que je meure ensuite, l'ayant dite, et que je penche ensuite

La tête sur ma poitrine, l'ayant dite, comme le vieux prêtre qui meurt en consacrant!

Soyez béni, mon Dieu, qui m'avez délivré des idoles,

Et qui faites que je n'adore que Vous seul, et non point Isis et Osiris,

Ou la Justice, ou le Progrès, ou la Vérité, ou la Divinité, ou l'Humanité, ou les Lois de la Nature, ou l'Art, ou la Beauté,

Et qui n'avez pas permis d'exister à toutes ces choses qui ne sont pas, ou le Vide laissé par votre absence.

Comme le sauvage qui se bâtit une pirogue et qui de cette planche en trop fabrique Apollon,

Ainsi tous ces parleurs de paroles du surplus de leurs

whole stammering universe, let me prepare my heart like someone who knows what he has to say, because this deep rejoicing of the Creature is not vain, nor the secret that the celestial Myriads keep in their exact vigil; may my word be the equivalent of their silence! Neither the goodness of things, nor the quivering of hollow reeds when, over that old heap of land between the Caspian and the Aral, the king of Orient witnessed a great preparation in the stars. But may I find only the right word, may I exhale only that word from my heart, having found it, and may I then die, having said it, and may I then let my head fall on my breast, having said it, like the old priest who dies while consecrating!

Blessed be thou my God, who hast delivered me from idols, You who have caused me to adore only Yourself, and not Isis and Osiris, or Justice, or Progress, or Truth, or Divinity, or Humanity, or the laws of Nature, or Art, or Beauty. And who have not allowed existence to all those things that are not or to the Emptiness created by your absence. Like the savage who builds a canoe and with the plank of wood left over makes Apollo, thus all these speakers of words from the surplus of their

adjectifs se sont fait des monstres sans substance,

Plus creux que Moloch, mangeurs de petits enfants, plus cruels et plus hideux que Moloch.

Ils ont un son et point de voix, un nom et il n'y a point de personne,

Et l'esprit immonde est là, qui remplit les lieux déserts et toutes les choses vacantes.

Seigneur, vous m'avez délivré des livres et des Idées, des Idoles et de leurs prêtres,

Et vous n'avez point permis qu'Israël serve sous le joug des Efféminés.

Je sais que vous n'êtes point le dieu des morts, mais des vivants.

Je n'honorerai point les fantômes et les poupées, ni Diane, ni le Devoir, ni la Liberté et le bœuf Apis.

Et vos « génies », et vos « héros », vos grands hommes et vos surhommes, la même horreur de tous ces défigurés.

Car je ne suis pas libre entre les morts,

Et j'existe parmi les choses qui sont et je les contrains à m'avoir indispensable.

Et je désire de n'être supérieur à rien, mais un homme *juste*,

Juste comme vous êtes parfait, juste et vivant parmi les autres esprits réels.

Que m'importent vos fables! Laissez-moi seulement aller à la fenêtre et ouvrir la nuit et éclater à mes yeux en un chiffre simultané

adjectives have made monsters without substance, more hollow than Moloch, eaters of small children, more cruel and more hideous than Moloch. They have a sound and no voice, a name and no one is there, and the foul spirit is there who fills barren places and all empty things. Lord, you have delivered me from books and Ideas, from Idols and their priests, and you did not allow Israel to serve under the yoke of the Effeminate. I know that you are not the god of the dead, but of the living. I shall not honor the phantoms and the dolls, neither Diana nor Duty, nor Liberty, nor the ox Apis. And your "geniuses" and your "heroes," your great men and your supermen, the same horror of all these scarred faces. For I am not free among the dead, and I exist among the things that are and force them to consider me indispensable. And I desire to be superior to nothing, but a *just* man, just as you are perfect, just and living among the other real spirits. What do I care about your fables! Simply let me go to the window and open up night and burst in my eyes in a simultaneous number the innumerable being like so many zeros after the 1, the coefficient of my necessity! It is true! You have given us the Great Night after the day and the reality of the nocturnal

L'innombrable comme autant de zéros après le 1 coefficient de ma nécessité!

Il est vrai! Vous nous avez donné la Grande Nuit après
le jour et la réalité du ciel nocturne.

Comme je suis là, il est là avec les milliards de sa présence,

Et il nous donne signature sur le papier photographique
avec les 6.000 Pléïades,

Comme le criminel avec le dessin de son pouce enduit
d'encre sur le procès-verbal.

Et l'observateur cherche et trouve les pivots et les rubis,
Hercule ou Alcyone, et les constellations

Pareilles à l'agrafe sur l'épaule d'un pontife et à de grands
ornements chargés de pierres de diverses couleurs.

Et çà et là aux confins du monde où le travail de la
création s'achève, les nébuleuses,

Comme, quand la mer violemment battue et remuée

Revient au calme, voici encore de tous côtés l'écume et
de grandes plaques de sel trouble qui montent.

Ainsi le chrétien dans le ciel de la foi sent palpiter la
Toussaint de tous ses frères vivants.

Seigneur, ce n'est point le plomb ou la pierre ou le bois
pourrissant que vous avez enrôlé à votre service,

Et nul homme ne se consolidera dans la figure de celui
qui a dit: *Non serviam!*

Ce n'est point mort qui vainc la vie, mais vie qui détruit
la mort et elle ne peut tenir contre elle!

Vous avez jeté bas les idoles,

sky. As I am there, it is there with the billions of its presence, and it
gives us its signature on photographic paper with the 6,000 Pleiades, as
the criminal upon the act of accusation does with his fingerprint smeared
with ink. And the observer seeks and finds the pivots and the rubies,
Hercules or Alcyone, and the constellations like the hook on the shoulder
of a pontiff and like great ornaments heavy with stones of various colors.
And here and there on the confines of the world where the work of
creation is being completed, the nebulae, as when the sea violently beaten
and churned becomes calm again, one sees still from all sides foam and
large patches of cloudy salt that rise. Thus the Christian in the sky of
faith feels the palpitation of the All Saints' Day of all his living brothers.
Lord, it is not lead or stone or rotting wood that you enlisted in your
service, and no man will entrench himself in the image of him who said:
Non serviam! It is not death that conquers life, but life that destroys
death and death cannot hold against life! You have thrown down the
idols, You have unthroned all the powerful from their seats, and you

Vous avez déposé tous ces puissants de leur siège, et vous avez voulu pour serviteurs la flamme elle-même du feu!

Comme dans un port quand la débâcle arrive on voit la noire foule des travailleurs couvrir les quais et s'agiter le long des bateaux,

Ainsi les étoiles fourmillantes à mes yeux et l'immense ciel actif!

Je suis pris et ne peux m'échapper, comme un chiffre prisonnier de la somme.

Il est temps! A la tâche qui m'est départie l'éternité seule peut suffire.

Et je sais que je suis responsable, et je crois en mon maître ainsi qu'il croit en moi.

J'ai foi en votre parole et je n'ai pas besoin de papier.

C'est pourquoi rompons les liens des rêves, et foulons aux pieds les idoles, et embrassons la croix avec la croix.

Car l'image de la mort produit la mort, et l'imitation de la vie

La vie, et la vision de Dieu engendre la vie éternelle.

Soyez béni, mon Dieu, qui m'avez délivré de la mort!

Ainsi, la face dévoilée, à grands cris,

Chanta Marie, sœur de Moïse,

Sur l'autre bord de la mer qui avait englouti Pharaon,

Parce que voici la mer derrière nous!

Parce que vous avez recueilli Israël votre enfant, vous étant recordé votre miséricorde,

Et que vous avez fait monter vers vous en lui tendant la

wanted as servants the very flames of the fire! As in a port when the ice begins to break up one sees the black crowd of workers cover the quays and stir all around the boats, so seem the swarming stars and the vast active sky in my eyes! I am held and cannot escape, like a number that is prisoner of the sum total. It is time! For the task bestowed on me only eternity can suffice. And I know that I am responsible, and I believe in my master as he believes in me. I have faith in your word and I need no paper. That is why let us break the ties of dreams, and let us trample the idols, and let us embrace the cross with the cross. For the image of death produces death, and the imitation of life life, and the vision of God engenders life eternal.

Blessed be thou my God, who hast freed me from death! Thus, her face unveiled, with great cries, sang Mary the sister of Moses, on the other shore of the sea that had engulfed Pharaoh, because now the sea is behind us! because you have succored Israel your child, after having remembered your own mercy, and because you led to you by holding out your hand to him this man humiliated like he who comes out of a pit.

main cet humilié comme un homme qui sort de la fosse.

Derrière nous la mer confuse aux flots entrechoqués,

Mais votre peuple à pied sec la traverse par le chemin le plus court derrière Moïse et Aaron.

La mer derrière nous et devant nous le désert de Dieu et les montagnes horribles dans les éclairs,

Et la montagne dans l'éclair qui la montre et qui l'absorbe tour à tour a l'air de sauter comme un bélier,

Comme un poulain qui se débat sous le poids d'un homme trop lourd!

Derrière nous la mer qui a englouti le Persécuteur, et le cheval avec l'homme armé comme un lingot de plomb est descendu dans la profondeur!

Telle l'ancienne Marie, et telle dans le petit jardin d'Hébron

Frémit l'autre Marie en elle-même quand elle vit les yeux de sa cousine qui lui tendait les mains

Et que l'attente d'Israël comprit qu'elle était celle-là!

Et moi comme vous avez retiré Joseph de la citerne et Jérémie de la basse-fosse,

C'est ainsi que vous m'avez sauvé de la mort et que je m'écrie à mon tour,

Parce qu'il m'a été fait des choses grandes et que le Saint est son nom!

Vous avez mis dans mon cœur l'horreur de la mort, mon âme n'a point tolérance de la mort!

Savants, épicuriens, maîtres du noviciat de l'Enfer, praticiens de l'Introduction au Néant,

Behind us the confused sea with the shock of its waves, but your people cross it with dry feet by the shortest route behind Moses and Aaron. The sea behind us and in front of us the desert of God and the mountains that appear horrible when the lightning flashes, and the mountain in the lightning flash that in turn reveals it and absorbs it, seems to jump like a ram, like a colt that bucks under the weight of a man who is too heavy! Behind us the sea that engulfed the Persecutor, and the horse with the armed man went down like an ingot of lead into the depths! Thus the Mary of old and thus in the little garden of Hebron quivered the other Mary inside herself when she saw the eyes of her cousin who held out her hands and when Israel's hope understood that she was the one! And as for me, as you brought Joseph out of the cistern and Jeremiah out of the pit, thus you saved me from death and I exclaim in turn, because great things were done unto me and because his name is the Holy One! You have put in my heart the horror of death, my soul does not tolerate death! Scientists, epicureans, masters of Hell's noviciate, practicians of

Brahmes, bonzes, philosophes, tes conseils, Egypte! vos conseils,

Vos méthodes et vos démonstrations et votre discipline,

Rien ne me réconcilie, je suis vivant dans votre nuit abominable, je lève mes mains dans le désespoir, je lève les mains dans la transe et le transport de l'espérance sauvage et sourde!

Qui ne croit plus en Dieu, il ne croit plus en l'Etre, et qui hait l'Etre, il hait sa propre existence.

Seigneur, je vous ai trouvé.

Qui vous trouve, il n'a plus tolérance de la mort,

Et il interroge toute chose avec vous et cette intolérance de la flamme que vous avez mise en lui!

Seigneur, vous ne m'avez pas mis à part comme une fleur de serre,

Comme le moine noir sous la coule et le capuchon qui fleurit chaque matin tout en or pour la messe au soleil levant.

Mais vous m'avez planté au plus épais de la terre

Comme le sec et tenace chiendent invincible qui traverse l'antique terreau et les couches de sable superposées.

Seigneur, vous avez mis en moi un germe non point de mort, mais de lumière;

Ayez patience avec moi parce que je ne suis pas un de vos saints

Qui broient par la pénitence l'écorce amère et dure,

Mangés d'œuvres de toutes parts comme un oignon par ses racines;

the Introduction to Nothingness, Brahmans, high priests, philosophers, your advice, Egypt! your advice, your methods and your demonstrations and your discipline—Nothing reconciles me; I am alive in your abominable night; I raise my hands in despair; I raise my hands in the trance and the rapture of wild and deaf hope! He who no longer believes in God no longer believes in Being, and he who hates Being, hates his own existence. Lord, I have found you. He who finds you no longer tolerates death, and he questions all things with you and that intolerance of the flame that you put in him! Lord, you did not set me apart like a hothouse flower, like the black monk under the cowl and the hood who flowers in gold every morning for the mass at the rising sun. But you have planted me in the thickest part of the earth like the dry and tenacious invincible couch-grass which comes up through the old loam and the tiered layers of sand. Lord, you have planted in me a germ not of death, but of light; be patient with me because I am not one of your saints who grind in penitence the bitter and hard bark, gnawed all through

— Si faible qu'on le croit éteint! Mais le voici de nouveau opérant, et il ne cesse de faire son œuvre et chimie en grande patience et temps.

Car ce n'est pas de ce corps seul qu'il me faut venir à bout, mais de ce monde brut tout entier, fournir

De quoi comprendre et le dissoudre et l'assimiler

En vous et ne plus voir rien

Réfractaire à votre lumière en moi!

Car il y en a par les yeux et par les oreilles qui voient et qui entendent,

Mais pour moi c'est par l'esprit seul que je regarde et que j'écoute.

Je verrai avec cette lumière ténébreuse!

Mais que m'importe toute chose vue au regard de l'œil qui me la fait visible,

Et la vie que je reçois, si je ne la donne, et tout cela à quoi je suis étranger,

Et toute chose qui est autre chose que vous-même,

Et cette mort auprès de votre Vie, que nous appelons ma vie!

Je suis las de la vanité! Vous voyez que je suis soumis à la vanité, ne le voulant pas!

D'où vient que je considère vos œuvres sans plaisir!

Ne me parlez plus de la rose! aucun fruit n'a plus de goût pour moi.

Qu'est cette mort que vous m'avez ôtée à côté de la vérité de votre présence

by good works like an onion by its roots;—So feeble that they think he is extinguished! But he is at work again, and he does not cease to carry on his work and chemistry with great patience and time. For it is not only this body that I have to tame, but from this entire raw world, I must furnish what will make it understandable and dissolve and absorb it in you, and I must see nothing more that is refractory to your light in me! For there are those who see and hear through the eyes and the ear, but for me it is through the spirit alone that I look and listen. I shall see by that dark light! But what matters to me everything seen in relation to the eye that makes everything visible, and the life that I receive, if I do not give it, and all that to which I am a stranger, and anything that is other than yourself, and compared to your Life, this death that we call my life! I am tired of vanity! You see that I am a slave to vanity, in spite of my will! Why do I consider your works without pleasure? Speak to me no more of the rose! No fruit has any taste for me. What is that death that you have taken away from me compared to the truth of your presence, compared to the undestructible nothingness which I am and with which I must bear you? Oh, the length of time! I am at the end of

Et de ce néant indestructible qui est moi

Avec quoi il me faut vous supporter?

O longueur du temps! Je n'en puis plus et je suis comme quelqu'un qui appuie la main contre le mur.

Le jour suit le jour, mais voici le jour où le soleil s'arrête.

Voici la rigueur de l'hiver, adieu, ô bel été, la transe et le saisissement de l'immobilité.

Je préfère l'absolu. Ne me rendez pas à moi-même.

Voici le froid inexorable, voici Dieu seul!

En vous je suis antérieur à la mort! — Et déjà voici l'année qui recommence.

Jadis j'étais avec mon âme comme avec une grande forêt.

Que l'on ne cesse point d'entendre dès que l'on cesse de parler, un peuple de plus de voix murmurantes que n'en ont l'Histoire et le Roman,

(Et tantôt c'est le matin, ou c'est Dimanche et l'on entend une cloche chez les hommes.)

Mais maintenant les vents alternatifs se sont tus et les feuilles elles-mêmes autour de moi descendent en masses épaisses.

Et j'essaye de parler à mon âme: *O mon âme, tous ces pays que nous avons vus,*

Et tous ces gens, et les mers combien de fois traversées!

Et elle est comme quelqu'un qui sait et qui préfère ne pas répondre.

Et de tous ces ennemis du Christ autour de nous: *Prends tes armes, ô guerrière!*

my tether and I am like someone who rests his hand against the wall. Day follows day, but comes the day when the sun stops. Comes the rigor of winter, farewell, O beautiful summer, the trance and seizure of immobility. I prefer the absolute. Do not give me back to myself. Here is the inexorable coldness, here is God alone! In you I am anterior to death!—And already the year begins again.

In the past I was with my soul as with a great forest, that one never stops hearing when one ceases to speak, a whole nation with more murmuring voices than have History and the Novel (and sometimes it is the morning, or it is Sunday and one hears a bell among men). But now the alternating winds are silent and the leaves themselves are coming down around me in thick masses. And I try to speak to my soul: *O my soul, all these countries we have seen, and all these people and the seas crossed how many times!* And my soul is like someone who knows and who prefers not to answer. And I speak of all the enemies of Christ around us: *Take up your arms, O warrior!* But for me as for a child who

Mais moi comme un enfant qui agace le petit scorpion hideux avec une paille, cela ne va pas jusqu'à son attention.

« *Paix! réjouis-toi!*

Et dis: autrement que par des paroles mon âme magnifie le Seigneur!

Elle demande à cesser d'être une limite, elle refuse d'être à sa sainte volonté aucun obstacle.

Il le faut, ce n'est plus l'été! et il n'y a plus de verdure, ni aucune chose qui passe, mais Dieu seul.

Et regarde, et vois la campagne dépouillée; et la terre de toutes parts dénuée, comme un vieillard qui n'a point fait le mal!

La voici solennellement à la ressemblance de la mort qui va recevoir pour le labeur d'une autre année ordination,

Comme le prêtre couché sur la face entre ses deux assistants, comme un diacre qui va recevoir l'ordre suprême,

Et la neige sur elle descend comme une absolution. »

Et je sais, et je me souviens,

Et je revois cette forêt, le lendemain de Noël, avant que le soleil ne fût haut,

Tout était blanc, comme un prêtre, vêtu de blanc dont on ne voit que les mains qui ont la couleur de l'aurore,

(Tout le bois comme pris dans l'épaisseur et la matière d'un verre obscur),

Blanc depuis le tronc jusqu'aux plus fines ramilles et la couleur même

Du rose des feuilles mortes et le vert amande des pins,

pokes at a hideous little scorpion with a straw, what I do does not reach the soul's attention. *"Peace! rejoice! And say: in other ways than through words my soul glorifies the Lord! My soul wants to cease being a limit, it refuses to be an obstacle to his holy will. It must be thus, it is no longer summer! and there is no more greenness, nor anything that passes, only God. And look, and see the naked landscape; and the earth barren on all sides, like an old man who has done no evil! The earth now solemnly resembling death is going to be ordained for the labor of another year, like the priest prostrate between his two assistants, like a deacon who is going to receive the supreme order, and the snow descends over the earth like an absolution."* And I know and I remember, and I see again the forest, the day after Christmas, before the sun was high, everything was white, like a priest dressed in white and one sees only the hands which have the color of dawn (all the woods as if caught in the thickness and the substance of dark glass), white from the trunk to the finest twigs and the very color of the rosiness of dead leaves and the almond green of pines (the air during the long hours of peace and night decanting something like a quiet wine), and the long spiderweb heavy

(L'air pendant les longues heures de paix et nuit décantant comme un vin tranquille),

Et le long fil d'araignée chargé de duvet rend témoignage à la récollection de l'orante.

« Qui participe aux volontés de Dieu, il faut qu'il participe à son silence.

Sois avec moi tout entier. Taisons-nous ensemble à tous les yeux!

Qui donne la vie, il faut qu'il accepte la mort. »

Soyez béni, mon Dieu, qui m'avez délivré de moi-même,

Et qui faites que je ne place pas mon bien en moi-même et l'étroit cachot où Thérèse vit les damnés emmaçonnés,

Mais dans votre volonté seule,

Et non pas dans aucun bien, mais dans votre volonté seule.

Heureux non pas qui est libre, mais celui que vous déterminez comme une flèche dans le carquois!

Mon Dieu, qui au principe de tout et de vous-même avez mis la paternité,

Soyez béni parce que vous m'avez donné cet enfant,

Et posé avec moi de quoi vous rendre cette vie que vous m'avez donnée,

Et voici que je suis son père avec Vous.

Ce n'est pas moi qui engendre, ce n'est pas moi qui suis engendré.

Soyez béni parce que vous ne m'avez pas abandonné à moi-même,

Mais parce que vous m'avez accepté comme une chose qui sert et qui est bonne pour la fin que vous vous proposez.

with down bears witness to the memory of he who prays. *"He who participates in the wishes of God, must participate in his silence. Be completely with me: Let us be silent together before all! He who gives life, must accept death."*
Blessed be thou, my God, who hast freed me from myself, and because of whom I do not place my good in myself and in the narrow cell where Theresa saw the damned walled up, but in your will alone, and not in any good but in your will alone. Happy is not he who is free, but he whom you determine like an arrow in the quiver! My God, who at the beginning of everything and of yourself placed paternity, blessed be thou because you have given me this child, and deposited with me the wherewithal to give back to you the life which you gave to me, and now I am her father with You. It is not I who engender, it is not I who am engendered. Blessed be thou because you have not abandoned me to myself, but have accepted me as a thing that is useful and good for the end that

Voici que vous n'avez plus peur de moi comme de ces orgueilleux et de ces riches que vous avez renvoyés vides.

Vous avez mis en moi votre puissance qui est celle de votre humilité par qui vous vous anéantissez devant vos œuvres,

En ce jour de ses générations où l'homme se souvient qu'il est terre, et voici que je suis devenu avec vous un principe et un commencement.

Comme vous avez eu besoin de Marie et Marie de la ligne de tous ses ancêtres,

Avant que son âme ne vous magnifiât et que vous ne reçussiez d'elle grandeur aux yeux des hommes,

C'est ainsi que vous avez eu besoin de moi à mon tour, c'est ainsi que vous avez voulu, ô mon maître,

Recevoir de moi la vie comme entre les doigts du prêtre qui consacre, et vous placer vous-même en cette image réelle entre mes bras!

Soyez béni parce que je ne demeure point unique,

Et que de moi il est sorti existence, et suscitation de mon immortel enfant, et que de moi à mon tour en cette image réelle pour jamais, d'une âme jointe avec un corps,

Vous avez reçu figure et dimension.

Voici que je ne tiens pas une pierre entre mes bras, mais ce petit homme criant qui agite les bras et les jambes.

Me voici rejoint à l'ignorance et aux générations de la nature et ordonné pour une fin qui m'est étrangère.

C'est donc vous, nouvelle-venue, et je puis vous regarder à la fin.

you propose. Now you are no longer afraid of me as you are of the proud and the rich whom you sent away empty. You have placed in me your power which is the power of your humility through which you annihilate yourself before your works, in this day in which man has given birth and remembers that he is earth and now I have become with you a cause and a beginning. As you had need of Mary and Mary had need of the entire line of all her ancestors, before her soul glorified you and before you received from her, grandeur in the eyes of men, in the same way you needed me in my turn, and it is thus that you wanted, O my master, to receive life from me as from between the fingers of the consecrating priest, and to place yourself in this real image in my arms! Blessed be thou because I do not remain alone, and because from me existence has emerged, and creation of my immortal child, and because from me in my turn in this eternally real image of a soul joined to a body, you received form and dimension. Now I do not hold a stone in my arms, but this little human being who waves its arms and legs. Now

C'est vous, mon âme, et je puis voir à la fin votre visage,

Comme un miroir qui vient d'être retiré à Dieu, nu de toute autre image encore.

De moi-même il naît quelque chose d'étranger,

De ce corps il naît une âme, et de cet homme extérieur et visible

Je ne sais quoi de secret et de féminin avec une étrange ressemblance.

O ma fille! ô petite enfant pareille à mon âme essentielle et à qui pareil redevenir il faut

Lorsque désir sera purgé par le désir!

Soyez béni, mon Dieu, parce qu'à ma place il naît un enfant sans orgueil,

(Ainsi dans le livre au lieu du poëte puant et dur

L'âme virginale sans défense et sans corps entièrement donnante et accueillie),

Il naît de moi quelque chose de nouveau avec une étrange ressemblance!

A moi et à la touffe profonde de tous mes ancêtres avant moi il commence un être nouveau.

Nous étions exigés selon l'ordre de nos générations

Pour qu'à cette espéciale volonté de Dieu soient préparés le sang et la chair.

Qui es-tu, nouvelle-venue, étrangère? et que vas-tu faire de ces choses qui sont à nous?

Une certaine couleur de nos yeux, une certaine position de notre cœur.

I have returned to ignorance and to the generating forces of nature and I am ordained for a goal which is unknown to me. It is you, newborn, and I can look at you at last. It is you, my soul, and I can see your face at last, like a mirror that has just been withdrawn from God, still bare of any other image. From me something unknown is born, from this body a soul is born, and from this outer visible man something secret and feminine with a strange resemblance. O my daughter! O little child who is like my essential soul and like whom I must again become when desire is purged by desire! Blessed be thou, my God, because in my place is born a child without pride (as in the book instead of the poet disgusting and hard the virginal soul without defense and without body completely giving and welcomed) from me something new is born with a strange resemblance! With me and to the deep tuft of all my ancestors before me a new being begins. It was required that we come according to the order of our generations so that the blood and the flesh be prepared for this special will of God. Who are you, newcomer, stranger? and what will you do with these things that are ours? A certain color of your eyes, a certain position of our heart. O child born on a foreign soil! O little

O enfant né sur un sol étranger! ô petit cœur de rose! ô petit paquet plus frais qu'un gros bouquet de lilas blancs!

Il attend pour toi deux vieillards dans la vieille maison natale toute fendue, raccommodée avec des bouts de fer et des crochets.

Il attend pour ton baptême les trois cloches dans le même clocher qui ont sonné pour ton père, pareilles à des anges et à des petites filles de quatorze ans.

A dix heures lorsque le jardin embaume et que tous les oiseaux chantent en français!

Il attend pour toi cette grosse planète au-dessus du clocher qui est dans le ciel étoilé comme un *Pater* parmi les petits *Ave*,

Lorsque le jour s'éteint et que l'on commence à compter au-dessus de l'église deux faibles étoiles pareilles aux vierges Patience et Evodie!

Maintenant entre moi et les hommes il y a ceci de changé que je suis père de l'un d'entre eux.

Celui-là ne hait point la vie qui l'a donnée et il ne dira pas qu'il ne comprend point.

Comme nul homme n'est de lui-même il n'est pas pour lui-même.

La chair crée la chair, et l'homme l'enfant qui n'est pas pour lui, et l'esprit

La parole adressée à d'autres esprits.

Comme la nourrice encombrée de son lait débordant, ainsi le poëte de cette parole en lui à d'autres adressée.

O dieux sans prunelle des anciens où ne se reflète point

---

heart of rose! O little package fresher than a large bouquet of white lilacs! Two old people wait for you in the old dilapidated birthplace repaired with bits of iron and hooks. The three bells in the same steeple that rang for your father like angels and little fourteen-year-old girls, wait for your christening. At ten o'clock when the garden exhales its perfumes and when all the birds sing in French! That fat planet above the steeple which is in the starry sky like a *Pater* amid the little *Aves,* waits for you, when the day dies and when we begin to count above the church two feeble stars like the virgins Patience and Evodia! Now between me and men something has changed, for I am the father of one of them. He who has given life does not hate life and he will not say that he does not understand. As no man is from himself, so no man is for himself. Flesh creates flesh, and man creates the child who is not for him, and the spirit creates the word spoken to other spirits. As the wet nurse is encumbered with her overflowing milk, thus the poet is encumbered with the word in him addressed to others. O gods without irises of the

la petite poupée! Apollon Loxias aux genoux vainement embrassés!

O Tête d'Or au croisement des routes, voici que tu as autre chose au suppliant à épancher que ton sang vain et le serment sur la pierre celtique!

Le sang s'unit au sang, l'esprit épouse l'esprit,

Et l'idée sauvage la pensée écrite, et la passion païenne la volonté raisonnable et ordonnée.

Qui croit en Dieu, il en est l'accrédité. Qui a le Fils, il a le Père avec lui. Etreins le texte vivant et ton Dieu invincible dans ce document qui respire!

Prends ce fruit qui t'appartient et ce mot à toi seul adressé.

Heureux qui porte la vie des autres en lui et non point leur mort, comme un fruit qui mûrit dans le temps et lieu, et votre pensée en lui créatrice!

Il est comme un père qui partage sa substance entre ses enfants,

Et comme un arbre saccagé dont on n'épargne aucun fruit, et par qui magnificence est à Dieu qui remplit les ayants-faim de biens!

Soyez béni, mon Dieu, qui m'avez introduit dans cette terre de mon après-midi,

Comme vous avez fait passer les Rois Mages à travers l'embûche des tyrans et comme vous avez introduit Israël dans le désert,

ancients where the little doll is not reflected! Loxian Apollo with knees embraced in vain! O Head of Gold at the cross roads, now you have something to spill for the suppliant other than your useless blood and the vow made on celtic stone! Blood joins blood, the spirit marries the spirit, and the wild idea marries the written thought and the pagan passion marries the reasonable and ordered will. He who believes in God, God vouches for him. He who has the Son, has the Father with him. Embrace the living text and your invincible God in this breathing document! Take this fruit which belongs to you and this word addressed to you alone. Happy is he who carries in him the life of others and not their death, like a fruit that ripens in its time and place, and your thought in him is creative! He is like a father who shares his substance among his children, and like a plundered tree of which no fruit is spared and through whom glory is given unto God who fills the hungry with goods.

Blessed be thou, my God, who hast allowed me to enter into this land of my afternoon, as you allowed the Wise Men to pass through the snares of tyrants and as you allowed Israel to enter into the desert, and as, after

Et comme après la longue et sévère montée un homme ayant trouvé le col redescend par l'autre versant.

Moïse mourut sur le sommet de la montagne, mais Josué entra dans la terre promise avec tout son peuple.

Après la longue montée, après les longues étapes dans la neige et dans la nuée,

Il est comme un homme qui commence à descendre, tenant de la main droite son cheval par le bridon.

Et ses femmes sont avec lui en arrière sur les chevaux et les ânes, et les enfants dans les bâts et le matériel de la guerre et du campement, et les Tables de la Loi sont par derrière,

Et il entend derrière lui dans le brouillard le bruit de tout un peuple qui marche.

Et voici qu'il voit le soleil levant à la hauteur de son genou comme une tache rose dans le coton,

Et que la vapeur s'amincit et que tout à coup

Toute la Terre Promise lui apparaît dans une lumière éclatante comme une pucelle neuve,

Toute verte et ruisselante d'eaux comme une femme qui sort du bain!

Et l'on voit çà et là du fond du gouffre dans l'air humide paresseusement s'élever de grandes vapeurs blanches,

Comme des îles qui larguent leurs amarres, comme des géants chargés d'outres!

Pour lui il n'y a ni surprise ni curiosité sur sa face, et il ne regarde même point Chanaan mais le premier pas à faire pour descendre.

a long and difficult climb, a man having found the pass goes down the other slope. Moses died on the top of the mountain, but Joshua entered into the Promised Land with all his people. After the long climb, after the long stages in the snow and in the clouds, he is like a man who begins to start down holding with his right hand his horse by the bridle. And his women are with him in back on their horses and their donkeys, and the children in the packs and the equipment needed for war and for camping, and the Tables of the Law are in back, and he hears behind him in the fog the sound of an entire people on the march. And now he sees the rising sun at the level of his knee like a rosy spot in cotton, and now the vapor thins out and now suddenly the entire Promised Land comes into his view in a brilliant light like a new young girl, green and dripping with waters like a woman coming out of her bath! And here and there one sees long white vapors lazily rise from the depths of the gulf in the humid air, like islands which cast off their mooring ropes, like giants laden with leather water bags! As for him, there is neither surprise nor

Car son affaire n'est point d'entrer dans Chanaan, mais d'exécuter votre volonté.

C'est pourquoi suivi de tout son peuple en marche il émerge dans le soleil levant!

Il n'a pas eu besoin de vous voir sur le Sinaï, il n'y a point de doute et d'hésitation dans son cœur,

Et les choses qui ne sont point dans votre commandement sont pour lui comme la nullité.

Il n'y a point de beauté pour lui dans les idoles, il n'y a point d'intérêt dans Satan, il n'y a point d'existence dans ce qui n'est pas.

Avec la même humilité dont il arrêta le soleil,

Avec la même modestie dont il mesura qui lui était livrée

(Neuf et demie au delà et deux tribus et demie en deçà du Jourdain),

Cette terre de votre promesse sensible,

Laissez-moi envahir votre séjour intelligible à cette heure postméridienne!

Car qu'est aucune prise et jouissance et propriété et aménagement

Auprès de l'intelligence du poëte qui fait de plusieurs choses ensemble une seule avec lui,

Puisque comprendre, c'est refaire

La chose même que l'on a prise avec soi.

Restez avec moi, Seigneur, parce que le soir approche et ne m'abandonnez pas!

Ne me perdez point avec les Voltaire, et les Renan, et

---

curiosity on his face, and he does not even look at Canaan but at the first step he must take to start down. For his task is not to enter Canaan but to execute your will. That is why, followed by all his people on the march, he comes out into the rising sun! He did not have to see you on Sinai, there is no doubt and no hesitation in his heart and the things which are not in your commandment are as nothing for him. There is no beauty for him in idols, no interest in Satan, there is no existence in that which is not. With the same humility with which he stopped the sun, with the same modesty with which he measured what was given unto him (nine and one-half tribes above and two and one-half tribes below the Jordan), the land of your promise made evident to the senses, let me invade your intelligible realm in this post-meridian hour! For what is any seizure and enjoyment and property and refurbishing compared to the intelligence of the poet who makes from many things together one thing with himself, since to understand is to redo the very thing that one has taken. Abide with me, Lord, for it is toward evening and do not abandon me! Do not destroy me with the Voltaires and the Renans and the Michelets, and the

les Michelet, et les Hugo, et tous les autres infâmes!

Leur âme est avec les chiens morts, leurs livres sont joints au fumier.

Ils sont morts, et leur nom même après leur mort est un poison et une pourriture.

Parce que vous avez dispersé les orgueilleux et ils ne peuvent être ensemble,

Ni comprendre, mais seulement détruire et dissiper, et mettre les choses ensemble.

Laissez-moi voir et entendre toutes choses avec la parole

Et saluer chacune par son nom même avec la parole qui l'a fait.

Vous voyez cette terre qui est votre créature innocente. Délivrez-la du joug de l'infidèle et de l'impur et de l'Amorrhéen! car c'est pour Vous et non pas pour lui qu'elle est faite.

Délivrez-la par ma bouche de cette louange qu'elle vous doit, et comme l'âme païenne qui languit après le baptême, qu'elle reçoive de toutes parts l'autorité et l'Evangile!

Comme les eaux qui s'élèvent de la solitude fondent dans un roulement de tonnerre sur les champs désaltérés,

Et comme quand approche cette saison qu'annonce le vol criard des oiseaux,

Le laboureur de tous côtés s'empresse à curer le fossé et l'arroyo, à relever les digues, et ouvrir son champ motte à motte avec le soc et la bêche,

Ainsi comme j'ai reçu nourriture de la terre, qu'elle reçoive à son tour la mienne ainsi qu'une mère de son fils,

---

Hugos, and all other infamous men! Their soul is with the dead dogs; their books are mingled with the dung. They are dead and their very names after their deaths are poison and rot. Because you have dispersed the proud and they cannot be together, nor understand, but only destroy and dissipate, and put things together. Allow me to see and hear all things with the word and greet each thing by its own name with the word that made it. You see this earth that is your innocent creature. Deliver it from the yoke of the infidel and of the impure and of the Amorrhean! because it is for You and not for him that the earth was made. Deliver the earth through my mouth of this praise that it owes you, and like the pagan soul that yearns for baptism, may it receive from all sides authority and the gospel! As the waters that rise from solitude come down in a crash of thunder on the thirsty fields, and as when that season, which the shrieking flight of birds announces, approaches, the plowman on all sides hurries to clean out the ditch and the arroyo, to build up the dams, and to open his field clod by clod with the plowshare and the spade, as I

Et que l'aride boive à pleins bords la bénédiction par toutes les ouvertures de sa bouche ainsi qu'une eau cramoisie,

Ainsi qu'un pré profond qui boit toutes vannes levées, comme l'oasis et la huerta par la racine de son blé, et comme la femme Egypte au double flanc de son Nil!

Bénédiction sur tous les hommes! accroissement et bénéeaux! bénédiction sur les cultures! bénédiction sur les animaux selon la distinction de leur espèce!

Bénédiction sur tous les hommes! accroissement et bénédiction sur l'œuvre des bons! accroissement et bénédiction sur l'œuvre des méchants!

Ce n'est pas l'Invitatoire de Matines, ni le *Laudate* dans l'ascension du soleil et le cantique des Enfants dans la fournaise!

Mais c'est l'heure où l'homme s'arrête et considère ce qu'il a fait lui-même et son œuvre conjointe à celle de la journée,

Et tout le peuple en lui s'assemble pour le Magnificat à l'heure de Vêpres où le soleil prend mesure de la terre,

Avant que la nuit ne commence et la pluie, avant que la longue pluie dans la nuit sur la terre ensemencée ne commence!

Et me voici comme un prêtre couvert de l'ample manteau d'or qui se tient debout devant l'autel embrasé et l'on ne peut voir que son visage et ses mains qui ont la couleur de l'homme,

have received nourishment from the earth, may the earth receive mine in turn as a mother receives nourishment from her son, and may the arid earth drink the benediction through all the openings of its mouth like red water, like a deep prairie drinks with all sluice-gates open, like the oasis and the huerta through the root of its wheat, and like the woman Egypt from the two flanks of her Nile! Blessing on the earth! blessing of water on waters! blessing on the crops! blessing on the animals according to the distinction of their species! Blessing on all men! growth and blessings on the work of good men! growth and blessing on the works of bad men! It is not the Invitation of Matins, nor the *Laudate* in the ascension of the sun and the hymn of the Children in the furnace! But it is the hour when man stops and considers what he has done himself and his work joined to the work of the day, and all the people that are in him assemble for the Magnificat at the hour of Vespers and the sun takes measure of the earth, before the night begins and the rain, before the long rain begins in the night on the sown earth! And here I am like a priest covered with the ample cloak of gold standing before the glowing altar and one can see only his face and his

Et il regarde face à face avec tranquillité, dans la force et dans la plénitude de son cœur,

Son Dieu dans la montrance, sachant parfaitement que vous êtes là sous les accidents de l'azyme.

Et tout à l'heure il va vous prendre entre ses bras, comme Marie vous prit entre ses bras,

Et mêlé à ce groupe au chœur qui officie dans le soleil et dans la fumée,

Vous montrer à l'obscure génération qui arrive,

La lumière pour la révélation des nations et le salut de votre peuple Israël,

Selon que vous l'avez juré une seule fois à David, vous étant souvenu de votre miséricorde,

Et selon la parole que vous avez donnée à nos pères, à Abraham et à sa semence dans tous les siècles. Ainsi soit-il!

Charles Péguy

(1873–1914)

LE PORCHE DU MYSTÈRE
DE LA DEUXIÈME VERTU (Extrait)

Nuit tu es sainte, Nuit tu es grande, Nuit tu es belle.
Nuit au grand manteau.
Nuit je t'aime et je te salue et je te glorifie et tu es ma
    grande fille et ma créature

hands which have a human color, and with tranquility, in the strength and plenitude of his heart he looks straight at his God in the monstrance, knowing well that you are there under the accidents of the Holy bread. And in a little while he will take you in his arms as Mary took you in her arms, and mingled with the group in the choir which officiates in the sun and in the smoke, He will show you to the shadowy generation that is coming up, light for the revelation of nations, and the salvation of your people Israel, as you swore once and only once to David, having remembered your own mercy, and according to the word which you gave to our fathers, to Abraham and to his seed in all the ages. So be it!

Night you are holy, Night you are vast, Night you are beautiful. Night with the large cloak. Night I love you and I greet you and I glorify you and you are my eldest daughter and my creature. O beautiful night, night

O belle nuit, nuit au grand manteau, ma fille au manteau
    étoilé

Tu me rappelles, à moi-même tu me rappelles ce grand
    silence qu'il y avait

Avant que j'eusse ouvert les écluses d'ingratitude.

Et tu m'annonces, à moi-même tu m'annonces ce grand
    silence qu'il y aura

Quand je les aurai fermées.

O douce, ô grande, ô sainte, ô belle nuit, peut-être la plus
    sainte de mes filles, nuit à la grande robe, à la robe
    étoilée

Tu me rappelles ce grand silence qu'il y avait dans le monde

Avant le commencement du règne de l'homme.

Tu m'annonces ce grand silence qu'il y aura

Après la fin du règne de l'homme, quand j'aurai repris mon
    sceptre.

Et j'y pense quelquefois d'avance, car cet homme fait
    vraiment beaucoup de bruit.

Mais surtout, Nuit, tu me rappelles cette nuit.

Et je me la rappellerai éternellement.

La neuvième heure avait sonné. C'était dans le pays de mon
    peuple d'Israël.

Tout était consommé. Cette énorme aventure.

Depuis la sixième heure il y avait eu des ténèbres sur tout
    le pays, jusqu'à la neuvième heure.

Tout était consommé. Ne parlons plus de cela. Ça me fait
    mal.

Cette incroyable descente de mon fils parmi les hommes.

with the large cloak, my daughter with the starred cloak, you bring back
to my mind, you bring back the vast silence that there was before I
opened the flood gates of ingratitude. And you announce to me, to me
myself, you announce the vast silence that there will be when I shall have
closed them. O soft, O vast, O holy, O beautiful night, perhaps the most
holy of my daughters, night with the large dress, with the starred dress,
you bring back to my mind the vast silence that there was in the world
before the beginning of the reign of man. You announce to me the vast
silence that there will be after the end of the reign of man when I shall
have taken up my scepter again. And sometimes I think of it ahead of
time, for man really makes a lot of noise. But above all, Night, you bring
back to my mind that night. And I shall remember it eternally. The ninth
hour had sounded. It was in the land of my people of Israel. All was
consummated. The gigantic adventure. Since the sixth hour there had been
shadows over all the land, until the ninth hour. All was consummated.
Let us speak no more of that. It hurts me. That incredible descent of my

Chez les hommes.

Pour ce qu'ils en ont fait.

Ces trente ans qu'il fut charpentier chez les hommes.

Ces trois ans qu'il fut une sorte de prédicateur chez les
     hommes.

Un prêtre.

Ces trois jours où il fut une victime chez les hommes.

Parmi les hommes.

Ces trois nuits où il fut un mort chez les hommes.

Parmi les hommes morts.

Ces siècles et ces siècles où il est une hostie chez les
     hommes.

Tout était consommé, cette incroyable aventure

Par laquelle, moi, Dieu, j'ai les bras liés pour mon éternité.

Cette aventure par laquelle mon Fils m'a lié les bras.

Pour éternellement liant les bras de ma justice, pour
     éternellement déliant les bras de ma miséricorde.

Et contre ma justice inventant une justice même.

Une justice d'amour. Une justice d'Espérance. Tout était
     consommé.

Ce qu'il fallait. Comme il avait fallu. Comme mes prophètes
     l'avaient annoncé. Le voile du temple s'était déchiré en
     deux, depuis le haut jusqu'en bas.

La terre avait tremblé; des rochers s'étaient fendus.

Des sépulcres s'étaient ouverts, et plusieurs corps des saints
     qui étaient morts étaient ressuscités.

Et environ la neuvième heure mon Fils avait poussé

son among men. In the world of men. And what they did with this
descent! Those thirty years that he was a carpenter in the world of men.
Those three years that he was a kind of preacher in the world of men. A
priest. Those three days when he was a victim in the world of men.
Among men. Those three nights when he was a dead man in the world
of men. Among the dead men. Those centuries and centuries during which
he has been a host in the world of men. All was consummated, this incredible adventure because of which, I, God, I have my hands tied for
eternity. This adventure through which my Son tied my hands. Forever
tying the arms of my justice, forever untying the arms of my mercy. And
against my justice inventing even a justice. A justice of love. A justice of
Hope. All was consummated. What was necessary. As it was necessary.
As my prophets had announced it. The veil of the Temple had torn in
two, from the top to the bottom. The earth had shaken; rocks had split.
Tombs had opened, and several bodies of saints who were dead were
resuscitated. And toward the ninth hour my Son uttered the cry that will

Le cri qui ne s'effacera point. Tout était consommé. Les
    soldats s'en étaient retournés dans leurs casernes.

Riant et plaisantant parce que c'était un service de fini.

Un tour de garde qu'ils ne prendraient plus.

Seul un centenier demeurait, et quelques hommes.

Un tout petit poste pour garder ce gibet sans importance.

La potence où mon Fils pendait.

Seules quelques femmes étaient demeurées.

La Mère était là.

Et peut-être aussi quelques disciples, et encore on n'en est
    pas bien sûr.

Or tout homme a le droit d'ensevelir son fils.

Tout homme sur terre, s'il a ce grand malheur

De ne pas être mort avant son fils. Et moi seul, moi Dieu,

Les bras liés par cette aventure,

Moi seul à cette minute père après tant de pères,

Moi seul je ne pouvais pas ensevelir mon fils.

C'est alors, ô Nuit, que tu vins.

O ma fille chère entre toutes et je le vois encore et je verrai
    cela dans mon éternité

C'est alors ô Nuit que tu vins et dans un grand linceul tu
    ensevelis

Le Centenier et ses hommes romains,

La Vierge et les saintes femmes,

Et cette montagne et cette vallée, sur qui le soir descendait,

Et mon peuple d'Israël et les pécheurs et ensemble celui qui
    mourait, qui était mort pour eux

never be effaced. All was consummated. The soldiers had returned to their
barracks. Laughing and joking because it was a job done. A guard watch
that they would not have to keep again. Only a centurion remained, and
a few men. A very small group to guard this unimportant gibbet, the
gallows from which my son was hanging. Only a few women had remained. The Mother was there. And also perhaps some disciples, and still
we are not very sure. Now every man has the right to bury his son. Every
man on earth, if he has the great misfortune not to die before his son.
And I alone, I, God, my hands tied by this adventure, I alone at this
moment father after so many fathers, I alone could not bury my son. It
is then, O Night, that you came. O my daughter, precious among all my
daughters, and I see it still and I shall see it for all my eternity. It is
then, O Night, that you came and in a vast shroud you covered the centurion and his Roman men, the Virgin and the holy women, and the
mountain and the valley over which the evening was descending, and my
people of Israel and the sinners and together with him who was dying,

Et les hommes de Joseph d'Arimathée qui déjà s'appro-
    chaient

Portant le linceul blanc.

CHÂTEAUX DE LOIRE

Le long du coteau courbe et des nobles vallées
Les châteaux sont semés comme des reposoirs,
Et dans la majesté des matins et des soirs
La Loire et ses vassaux s'en vont par ces allées.

Cent vingt châteaux lui font une suite courtoise,
Plus nombreux, plus nerveux, plus fins que des palais.
Ils ont nom Valençay, Saint-Aignan et Langeais,
Chenonceaux et Chambord, Azay, le Lude, Amboise.

Et moi j'en connais un dans les châteaux de Loire
Qui s'élève plus haut que le château de Blois,
Plus haut que la terrasse où les derniers Valois
Regardaient le soleil se coucher dans sa gloire.

La moulure est plus fine et l'arceau plus léger.
La dentelle de pierre est plus dure et plus grave.
La décence et l'honneur et la mort qui s'y grave
Ont inscrit leur histoire au cœur de ce verger.

Et c'est le souvenir qu'a laissé sur ces bords
Une enfant qui menait son cheval vers le fleuve.

who dies for them, and the men of Joseph of Arimathea who were
already approaching carrying the white shroud.

Along the curved slope and the noble valleys the castles are sown like
street altars, and in the majesty of mornings and of evenings the Loire
and her vassals go by along the alleys. One hundred and twenty castles
form a courtly retinue, more numerous, more spirited, more delicate than
palaces, they are called Valençay, Saint-Aignan and Langeais, Chenonceaux
and Chambord, Azay, le Lude, Amboise. And I know one among the
castles of the Loire which rises higher than the castle of Blois, higher
than the terrace where the last Valois kings watched the sun setting in its
glory. The molding is more delicate and the arch is lighter. The lace of
the stone is harder and more stern. Decency and honor and death there
engraved have carved their story at the heart of this orchard. And it is
the memory left on these banks by a child who was leading her horse

Son âme était récente et sa cotte était neuve.
Innocente elle allait vers le plus grand des sorts.

Car celle qui venait du pays tourangeau,
C'était la même enfant qui quelques jours plus tard
Gouvernant d'un seul mot le rustre et le soudard,
Descendait devers Meung ou montait vers Jargeau.

LA TAPISSERIE DE NOTRE DAME (Extrait)

Etoile de la mer voici la lourde nappe
Et la profonde houle et l'océan des blés
Et la mouvante écume et nos greniers comblés,
Voici votre regard sur cette immense chape

Et voici votre voix sur cette lourde plaine
Et nos amis absents et nos cœurs dépeuplés,
Voici le long de nous nos poings désassemblés
Et notre lassitude et notre force pleine.

Etoile du matin, inaccessible reine,
Voici que nous marchons vers votre illustre cour,
Et voici le plateau de notre pauvre amour,
Et voici l'océan de notre immense peine.

Un sanglot rôde et court par delà l'horizon.
A peine quelques toits font comme un archipel.
Du vieux clocher retombe une sorte d'appel.

down to the river. Her soul was lately born and her armor was new. Innocent, she was going toward the greatest of fates. For she who came from the province of Tours was the same child who a few days later, governing with a single word the boor and the ruffian, rode down toward Meung or up toward Jargeau.

Star of the sea, here is the heavy weave and the deep swell and the ocean of wheat and the mobile foam and our bursting granaries and here are your eyes cast over this immense cope and here is your voice on this heavy plain and our absent friends and our depopulated hearts, see our unclenched fists hanging at our sides and our weariness and our full strength. Star of the morning, inaccessible queen, now we are marching toward your illustrious court, and here is the plateau of our poor love, and here is the ocean of our immense sorrow. A sob wanders and runs beyond the horizon. A few rare roofs form an archipelago. From the old steeple falls a kind of call. The thick church resembles a lowly house.

L'épaisse église semble une basse maison.

Ainsi nous naviguons vers votre cathédrale.
De loin en loin surnage un chapelet de meules,
Rondes comme des tours, opulentes et seules
Comme un rang de châteaux sur la barque amirale.

Deux mille ans de labeur ont fait de cette terre
Un réservoir sans fin pour les âges nouveaux.
Mille ans de votre grâce ont fait de ces travaux
Un reposoir sans fin pour l'âme solitaire.

Vous nous voyez marcher sur cette route droite,
Tout poudreux, tout crottés, la pluie entre les dents.
Sur ce large éventail ouvert à tous les vents
La route nationale est notre porte étroite.

Nous allons devant nous, les mains le long des poches,
Sans aucun appareil, sans fatras, sans discours,
D'un pas toujours égal, sans hâte ni recours,
Des champs les plus présents vers les champs les plus
     proches.

Vous nous voyez marcher, nous sommes la piétaille.
Nous n'avançons jamais que d'un pas à la fois.
Mais vingt siècles de peuple et vingt siècles de rois,
Et toute leur séquelle et toute leur volaille

Et leurs chapeaux à plume avec leur valetaille
Ont appris ce que c'est que d'être familiers,
Et comme on peut marcher, les pieds dans ses souliers,

Thus we are navigating toward your cathedral. From time to time a rosary of haystacks comes to view, round as towers, opulent and alone like a row of decks on the admiral's bark. Two thousand years of toil have made of this soil an endless reservoir for the new ages. One thousand years of your grace have made of this work an endless altar for the solitary soul. You see us walking on this straight road, dusty, dirty, the rain between our teeth. On this large fan exposed to all the winds the national highway is our narrow gate. We go straight ahead, our hands in our pockets, without any pomp, without useless equipment, without speeches, with a step always even, without haste or appeals, from the most immediate to the closest fields. You see us walking, we are the foot soldiers, we only advance one step at a time. But twenty centuries among the people and twenty centuries of kings, and all their followers and all their game and their plumed hats with all their valets have taught us what it is to be familiar, and how one can walk, one's feet in one's shoes,

Vers un dernier carré le soir d'une bataille.

Nous sommes nés pour vous au bord de ce plateau,
Dans le recourbement de notre blonde Loire,
Et ce fleuve de sable et ce fleuve de gloire
N'est là que pour baiser votre auguste manteau.

Nous somme nés au bord de ce vaste plateau,
Dans l'antique Orléans sévère et sérieuse,
Et la Loire coulante et souvent limoneuse
N'est là que pour laver les pieds de ce coteau.

Nous sommes nés au bord de votre plate Beauce
Et nous avons connu dès nos plus jeunes ans
Le portail de la ferme et les durs paysans
Et l'enclos dans le bourg et la bêche et la fosse.

Nous sommes nés au bord de votre Beauce plate
Et nous avons connu dès nos premiers regrets
Ce que peut recéler de désespoirs secrets
Un soleil qui descend dans un ciel écarlate

Et qui se couche au ras d'un sol inévitable
Dur comme une justice, égal comme une barre,
Juste comme une loi, fermé comme une mare,
Ouvert comme un beau socle et plan comme une table.

ÈVE (Extrait)

— Heureux ceux qui sont morts pour la terre charnelle,
Mais pourvu que ce fût dans une juste guerre.

toward a last square formation on the evening of a battle. We were born for you on the edge of this plateau, in the curve of your blond Loire, and the river of sand and the river of glory is there only to kiss your august cloak. We were born on the edge of this vast plateau, in ancient Orleans stern and grave, and the flowing and often muddy Loire is there only to wash the feet of this slope. We were born on the edge of your flat Beauce and we have known since our earliest years the porch of the farm and the hardy peasants and the enclosed garden in the town and the spade and the pit. We were born on the edge of your flat Beauce and we have known since our first regrets what secret despairs can be hidden in a sun that goes down in a scarlet sky and which sets at the level of an inevitable earth hard as a justice, equal as a bar, just as a law, closed as a pond, open like a beautiful plowshare and flat as a table.

Happy those who died for the carnal earth, provided that it was in a just war. Happy those who died for four corners of land. Happy those

Heureux ceux qui sont morts pour quatre coins de terre.
Heureux ceux qui sont morts d'une mort solennelle.

Heureux ceux qui sont morts dans les grandes batailles,
Couchés dessus le sol à la face de Dieu.
Heureux ceux qui sont morts sur un dernier haut lieu,
Parmi tout l'appareil des grandes funérailles.

Heureux ceux qui sont morts pour des cités charnelles.
Car elles sont le corps de la cité de Dieu.
Heureux ceux qui sont morts pour leur âtre et leur feu,
Et les pauvres honneurs des maisons paternelles.

Car elles sont l'image et le commencement
Et le corps et l'essai de la maison de Dieu.
Heureux ceux qui sont morts dans cet embrassement,
Dans l'étreinte d'honneur et le terrestre aveu.

Car cet aveu d'honneur est le commencement
Et le premier essai d'un éternel aveu.
Heureux ceux qui sont morts dans cet écrasement,
Dans l'accomplissement de ce terrestre vœu.

Car ce vœu de la terre est le commencement
Et le premier essai d'une fidélité.
Heureux ceux qui sont morts dans ce couronnement
Et cette obéissance et cette humilité.

Heureux ceux qui sont morts, car ils sont retournés
Dans la première argile et la première terre.
Heureux ceux qui sont morts dans une juste guerre.
Heureux les épis mûrs et les blés moissonnés.

who died a solemn death. Happy those who died in great battles, laid on
the ground in the face of God. Happy those who died on a last high
place, amid all the pomp of great funeral ceremonies. Happy those who
died for carnal cities, which are the body of the city of God. Happy those
who died for their hearth and their fire, and the poor honors of their
father's houses. For these are the image and the beginning and the body
and the testing of the house of God. Happy those who died in this embrace, in the grip of honor and terrestrial vow. For this vow of honor is
the beginning and the first testing of an eternal vow. Happy those who
died in this destruction, in the fulfillment of the terrestrial vow. For this
vow of the earth is the beginning and the first testing of a fidelity. Happy
those who died in this coronation, and this obedience, and this humility.
Happy those who died, for they have returned to the original clay and
the original earth. Happy those who died in a just war. Happy the ripe
and the harvested wheat.

Guillaume Apollinaire

(1880–1918)

ZONE

A la fin tu es las de ce monde ancien

Bergère ô tour Eiffel le troupeau des ponts bêle ce matin

Tu en as assez de vivre dans l'antiquité grecque et romaine

Ici même les automobiles ont l'air d'être anciennes
La religion seule est restée toute neuve la religion
Est restée simple comme les hangars de Port-Aviation

Seul en Europe tu n'es pas antique ô Christianisme
L'Européen le plus moderne c'est vous Pape Pie X
Et toi que les fenêtres observent la honte te retient
D'entrer dans une église et de t'y confesser ce matin
Tu lis les prospectus les catalogues les affiches qui chantent
    tout haut
Voilà la poésie ce matin et pour la prose il y a les journaux
Il y a les livraisons à 25 centimes pleines d'aventures
    policières
Portraits des grands hommes et mille titres divers

J'ai vu ce matin une jolie rue dont j'ai oublié le nom

In the end you are tired of this old world. Shepherdess, O Eiffel Tower,
the flock of bridges is bleating this morning. You are tired of living in
Greek and Roman antiquity. Here, even the automobiles seem to be
ancient. Religion only has remained new, has remained simple like the
hangars of Port-Aviation. You alone in Europe are not antique, O Christianity. The most modern European is you, Pope Pius X. And you whom
the windows observe, shame holds you back from entering a church and
confessing yourself there this morning. You read the prospectus, the catalogues, the posters that sing out loud. That is poetry this morning, and as
for prose, there are the newspapers. There are the 25-centime deliveries
full of detective stories, portraits of great men and a thousand different
titles. This morning I saw a pretty street whose name I forgot. New and

Neuve et propre du soleil elle était le clairon
Les directeurs les ouvriers et les belles sténo-dactylographes
Du lundi matin au samedi soir quatre fois par jour y passent
Le matin par trois fois la sirène y gémit
Une cloche rageuse y aboie vers midi
Les inscriptions des enseignes et des murailles
Les plaques les avis à la façon des perroquets criaillent
J'aime la grâce de cette rue industrielle
Située à Paris entre la rue Aumont-Thiéville et l'avenue des
    Ternes

Voilà la jeune rue et tu n'es encore qu'un petit enfant
Ta mère ne t'habille que de bleu et de blanc
Tu es très pieux et avec le plus ancien de tes camarades
    René Dalize
Vous n'aimez rien tant que les pompes de l'Eglise
Il est neuf heures le gaz est baissé tout bleu vous sortez du
    dortoir en cachette
Vous priez toute la nuit dans la chapelle du collège
Tandis qu'éternelle et adorable profondeur améthyste
Tourne à jamais la flamboyante gloire du Christ
C'est le beau lys que tous nous cultivons
C'est la torche aux cheveux roux que n'éteint pas le vent
C'est le fils pâle et vermeil de la douloureuse mère
C'est l'arbre toujours touffu de toutes les prières
C'est la double potence de l'honneur et de l'éternité
C'est l'étoile à six branches
C'est Dieu qui meurt le vendredi et ressuscite le dimanche

clean, it was the trumpet of the sun. Directors, workers and beautiful stenographers, from Monday morning to Saturday evening, four times a day, pass there. Three times a day in the morning the siren moans there. An angry bell barks there toward noon. The inscriptions on the signs and on the walls, the street signs, the notices shriek like parrots. I like the grace of this industrial street situated in Paris between the rue Aumont-Thiéville and the avenue des Ternes. Here is the young street and you are but a small child. Your mother dresses you only in blue and white. You are very pious and with the oldest of your comrades, René Dalize, you like nothing as much as the pomp of the Church. It is nine o'clock, the gas is lowered and all blue. You slip out of the dormitory, secretly. You pray all night in the college chapel, while, eternal and adorable amethyst depth, the flamboyant glory of Christ turns forever. It is the beautiful lily that we all cultivate. It is the red-headed torch that the wind does not blow out. It is the pale son with rosy cheeks of the sorrowful mother. It is the tree always tufted with all the prayers. It is the double scaffold of honor and eternity. It is the star with six branches. It is God who dies on

C'est le Christ qui monte au ciel mieux que les aviateurs
Il détient le record du monde pour la hauteur

Pupille Christ de l'œil.
Vingtième pupille des siècles il sait y faire
Et changé en oiseau ce siècle comme Jésus monte dans l'air
Les diables dans les abîmes lèvent la tête pour le regarder
Ils disent qu'il imite Simon Mage en Judée
Ils crient s'il sait voler qu'on l'appelle voleur
Les anges voltigent autour du joli voltigeur
Icare Enoch Elie Apollonius de Thyane
Flottent autour du premier aéroplane
Ils s'écartent parfois pour laisser passer ceux que transporte
    la Sainte-Eucharistie
Ces prêtres qui montent éternellement en élevant l'hostie
L'avion se pose enfin sans refermer les ailes
Le ciel s'emplit alors de millions d'hirondelles
A tire-d'aile viennent les corbeaux les faucons les hiboux
D'Afrique arrivent les ibis les flamands les marabouts
L'oiseau Roc célébré par les conteurs et les poètes
Plane tenant dans les serres le crâne d'Adam la première
    tête
L'aigle fond de l'horizon en poussant un grand cri
Et d'Amérique vient le petit colibri
De Chine sont venus les pihis longs et souples
Qui n'ont qu'une seule aile et qui volent par couples
Puis voici la colombe esprit immaculé

Friday and comes back to life on Sunday. It is Christ who goes up to
heaven better than the aviators. He holds the world record for altitude.
Christ, pupil of the eye, twentieth pupil of the centuries, he knows how
to manage, and changed into a bird, this century, like Jesus, goes up into
the air. The devils in the abyss raise their heads to look at him. They say
that he imitates Simon the Wise Man of Judea. They shout that he knows
how to fly, that he should be called a (flier) thief. The angels flutter
around the pretty flutterer. Icarus, Enoch, Eli, Apollonius of Thyana float
around the first airplane. They move aside sometimes to allow those
whom the Holy Eucharist carries to pass, those priests who ascend
eternally, raising the host. The plane finally lands without closing its
wings. The sky then fills with millions of swallows. In one swoop the
crows, the falcons, the owls arrive. From Africa the ibis and the flamingo,
the marabou. The Roc bird made famous by storytellers and poets glides
holding in his claws Adam's skull, the first head. The eagle sweeps down
from the horizon uttering a great cry, and from America comes the little
humming bird. From China came the long and supple "pihis" which have
only one wing and fly in pairs. Then comes the dove, immaculate spirit

Qu'escortent l'oiseau-lyre et le paon ocellé
Le phénix ce bûcher qui soi-même s'engendre
Un instant voile tout de son ardente cendre
Les sirènes laissant les périlleux détroits
Arrivent en chantant bellement toutes trois
Et tous aigle phénix et pihis de la Chine
Fraternisent avec la volante machine

Maintenant tu marches dans Paris tout seul parmi la foule
Des troupeaux d'autobus mugissants près de toi roulent
L'angoisse de l'amour te serre le gosier
Comme si tu ne devais jamais plus être aimé
Si tu vivais dans l'ancien temps tu entrerais dans un
    monastère
Vous avez honte quand vous vous surprenez à dire une
    prière
Tu te moques de toi et comme le feu de l'Enfer ton rire
    pétille
Les étincelles de ton rire dorent le fonds de ta vie
C'est un tableau pendu dans un sombre musée
Et quelquefois tu vas le regarder de près

Aujourd'hui tu marches dans Paris les femmes sont
    ensanglantées
C'était et je voudrais ne pas m'en souvenir c'était au déclin
    de la beauté

Entourée de flammes ferventes Notre-Dame m'a regardé à
    Chartres

escorted by the lyre bird and the ocellated peacock. The phoenix, pyre
that engenders itself, for an instant covers everything with its burning
ashes. The sirens leaving the perilous straits arrive, all three singing
prettily, and all, eagle, phoenix and "pihis" from China fraternize with
the flying machine.
   Now you are walking in Paris, all alone amid the crowd. Flocks of
bellowing buses roll near you. The anguish of love tightens your throat as
if you were never more to be loved. If you were living in older times you
would enter a monastery. You are ashamed when you suddenly find yourself reciting a prayer, you laugh at yourself and your laughter crackles
like the fire of Hell. The sparks of your laughter flash golden in the
depths of your life. It is a picture hung in a dark museum, and sometimes you go to look at it close up. . . . Today you walk in Paris, the
women are blood-soaked. It was, and I would prefer not to remember, it
was at the decline of beauty. Surrounded by fervent flames, Our Lady

Le sang de votre Sacré-Cœur m'a inondé à Montmartre
Je suis malade d'ouïr les paroles bienheureuses
L'amour dont je souffre est une maladie honteuse
Et l'image qui te possède te fait survivre dans l'insomnie et
    dans l'angoisse
C'est toujours près de toi cette image qui passe

Maintenant tu es au bord de la Méditerranée
Sous les citronniers qui sont en fleur toute l'année
Avec tes amis tu te promènes en barque
L'un est Nissard il y a un Mentonasque et deux Turbiasques
Nous regardons avec effroi les poulpes des profondeurs
Et parmi les algues nagent les poissons images du Sauveur

Tu es dans le jardin d'une auberge aux environs de Prague
Tu te sens tout heureux une rose est sur la table
Et tu observes au lieu d'écrire ton conte en prose
La cétoine qui dort dans le cœur de la rose

Epouvanté tu te vois dessiné dans les agates de Saint-Vit
Tu étais triste à mourir le jour où tu t'y vis
Tu ressembles au Lazare affolé par le jour
Les aiguilles de l'horloge du quartier juif vont à rebours
Et tu recules aussi dans ta vie lentement
En montant au Hradchin et le soir en écoutant
Dans les tavernes chanter des chansons tchèques

Te voici à Marseille au milieu des pastèques

looked at me at Chartres. The blood of your Sacred Heart drenched me
at Montmartre. I am sick from hearing the beatific words. The love from
which I suffer is a shameful illness, and the image that possesses you
makes you live on in insomnia and in anguish. It is, always near you, this
image that passes. . . . Now you are on the shore of the Mediterranean.
Under the lemon trees which flower all year, with your friends you are
taking a boat ride. One is from Nice, there is one from Menton and two
from La Turbie. We look with fright at the octopuses of the depths, and
among the algae swim the fish who are images of our Saviour. . . . You
are in the garden of an inn near Prague. You feel very happy, a rose is
on the table and you observe instead of writing your prose story the beetle
asleep in the heart of the rose. . . . Horrified, you see yourself sketched
in the agates of Saint Vitus. You were sad unto death the day you saw
yourself there. You resemble Lazarus unnerved by the daylight. The hands
of the clock in the Jewish section go backward, and you too move back
slowly into your life as you go up to the Hradchin, and in the evening as
you listen to the Czech songs sung in the taverns. . . . Now here you are

Te voici à Coblence à l'hôtel du Géant

Te voici à Rome assis sous un néflier du Japon

Te voici à Amsterdam avec une jeune fille que tu trouves
     belle et qui est laide
Elle doit se marier avec un étudiant de Leyde
On y loue des chambres en latin Cubicula locanda
Je m'en souviens j'y ai passé trois jours et autant à Gouda

Tu es à Paris chez le juge d'instruction
Comme un criminel on te met en état d'arrestation
Tu as fait de douloureux et de joyeux voyages
Avant de t'apercevoir du mensonge et de l'âge
Tu as souffert de l'amour à vingt et à trente ans
J'ai vécu comme un fou et j'ai perdu mon temps
Tu n'oses plus regarder tes mains et à tous moments je
     voudrais sangloter
Sur toi sur celle que j'aime sur tout ce qui t'a épouvanté

Tu regardes les yeux pleins de larmes ces pauvres émigrants
Ils croient en Dieu ils prient les femmes allaitent des enfants
Ils emplissent de leur odeur le hall de la gare Saint-Lazare
Ils ont foi dans leur étoile comme les rois-mages
Ils espèrent gagner de l'argent dans l'Argentine
Et revenir dans leur pays après avoir fait fortune
Une famille transporte un édredon rouge comme vous
     transportez votre cœur

in Marseille among the watermelons. . . . Now you are in Coblenz at the Hotel of the Giant. . . . Now you are in Rome seated under a Japanese medlar. . . . Now you are in Amsterdam with a girl whom you find beautiful and who is ugly. She is going to marry a student from Leyden. One rents rooms in Latin *Cubicula locanda*. I remember, I spent three days there and as many as Gouda.

You are in Paris at the prosecutor's. Like a criminal they put you under arrest. You went on painful and joyful trips before noticing falsehood and age. You suffered from love at twenty and at thirty. I have lived like a madman and I have lost my time. You no longer dare to look at your hands and every minute I want to sob over you, over her whom I love, over everything that terrified you. You look at these poor emigrants, your eyes full of tears. They believe in God. They pray. The women nurse the children. They fill the Saint Lazare station with their odor. They have faith in their star like the wise men. They hope to earn money in Argentina and to return to their country after having made a fortune. One family carries a red eiderdown as you carry your heart. That

Cet édredon et nos rêves sont aussi irréels
Quelques-uns de ces émigrants restent ici et se logent
Rue des Rosiers ou rue des Ecouffes dans des bouges
Je les ai vus souvent le soir ils prennent l'air dans la rue
Et se déplacent rarement comme les pièces aux échecs
Il y a surtout des Juifs leurs femmes portent perruque
Elles restent assises exsangues au fond des boutiques

Tu es debout devant le zinc d'un bar crapuleux
Tu prends un café à deux sous parmi les malheureux

Tu es la nuit dans un grand restaurant

Ces femmes ne sont pas méchantes elles ont des soucis
     cependant
Toutes même la plus laide a fait souffrir son amant

Elle est la fille d'un sergent de ville de Jersey

Ses mains que je n'avais pas vues sont dures et gercées

J'ai une pitié immense pour les coutures de son ventre

J'humilie maintenant à une pauvre fille au rire horrible ma
     bouche

Tu es seul le matin va venir
Les laitiers font tinter leurs bidons dans les rues

La nuit s'éloigne ainsi qu'une belle Métive

eiderdown and our dreams are equally unreal. Some of these emigrants remain here and stay on the rue des Rosiers or rue des Ecouffes in slums. I have often seen them in the evening; they come down to get fresh air in the street and, like chessmen, they seldom move. They are mostly Jews: their women wear wigs, they remain seated and pale in the back of the shops. You are standing before the counter of a filthy bar, you take a cheap cup of coffee among the unfortunate. It is night. You are in a large restaurant. These women are not mean; however, they have troubles. They have all made their lover suffer, even the ugliest who is the daughter of a policeman from Jersey. Her hands that I had not seen are hard and chapped. I have an immense pity for the seams of her belly. Now I humiliate my mouth with a poor girl who has a horrible laugh. You are alone, the morning is going to come. The milkmen make their cans clink in the streets. The night moves away like a beautiful Metiva. It is Ferdine

C'est Ferdine la fausse ou Léa l'attentive

Et tu bois cet alcool brûlant comme ta vie
Ta vie que tu bois comme une eau-de-vie

Tu marches vers Auteuil tu veux aller chez toi à pied
Dormir parmi tes fétiches d'Océanie et de Guinée
Ils sont des Christ d'une autre forme et d'une autre croyance
Ce sont les Christ inférieurs des obscures espérances

Adieu Adieu

Soleil cou coupé

LE PONT MIRABEAU

Sous le pont Mirabeau coule la Seine
    Et nos amours
  Faut-il qu'il m'en souvienne
La joie venait toujours après la peine

    Vienne la nuit sonne l'heure
    Les jours s'en vont je demeure

Les mains dans les mains restons face à face
    Tandis que sous
  Le pont de nos bras passe
Des éternels regards l'onde si lasse

    Vienne la nuit sonne l'heure
    Les jours s'en vont je demeure

the false or Lea the careful. And you drink this alcohol which burns like your life, your life that you drink as though it were brandy. You walk toward Auteuil. You want to go home on foot and sleep among your fetishes from Oceania and Guinea. They are Christs of another shape and another belief. They are inferior Christs of obscure hopes. Farewell, farewell, beheaded Sun.

 Under Mirabeau bridge flows the Seine. And our loves, must I remember them? Joy always came after pain. Let night come, the hour strike, the days go by, I remain. Hand in hand let us stay face to face, while under the bridge of our arms passes the so tired wave of eternal glances. Let night come, the hour strike, the days go by, I remain. Love goes by

L'amour s'en va comme cette eau courante
L'amour s'en va
Comme la vie est lente
Et comme l'Espérance est violente

Vienne la nuit sonne l'heure
Les jours s'en vont je demeure

Passent les jours et passent les semaines
Ni temps passé
Ni les amours reviennent
Sous le pont Mirabeau coule la Seine

Vienne la nuit sonne l'heure
Les jours s'en vont je demeure

LA CHANSON DU MAL-AIMÉ
A Paul Léautaud

Et je chantais cette romance
En 1903 sans savoir
Que mon amour à la semblance
Du beau Phénix s'il meurt un soir
Le Matin voit sa renaissance

Un soir de demi-brume à Londres
Un voyou qui ressemblait à
Mon amour vint à ma rencontre
Et le regard qu'il me jeta
Me fit baisser les yeux de honte

Je suivis ce mauvais garçon

like this running water, love goes by. How slow life is and how violent is Hope! Let night come, the hour strike, the days go by, I remain. The days pass and the weeks pass; neither past time nor loves return. Under Mirabeau bridge flows the Seine. Let night come, the hour strike, the days go by, I remain.

[*And I sang this ballad in 1903 not knowing that my love was like the beautiful Phoenix which, if it dies one evening, morning sees its rebirth.*] *An evening of semi-fog in London, an urchin who looked like my love came toward me, and the glance he threw me made me lower my eyes in shame. I followed the bad boy who was whistling, his hands in his*

Qui sifflotait mains dans les poches
Nous semblions entre les maisons
Onde ouverte de la mer Rouge
Lui les Hébreux moi Pharaon

Que tombent ces vagues de briques
Si tu ne fus pas bien aimée
Je suis le souverain d'Egypte
Sa sœur-épouse son armée
Si tu n'es pas l'amour unique

Au tournant d'une rue brûlant
De tous les feux de ses façades
Plaies du brouillard sanguinolent
Où se lamentaient les façades
Une femme lui ressemblant

C'était son regard d'inhumaine
La cicatrice à son cou nu
Sortit saoule d'une taverne
Au moment où je reconnus
La fausseté de l'amour même

Lorsqu'il fut de retour enfin
Dans sa patrie le sage Ulysse
Son vieux chien de lui se souvint
Près d'un tapis de haute lisse
Sa femme attendait qu'il revînt

L'époux royal de Sacontale
Las de vaincre se réjouit
Quand il la retrouva plus pâle

---

pockets. Between the houses like the parted waves of the Red Sea, we seemed to be he, the Hebrews, I, Pharaoh. Let these waves of brick fall, if you were not well loved! I am the sovereign of Egypt, his sister-wife, his army, if you are not the only love. At the corner of a street burning with all the fires of its façades, wounds of the bleeding fog, where the house-fronts wailed, a woman resembling her—it was her inhuman glance, the scar on her bare neck—came out of a tavern, drunk, at the very moment when I recognized the falsity of love itself. When wise Ulysses came back at last to his country, his old dog remembered him; by a rug of high warp his wife awaited his return. The royal husband of Sakontala, tired of conquering, rejoiced when he found her, paler, her eyes grown

D'attente et d'amour yeux pâlis
Caressant sa gazelle mâle

J'ai pensé à ces rois heureux
Lorsque le faux amour et celle
Dont je suis encore amoureux
Heurtant leurs ombres infidèles
Me rendirent si malheureux

Regrets sur quoi l'enfer se fonde
Qu'un ciel d'oubli s'ouvre à mes vœux
Pour son baiser les rois du monde
Seraient morts les pauvres fameux
Pour elle eussent vendu leur ombre

J'ai hiverné dans mon passé
Revienne le soleil de Pâques
Pour chauffer un cœur plus glacé
Que les quarante de Sébaste
Moins que ma vie martyrisée

Mon beau navire ô ma mémoire
Avons-nous assez navigué
Dans une onde mauvaise à boire
Avons-nous assez divagué
De la belle aube au triste soir

Adieux faux amour confondu
Avec la femme qui s'éloigne
Avec celle que j'ai perdue
L'année dernière en Allemagne
Et que je ne reverrai plus

pale with waiting and love, caressing her male gazelle. I thought of these happy kings, when the false love and she with whom I am still in love, jostling their faithless shadows, made me so unhappy. Regrets on which hell arises! Let a heaven of forgetfulness open to my desires! For her kiss the kings of the world would have died, famous wretches, for her would have sold their shadow. I have wintered in my past. Let the Easter sun return to warm a heart more chilled than the forty martyrs of Sivas but less chilled than my martyred life. My lovely ship, O my memory, have we navigated enough on waves unfit to drink? Have we wandered enough from beautiful dawn to sad evening? Farewell, false love merged with the woman who is going away, with her whom I lost last year in Germany and whom I shall never see again. Milky Way, O luminous sister of the

Voie lactée ô sœur lumineuse
Des blancs ruisseaux de Chanaan
Et des corps blancs des amoureuses
Nageurs morts suivrons-nous d'ahan
Ton cours vers d'autres nébuleuses

Je me souviens d'une autre année
C'était l'aube d'un jour d'avril
J'ai chanté ma joie bien-aimée
Chanté l'amour à voix virile
Au moment d'amour de l'année

C'est le printemps viens-t'en Pâquette   AUBADE
Te promener au bois joli   CHANTÉE
Les poules dans la cour caquètent   À
L'aube au ciel fait de roses plis   LÆTARE
L'amour chemine à ta conquête   UN AN
                                      PASSÉ

Mars et Vénus sont revenus
Ils s'embrassent à bouches folles
Devant des sites ingénus
Où sous les roses qui feuillolent
De beaux dieux roses dansent nus

Viens ma tendresse est la régente
De la floraison qui paraît
La nature est belle et touchante
Pan sifflote dans la forêt
Les grenouilles humides chantent

Beaucoup de ces dieux ont péri

white streams of Canaan and of the white bodies of women in love, shall
we, dead swimmers, panting, follow your course toward other nebulae? I
remember another year. It was the dawn of an April day. I sang my beloved joy, sang my love with a virile voice at the year's time of love.
[AUBADE SUNG AT LAETARE ONE YEAR AGO] It is springtime, come along,
Pâquette, and walk in the pretty wood. The hens cackle in the yard.
Dawn in the sky makes pink folds. Love is marching to conquer you.
Mars and Venus have returned. They kiss wildly on the mouth, before
ingenious sites where beneath budding roses handsome pink gods dance
naked. Come, my tenderness is the regent of the blossom coming out.
Nature is beautiful and moving. Pan whistles in the forest. The moist
frogs sing. *Many of these gods have perished. It is over them that the*

C'est sur eux que pleurent les saules
Le grand Pan l'amour Jésus-Christ
Sont bien morts et les chats miaulent
Dans la cour je pleure à Paris

Moi qui sais des lais pour les reines
Les complaintes de mes années
Des hymnes d'esclave aux murènes
La romance du mal-aimé
Et des chansons pour les sirènes

L'amour est mort j'en suis tremblant
J'adore de belles idoles
Les souvenirs lui ressemblant
Comme la femme de Mausole
Je reste fidèle et dolent

Je suis fidèle comme un dogue
Au maître le lierre au tronc
Et les Cosaques Zaporogues
Ivrognes pieux et larrons
Aux steppes et au décalogue

Portez comme un joug le Croissant
Qu'interrogent les astrologues
Je suis le Sultan tout-Puissant
O mes Cosaques Zaporogues
Votre Seigneur éblouissant

Devenez mes sujets fidèles
Leur avait écrit le Sultan
Ils rirent à cette nouvelle

willows weep. The great Pan, love, Jesus Christ are quite dead, and the
cats miaow. In the courtyard I weep, in Paris—I who know lays for
queens, lamentations for my years, slaves' hymns to lampreys, the ballad
of the ill-loved and songs for sirens. Love is dead and so I tremble. I
adore beautiful idols: memories resembling her. Like the wife of Mausolus,
I remain faithful and sad. I am faithful as is a mastiff to his master, as
ivy to the tree-trunk and as are the Zaporogian Cossacks—pious drunks
and thieves—to the steppes and the decalogue. Carry as a yoke, the
Crescent which the astrologues question. I am the all-powerful Sultan, O
my Zaporogian Cossacks, your dazzling lord. Become my faithful subjects,
the Sultan had written to them. They laughed at the news and instantly

Et répondirent à l'instant
A la lueur d'une chandelle

Plus criminel que Barrabas   RÉPONSE
Cornu comme les mauvais anges   DES
Quel Belzébuth es-tu là-bas   COSAQUES
Nourri d'immondice et de fange   ZAPOROGUES
Nous n'irons pas à tes sabbats   AU SULTAN
    DE
Poisson pourri de Salonique   CONSTANTI-
Long collier des sommeils affreux   NOPLE
D'yeux arrachés à coup de pique
Ta mère fit un pet foireux
Et tu naquis de sa colique

Bourreau de Podolie Amant
Des plaies des ulcères des croûtes
Groin de cochon cul de jument
Tes richesses garde-les toutes
Pour payer tes médicaments

Voie lactée ô sœur lumineuse
Des blancs ruisseaux de Chanaan
Et des corps blancs des amoureuses
Nageurs morts suivrons-nous d'ahan
Ton cours vers d'autres nébuleuses

Regret des yeux de la putain
Et belle comme une panthère
Amour vos basiers florentins
Avaient une saveur amère
Qui a rebuté nos destins

answered by the light of a candle. [ANSWER OF THE ZAPOROGIAN COSSACKS TO THE SULTAN OF CONSTANTINOPLE] More criminal than Barrabas, horned like the bad angels, what a Beelzebub are you down there, fed on filth and dirt? We shall not go to your Sabbaths. Rotten fish of Salonika, long necklace of the hideous slumbers, of eyes torn out by pike blows, your mother gave a liquid fart and you were born from her colic. Hangman of Podolia. Lover of wounds ulcerated and of scabs. Pig's snout, mare's ass, keep all your riches to pay for your medicines. *Milky Way, O luminous sister of the white streams of Canaan and of the white bodies of women in love, shall we, dead swimmers, panting, follow your course toward other nebulae? Regret for the eyes of the whore beautiful as a*

Ses regards laissaient une traîne
D'étoiles dans les soirs tremblants
Dans ses yeux nageaient les sirènes
Et nos baisers mordus sanglants
Faisaient pleurer nos fées marraines

Mais en vérité je l'attends
Avec mon cœur avec mon âme
Et sur le pont des Reviens-t'en
Si jamais revient cette femme
Je lui dirai Je suis content

Mon cœur et ma tête se vident
Tout le ciel s'écoule par eux
O mes tonneaux des Danaïdes
Comment faire pour être heureux
Comme un petit enfant candide

Je ne veux jamais l'oublier
Ma colombe ma blanche rade
O marguerite exfoliée
Mon île au loin ma Désirade
Ma rose mon giroflier

Les satyres et les pyraustes
Les égypans les feux follets
Et les destins damnés ou faustes
La corde au cou comme à Calais
Sur ma douleur quel holocauste

Douleur qui doubles les destins

panther, love, your florentine kisses had a bitter taste that repelled our destinies. Her glances left a trail of stars in the quivering evenings. In her eyes sirens swam, and our biting, bleeding kisses made our fairy godmothers weep. But in truth I wait for her with my heart and with my soul, and on the bridge of Come-thee-back, if ever that woman returns, I'll say to her, "I am glad." My heart and my head are empty. The whole sky flows out through them. O my Danaïdes' cask, what can one do to be happy like a pure little child? I never want to forget her, my dove, my white haven, O my wide open daisy! My far-off island, my Desirade, my rose, my clove tree. The satyrs and the fabulous insects that live in fire, the horned Pans, the will-o'-the-wisps, and the fates damned or lucky, a rope around their necks as at Calais, what a holocaust on my sorrow! Sorrow doubling the fates, the unicorn and the capricorn, my soul and

La licorne et le capricorne
Mon âme et mon corps incertain
Te fuient ô bûcher divin qu'ornent
Des astres des fleurs du matin

Malheur dieu pâle aux yeux d'ivoire
Tes prêtres fous t'ont-ils paré
Tes victimes en robe noire
Ont-elles vainement pleuré
Malheur dieu qu'il ne faut pas croire

Et toi qui me suis en rampant
Dieu de mes dieux morts en automne
Tu mesures combien d'empans
J'ai droit que la terre me donne
O mon ombre ô mon vieux serpent

Au soleil parce que tu l'aimes
  Je t'ai menée souviens-t'en bien
Ténébreuse épouse que j'aime
Tu es à moi en n'étant rien
O mon ombre en deuil de moi-même

L'hiver est mort tout enneigé
On a brûlé les ruches blanches
Dans les jardins et les vergers
Les oiseaux chantent sur les branches
Le printemps clair l'avril léger

Mort d'immortels argyraspides
La neige aux boucliers d'argent

---

my hesitating body flee from you, O divine pyre adorned with the stars of the morning flowers. Misfortune, pale god with ivory eyes, have your mad priests decked for you your victims in their black robes? Have your victims cried in vain, misfortune, god one must not believe? And you who crawling follow me, god of my gods dead in autumn, you measure how many spans I have the right to receive as a gift from the earth, O my shadow, O my old serpent! To the sun because you love him, I led you, remember with care, dark spouse whom I love. You are mine and yet are nothing, O my shadow in mourning for myself! Winter is dead full of snow. They have burned the white hives. In the gardens and the orchards the birds on the branches sing of bright spring and light April. Death of immortal silver-armored foot soldiers, the snow with silver shields flees from the

Fuit les dendrophores livides
Du printemps cher aux pauvres gens
Qui resourient les yeux humides

Et moi j'ai le cœur aussi gros
Qu'un cul de dame damascène
O mon amour je t'aimais trop
Et maintenant j'ai trop de peine
Les sept épées hors du fourreau

Sept épées de mélancolie
Sans morfil ô claires douleurs
Sont dans mon cœur et la folie
Veut raisonner pour mon malheur
Comment voulez-vous que j'oublie

La première est toute d'argent   LES SEPT
Et son nom tremblant c'est Pâline   ÉPÉES
Sa lame un ciel d'hiver neigeant
Son destin sanglant gibeline
Vulcain mourut en la forgeant

La seconde nommée Noubosse
Est un bel arc-en-ciel joyeux
Les dieux s'en servent à leurs noces
Elle a tué trente Bé-Rieux
Et fut douée par Carabosse

La troisième bleu féminin
N'en est pas moins un chibriape
Appelé Lul de Faltenin

---

livid caterpillars of spring, dear to poor people who smile again with
moist eyes. And I have a heart as heavy as the behind of a lady from
Damascus. O my love, I loved you too much, and now I have too much
pain. The seven swords out of their shields, seven swords of melancholy
without a blunt edge, O bright sorrows, are in my heart and madness
wants to reason to my great misfortune. How do you think I could for-
get? [THE SEVEN SWORDS] *The first is all of silver, and its trembling name*
is Pâline, its blade is a snowing winter sky, its destiny bloody and Ghibel-
line. Vulcan died while forging it. The second, called Noubosse, is a
beautiful, joyful rainbow. The gods use it at their weddings. It killed
twenty Bé-Rieux and was endowed by the wicked fairy. The third is a femi-
nine blue and nonetheless a phallus called Lul de Faltenin and is carried on a

Et que porte sur une nappe
L'Hermès Ernest devenu nain

La quatrième Malourène
Est un fleuve vert et doré
C'est le soir quand les riveraines
Y baignent leurs corps adorés
Et des chants de rameurs s'y traînent

La cinquième Sainte-Fabeau
C'est la plus belle des quenouilles
C'est un cyprès sur un tombeau
Où les quatre vents s'agenouillent
Et chaque nuit c'est un flambeau

La sixième métal de gloire
C'est l'ami aux si douces mains
Dont chaque matin nous sépare
Adieu voilà votre chemin
Les coqs s'épuisaient en fanfares

Et la septième s'exténue
Une femme une rose morte
Merci que le dernier venu
Sur mon amour ferme la porte
Je ne vous ai jamais connue

Voie lactée ô sœur lumineuse
Des blancs ruisseaux de Chanaan
Et des corps blancs des amoureuses
Nageurs morts suivrons-nous d'ahan
Ton cours vers d'autres nébuleuses

cloth by Hermes, Ernest become a dwarf. The fourth, Malourène, is a green and golden river. It is the evening when the women living by the harbor bathe their adored bodies there where the songs of rowers trail. The fifth Sainte-Fabeau is the most beautiful of distaffs. It is a cypress on a tomb where the four winds kneel. And each night it is a torch. The sixth, metal of glory, is the friend with such soft hands from whom each morning separates us. Farewell, there is your path. The cocks wore themselves out with fanfares. And the seventh exhausts itself. A woman, a dead rose. I am thankful that the last to arrive closes the door of my love. I have never known you. *Milky way, O luminous sister of the white streams of Canaan, and of the white bodies of women in love, shall we,*

Les démons du hasard selon
Le chant du firmament nous mènent
A sons perdus leurs violons
Font danser notre race humaine
Sur la descente à reculons

Destins destins impénétrables
Rois secoués par la folie
Et ces grelottantes étoiles
De fausses femmes dans vos lits
Aux déserts que l'histoire accable

Luitpold le vieux prince régent
Tuteur de deux royautés folles
Sanglote-t-il en y songeant
Quand vacillent les lucioles
Mouches dorées de la Saint-Jean

Près d'un château sans châtelaine
La barque aux barcarols chantants
Sur un lac blanc et sous l'haleine
Des vents qui tremblent au printemps
Voguait cygne mourant sirène

Un jour le roi dans l'eau d'argent
Se noya puis la bouche ouverte
Il s'en revint en surnageant
Sur la rive dormir inerte
Face tournée au ciel changeant

Juin ton soleil ardente lyre

---

dead swimmers, panting, follow your course toward other nebulae? The demons of chance lead us according to the song of the firmament. With stray sounds their violins make our human race dance backward down the slope. Fates, impenetrable fates! Kings shaken by madness and the shivering stars of false women in your beds in deserts that history overwhelms. Luitpold, the old prince-regent, guardian of two mad royalties, does he weep, thinking of it, when the fireflies waver, the golden flies of Saint John's Day? By a castle without a chatelaine, the bark with its singing of barcarolles, on a white lake and under the breath of winds that tremble in the spring, drifted like a dying siren-swan. One day the king drowned in the silver water; then, his mouth open, he came back, floating, to sleep inert on the bank, his face turned toward the changing sky. June,

Brûle mes doigts endoloris
Triste et mélodieux délire
J'erre à travers mon beau Paris
Sans avoir le cœur d'y mourir

Les dimanches s'y éternisent
Et les orgues de Barbarie
Y sanglotent dans les cours grises
Les fleurs aux balcons de Paris
Penchent comme la tour de Pise

Soirs de Paris ivres de gin
Flambant de l'électricité
Les tramways feux verts sur l'échine
Musiquent au long des portées
De rails leur folie de machines

Les cafés gonflés de fumée
Crient tout l'amour de leurs tziganes
De tous leurs siphons enrhumés
De leurs garçons vêtus d'un pagne
Vers toi toi que j'ai tant aimée

Moi qui sais des lais pour les reines
Les complaintes de mes années
Des hymnes d'esclave aux murènes
La romance du mal-aimé
Et des chansons pour les sirènes

---

your sun, ardent lyre, burns my aching fingers. Sad and melodious delirium, I wander through my beautiful Paris without having the heart to die there. Sundays are eternally long and the barrel organs sob there in the gray courtyards. The flowers on the balconies of Paris lean like the tower of Pisa. Parisian evenings drunk with gin, blazing with electricity, the tramways, green lights on their spines, set to music along staffs of rails their machine madness. The cafés swollen with smoke cry all the love of their gypsies, of all their sniffling siphons, of their waiters dressed in loincloths, toward you, whom I loved so much. I who know lays for queens, lamentations for my years, slaves' hymns to lampreys, the ballad of the ill-loved, and songs for sirens.

MARIE

Vous y dansiez petite fille
Y danserez-vous mère-grand
C'est la maclotte qui sautille
Toutes les cloches sonneront
Quand donc reviendrez-vous Marie

Des masques sont silencieux
Et la musique est si lointaine
Qu'elle semble venir des cieux
Oui je veux vous aimer mais vous aimer à peine
Et mon mal est délicieux

Les brebis s'en vont dans la neige
Flocons de laine et ceux d'argent
Des soldats passent et que n'ai-je
Un cœur à moi ce cœur changeant
Changeant et puis encor que sais-je

Sais-je où s'en iront tes cheveux
Crépus comme mer qui moutonne
Sais-je où s'en iront tes cheveux
Et tes mains feuilles de l'automne
Que jonchent aussi nos aveux

Je passais au bord de la Seine
Un livre ancien sous le bras
Le fleuve est pareil à ma peine
Il s'écoule et ne tarit pas
Quand donc finira la semaine

You danced there as a little girl, will you dance there as a grand-mother? It's the dance that hops. All the bells will ring. When will you come back, Marie? The masks are silent and the music is so far off that it seems to come from the skies. Yes, I want to love you, but to love you just a little, and my pain is delicious. The lambs go away in the snow, flakes of wool with those of silver. Soldiers pass; and why do I not have a heart of my own, this changing heart, changing and then again what do I know? Do I know where your hair will go? Wavy as the sea that foams? Do I know where your hair will go, and your hands full of the leaves of the autumn that our vows also bestrew? I was passing by the bank of the Seine, an old book under my arm. The river is like my sorrow, it flows on and does not dry up. Oh, will the week never end?

SALTIMBANQUES

Dans la plaine les baladins
S'éloignent au long des jardins
Devant l'huis des auberges grises
Par les villages sans églises

Et les enfants s'en vont devant
Les autres suivent en rêvant
Chaque arbre fruitier se résigne
Quand de très loin ils lui font signe

Ils ont des poids ronds ou carrés
Des tambours des cerceaux dorés
L'ours et le singe animaux sages
Quêtent des sous sur leur passage

LIENS

Cordes faites de cris

Sons de cloches à travers l'Europe
Siècles pendus

Rails qui ligotez les nations
Nous ne sommes que deux ou trois hommes
Libres de tous liens
Donnons-nous la main

Violente pluie qui peigne les fumées

In the plain the circus players go away, skirting the gardens, the doors of the gray inns, through villages, through churches. And the children pass ahead, the others follow dreaming. Each fruit tree is resigned when they greet it from afar. They have round or square weights, drums, golden hoops. The bear and the monkey, well-behaved animals, pass round the hat as they go by.

Ropes made of cries, sounds of bells throughout Europe, centuries hanging, rails that bind the nations, we are only two or three men free of all bonds; let us hold hands. Violent rain that combs the smokes,

Cordes
Cordes tissées

Câbles sous-marins
Tours de Babel changées en ponts
Araignées-Pontifes
Tous les amoureux qu'un seul lien a liés

D'autres liens plus ténus
Blancs rayons de lumière
Cordes et Concorde

J'écris seulement pour vous exalter
O sens ô sens chéris
Ennemis du souvenir
Ennemis du désir

Ennemis du regret
Ennemis des larmes
Ennemis de tout ce que j'aime encore

LES FENÊTRES

Du rouge au vert tout le jaune se meurt
Quand chantent les aras dans les forêts natales
Abatis de pihis
Il y un poème à faire sur l'oiseau qui n'a qu'une aile
Nous l'enverrons en message téléphonique
Traumatisme géant
Il fait couler les yeux
Voilà une jolie jeune fille parmi les jeunes Turinaises
Le pauvre jeune homme se mouchait dans sa cravate
     blanche

cords, woven cords, undersea cables, towers of Babel changed into
bridges, Spider-Priests, all the lovers that a single bond bound, other finer
bonds, white rays of light, cords and Concord. I write only to exalt you,
O senses, O beloved senses, enemies of memory, enemies of desire,
enemies of regret, enemies of tears, enemies of all that I still love.

From red to green, all the yellow dies when the parrots sing in the
native forests, heap of bagged imaginary pihi birds. There is a poem to
be written about the bird who has only one wing. We shall send it in a
telephone message, giant trauma. It makes the eyes run. Look at the
pretty girl among the young girls from Turin. The poor young man was

Tu soulèveras le rideau
Et maintenant voilà s'ouvre la fenêtre
Araignées quand les mains tissaient la lumière
Beauté pâleur insondables violets
Nous tenterons en vain de prendre du repos
On commencera à minuit
Quand on a le temps on a la liberté
Bigorneaux Lotte multiples Soleils et l'Oursin du couchant
Une vieille paire de chaussures jaunes devant la fenêtre
Tours
Les Tours ce sont les rues
Puits
Puits ce sont les places
Puits
Arbres creux qui abritent les Câpresses vagabondes
Les Chabins chantent des airs à mourir
Aux Chabines marronnes
Et l'oie oua-oua trompette au nord
Où les chasseurs de ratons
Raclent les pelleteries
Etincelant diamant
Vancouver
Où le train blanc de neige et de feux nocturnes fuit l'hiver
O Paris
Du rouge au vert tout le jaune se meurt
Paris Vancouver Hyères Maintenon New-York et les
      Antilles
La fenêtre s'ouvre comme une orange
Le beau fruit de la lumière

blowing his nose in his white tie. You will raise the curtain, and now the window opens. Spiders when hands were weaving light, beauty, pallor, unfathomable violets, we shall try in vain to take some rest. We shall begin at midnight. When one has time, one has freedom. Periwinkles, Burbot, multiple Suns and sea-urchins of the setting sun, an old pair of yellow shoes in front of the window. Towers. The towers are the streets. Wells. The wells are the squares. Wells. Hollow trees that shelter the wandering spirits. The octorooms sing airs that make one swoon to their maroon girls, and the goose "oua-oua" blares in the north where the racoon hunters scrape the pelts. Sparkling diamond, Vancouver where the train white with snow and nocturnal lights flees the winter. O Paris, from red to green all the yellow dies. Paris, Vancouver, Hyères, Maintenon, New York and the Antilles; the window opens like an orange, the beautiful fruit of light.

LA JOLIE ROUSSE

Me voici devant tous un homme plein de sens
Connaissant la vie et de la mort ce qu'un vivant peut con-
        naître
Ayant éprouvé les douleurs et les joies de l'amour
Ayant su quelquefois imposer ses idées
Connaissant plusieurs langages
Ayant pas mal voyagé
Ayant vu la guerre dans l'Artillerie et l'Infanterie
Blessé à la tête trépané sous le chloroforme
Ayant perdu ses meilleurs amis dans l'effroyable lutte
Je sais d'ancien et de nouveau autant qu'un homme seul
        pourrait des deux savoir
Et sans m'inquiéter aujourd'hui de cette guerre
Entre nous et pour nous mes amis
Je juge cette longue querelle de la tradition et de l'invention
            De l'Ordre de l'Aventure
Vous dont la bouche est faite à l'image de celle de Dieu
Bouche qui est l'ordre même
Soyez indulgents quand vous nous comparez
A ceux qui furent la perfection de l'ordre
Nous qui quêtons partout l'aventure

Nous ne sommes pas vos ennemis
Nous voulons vous donner de vastes et d'étranges domaines
Où le mystère en fleurs s'offre à qui veut le cueillir
Il y a là des feux nouveaux des couleurs jamais vues

[*The Pretty Redhead*] Here I am, before you all, a man full of sense,
knowing life and knowing of death what a living man can know, having
experienced the sorrows and the joys of love, having sometimes known
how to impose his ideas, knowing several languages, having traveled quite
a bit, having seen the war in the Artillery and the Infantry, wounded in
the head, trepanned under chloroform, having lost his best friends in the
terrible struggle. I know of old and new as much as one man can know
of both, and, without worrying myself today about this war, between us
and for us, my friends, I judge the long quarrel of tradition and invention, of Order and Adventure. You whose mouth is made in the image
of God's mouth, a mouth which is order itself, be indulgent when you
compare us to those who were the perfection of order, we who are everywhere in quest of adventure. We are not your enemies. We wish to give you
vast and strange domains where flowering mystery is offered to him who

Mille phantasmes impondérables
Auxquels il faut donner de la réalité
Nous voulons explorer la bonté contrée énorme où tout se
    tait
Il y a aussi le temps qu'on peut chasser ou faire revenir
Pitié pour nous qui combattons toujours aux frontières
De l'illimité de l'avenir
Pitié pour nos erreurs pitié pour nos péchés
Voici que vient l'été la saison violente
Et ma jeunesse est morte ainsi que le printemps
O Soleil c'est le temps de la Raison ardente
                Et j'attends
Pour la suivre toujours la forme noble et douce
Qu'elle prend afin que je l'aime seulement
Elle vient et m'attire ainsi qu'un fer l'aimant
                Elle a l'aspect charmant
                D'une adorable rousse
Ses cheveux sont d'or on dirait
Un bel éclair qui durerait
Ou ces flammes qui se pavanent
Dans les roses-thé qui se fanent

Mais riez riez de moi
Hommes de partout surtout gens d'ici
Car il y a tant de choses que je n'ose vous dire
Tant de choses que vous ne me laisseriez pas dire
Ayez pitié de moi

desires to pick it. There, there are new fires, colors never seen, one thousand imponderable phantasms to which we must give reality. We want to
explore goodness, an immense country in which all is silent. There is also
time that we can chase away or bring back. Pity for us who are always
fighting on the frontiers of the limitless and the future. Pity for our
errors, pity for our sins. Now summer is coming, the violent season, and
my youth is dead as well as spring. O sun, it is the time of the burning
Reason, and I await, so as to follow her always, the noble and soft shape
that she takes so that I may love her alone. She comes and attracts me
as the magnet an iron. She has the charming appearance of an adorable
redhead. Her hair is golden. It seems a beautiful flash of lightning that
lasts, or the flames that strut in fading tea-roses. But laugh at me, men
everywhere, particularly people from here. For there are so many things
that I don't dare tell you. So many things that you wouldn't let me say.
Have pity on me.

Alfred Jarry

(1873–1907)

LA CHANSON DU DÉCERVELAGE

Je fus pendant longtemps ouvrier ébéniste,
Dans la ru' du Champ d'Mars, d'la paroiss' de Toussaints.
Mon épouse exerçait la profession d'modiste,
   Et nous n'avions jamais manqué de rien. —
   Quand le dimanch' s'annonçait sans nuage,
   Nous exhibions nos beaux accoutrements
   Et nous allions voir le décervelage
   Ru' d'l'Echaudé, passer un bon moment.
      Voyez, voyez la machin' tourner,
      Voyez, voyez la cervell' sauter,
      Voyez, voyez les Rentiers trembler;
(CHŒUR): *Hourra, cornes-au-cul, vive le Père Ubu!*

Nos deux marmots chéris, barbouillés d'confitures,
Brandissant avec joi' des poupins en papier,
Avec nous s'installaient sur le haut d'la voiture
   Et nous roulions gaîment vers l'Echaudé. —
   On s'précipite en foule à la barrière,
   On s'fich' des coups pour être au premier rang;
   Moi je m'mettais toujours sur un tas d'pierres
   Pour pas salir mes godillots dans l'sang.

[*The Song of Debraining*] I was for many years a cabinet-maker, in the street of the Champ d'Mars, in All-Hallows Parish. My wife exercised the profession of milliner, and we never lacked anything. When the Sunday sky appeared to be cloudless, we exhibited our beautiful accouterments and we went to see the debraining on Scalding Street, to have a good time. *See, see the machine turn, see, see the brain jump, see, see the Coupon-clippers tremble;* (CHORUS): *Hurrah, horns-on-the-ass, long live Father Ubu!* Our two beloved kids, faces smeared with jam, brandishing with joy their paper dolls, settled with us on top of the cab and we rolled gaily toward Scalding Street. They rush in crowds to the fence, they slug it out to be in the front row; I always stood on a heap of stones so as not to dirty my clodhoppers in blood. *See, see the machine turn, see,*

> *Voyez, voyez la machin' tourner,*
> *Voyez, voyez la cervell' sauter,*
> *Voyez, voyez les Rentiers trembler;*

(CHŒUR): *Hourra, cornes-au-cul, vive le Père Ubu!*

Bientôt ma femme et moi nous somm's tout blancs d'cer-
   velle,
Les marmots en boulott'nt et tous nous trépignons
En voyant l'Palotin qui brandit sa lumelle,
   Et les blessur's et les numéros d'plomb. —
   Soudain j'perçois dans l'coin, près d'la machine,
   La gueul' d'un bonz' qui n'm'revient qu'à moitié.
   Mon vieux, que j'dis, je r'connais ta bobine,
   Tu m'as volé, c'est pas moi qui t'plaindrai.

> *Voyez, voyez la machin' tourner,*
> *Voyez, voyez la cervell' sauter,*
> *Voyez, voyez les Rentiers trembler;*

(CHŒUR): *Hourra, cornes-au-cul, vive le Père Ubu!*

Soudain j'me sens tirer la manch' par mon épouse:
Espèc' d'andouill', qu'ell'm'dit, v'là l'moment d'te montrer:
Flanque-lui par la gueule un bon gros paquet d'bouse,
   V'là l'Palotin qu'a just' le dos tourné. —
   En entendant ce raisonn'ment superbe,
   J'attrap' sus l'coup mon courage à deux mains:
   J'flanque au Rentier une gigantesque merdre
   Qui s'aplatit sur l'nez du Palotin.

> *Voyez, voyez la machin' tourner,*
> *Voyez, voyez la cervell' sauter,*

see the brain jump, see, see the Stockholders tremble; (CHORUS): *Hurrah, horns-on-the-ass, long live Father Ubu!* Soon my wife and I are all white with brains, the kids were gobbling them up and we were all stamping with fury on seeing the Champion brandishing his blade, and the wounds and the items with lead. Suddenly in the corner, near the machine, I see the mug of a guy that I don't fancy much. My pal, says I, I recognize your puss, you swindled me, I'm not going to feel sorry for you. *See, see the machine turn, see, see the brain jump, see, see the Stockholders tremble;* (CHORUS): *Hurrah, horns-on-the-ass, long live Father Ubu!* Suddenly I feel my sleeve being pulled by my wife: you fathead, says she, now is your chance to show what you can do: let him have a good fat lot of muck in the mug, the Champion's just turned his back. Hearing this superb reasoning, right away I hang on to my courage with both hands; I let the Coupon-clipper have a gigantic piece of shit which splatters over the Champion's nose. *See, see the machine turn, see, see the brain jump, see, see the Stockholders tremble;* (CHORUS): *Hurrah, horns-on-the-ass,*

Voyez, voyez les Rentiers trembler;
(CHŒUR): *Hourra, cornes-au-cul, vive le Père Ubu!*

Aussitôt j'suis lancé par-dessus la barrière,
Par la foule en fureur je me vois bousculé
Et j'suis précipité la tête la première
   Dans l'grand trou noir d'ous qu'on n'revient jamais. —
Voilà c'que c'est qu'd'aller s'prom'ner l'dimanche
Ru' d'l'Echaudé pour voir décerveler,
Marcher l'Pinc'-Porc ou bien l'Démanch'-Comanche,
On part vivant et l'on revient tudé.
      Voyez, voyez la machin' tourner,
      Voyez, voyez la cervell' sauter,
      Voyez, voyez les Rentiers trembler;
(CHŒUR): *Hourra, cornes-au-cul, vive le Père Ubu!*

*M*ax Jacob
(1876–1944)

LE CYGNE
(Genre essai plein d'esprit)

   Le cygne se chasse en Allemagne, patrie de Lohengrin. Il
sert de marque à un faux col dans les pissotières. Sur les
lacs, on le confond avec les fleurs et on s'extasie, alors, sur
sa forme de bateau; d'ailleurs, on le tue impitoyablement

---

long live Father Ubu! Immediately I am thrown over the fence by the in-
furiated crowd, I find I'm knocked around and I am thrown head first
into the large black hole which one never gets out of. That's what comes
from going out on Sunday on Scalding Street to see the debraining,
whether you go by Pinchpork or Hustle Bugger Alley, you leave alive and
you come back dead. *See, see the machine turn, see, see the brain jump,
see, see the Stockholders tremble;* (CHORUS): *Hurrah, horns-on-the-ass,
long live Father Ubu!*

[In essay form, full of wit] They hunt the swan in Germany, the country of Lohengrin. The swan is used as a trademark for stiff collars in
urinals. On lakes people often mistake it for flowers and become ecstatic
about its boatlike shape; besides, they kill it without pity to make it

pour le faire chanter. La peinture utiliserait volontiers le cygne, mais nous n'avons plus de peinture. Quand il a eu le temps de se changer en femme avant de mourir, sa chair est moins dure que dans le cas contraire: les chasseurs l'estiment davantage alors. Sous le nom d'eider, les cygnes aidèrent à l'édredon. Et cela ne lui va pas mal. On appelle hommes-cygnes ou hommes insignes les hommes qui ont le cou long comme Fénelon, cygne de Cambrai. Etc...

INVITATION AU VOYAGE

Les trains! Les trains par les tunnels étreints
Ont fait de ces cabarets roses
Où les tziganes vont leur train
Les tziganes aux valses roses
Des îles chastes de boulingrins.

Il passe sur automobiles
Il passe de fragiles rentières
Comme sacs à loto mobiles.
Vers des parcs aux doux ombrages
Je t'invite ma chère Elise.
Elise! je t'invite au voyage
Vers ces palais de Venise.

Pour cueillir des fleurs aux rameaux
Nous déposerons nos vélos
Devant les armures hostiles
Des grillages modern-style

sing. Painting would be happy to use the swan, but we no longer have any painting. When the swan has had the time to change into a woman before dying, its flesh is less hard than in the first case: hunters then value the swan more highly. Under the name of "eider" swans helped to make the eiderdown. And that is not unbecoming. Men who have a long neck like Fénelon, the swan of Cambrai, are called swan-men or outstanding men. Etc. . . .

Trains! Trains hugged by tunnels have made those pink cabarets where gypsies carry on, gypsies with their pink waltzes, chaste islands of lawns. In automobiles pass fragile lady stockholders like mobile loto bags. Toward the gently shaded parks, I invite you, my dear Elise! Elise! I invite you on a voyage to the palaces of Venice. To pick flowers from the branches, we shall leave our bicycles in front of the hostile armor of modern-style gates. We shall leave our machines to decorate them with hawthorn. We

Nous déposerons nos machines
Pour les décorer d'aubépine
Nous regarderons couler l'eau
En buvant des menthes à l'eau.

Peut-être que sexagénaires
Nous suivrons un jour ces rivières
Dans d'écarlates automates
Dont nous serons propriétaires!
Mais en ces avenirs trop lents
Les chevaux des Panhard
Ne seront-ils volants?

A vendre: quatre véritables déserts
A proximité du chemin de fer,
S'adresser au propriétaire-notaire
M. Chocarneau,
18, boulevard Carnot.

LA SALTIMBANQUE EN WAGON DE 3ME CLASSE

La saltimbanque! la saltimbanque!
a pris l'express à neuf heures trente
a pris l'express de Paris-Nantes
Prends garde garde ô saltimbanque
que le train partant ne te manque
Et voici son cœur qui chante:
oh! sentir dans la nuit clémente
qu'on suit la direction d'un grand fleuve
dans la nuit de l'ouest dans la nuit veuve!

shall watch the water flowing while drinking mint and water. Perhaps at sixty we shall one day follow the rivers in scarlet automatic machines of which we'll be the owners! But in this too slow-footed future, won't the horse-power of the Panhard fly? For sale: four real deserts near the railroad, inquire at the home of the proprietor-notary, Mr. Chocarneau, 18 boulevard Carnot.

The acrobat! the acrobat! She took the express at nine-thirty, took the Paris-Nantes Express. Take care, take care, O acrobat! lest the train as it pulls out miss you. And now her heart is singing: oh! to feel in the clement evening that one follows the direction of a great river in the western night, in the widowed night! But they will not leave me alone

Mais on ne me laissera donc pas seule
sous mon rêve avec mon saule
Gens de Saumur! gens de Saumur!
Oh! laissez-moi dans ma saumure.
Abstenez-vous, gens de Saumur, de monter dans
      cette voiture.
Elle rêve à son maillot jaune
qui doit si bien aller à sa chevelure
quand elle la rejette loin de sa figure
Elle rêve à son mari qui est jeune
plus jeune qu'elle et à son enfant
qui est visiblement un génie.
La saltimbanque est tcherkesse
elle sait jouer de la grosse caisse
Elle est belle et ne fait pas d'épates
elle a des lèvres comme la tomate.

Léon-Paul Fargue

(1876–1947)

MERDRIGAL
En dédicrasse

Dans mon cœur en ta présence
Fleurissent des harengs saurs.
Ma santé, c'est ton absence,
Et quand tu parais, je sors.

---

under my dream with my willow. People of Saumur! people of Saumur!
oh! leave me in my pickle. Refrain, people of Saumur, from getting into
this car. She dreams of her yellow sweater which must match her hair so
beautifully when she throws it far back from her face. She dreams of her
husband who is young, younger that she, and of her child who is
obviously a genius. The acrobat is Circassian, she knows how to play on
the big drum. She is beautiful and does not show off. She has lips like a
tomato.

[*Excremental madrigal,* in dedicrudition] In my heart in your presence
pickled herrings flower. My health is your absence, and when you appear,
I leave.

AUBES

Que l'aube apporte le vent neuf
Et qu'elle joue aux quatre coins
Avec nostalgie dans les villes
Aux carrefours ornés de glaces
Qui attirent de vieux regards
Subtils du fond des lointains graves ...

Que les rats qui roulent sans bruit
D'un arbre à l'autre, hors de leurs grilles,
Au ruisseau que l'heure pâlit
Traversent ton ombre grandie
Lorsque les choses vous regardent
Aussi vite qu'on les regarde ...

Que s'ouvrent au tremblement mauve
Les corolles des boucheries
Où s'égoutte du sang qui dort
Et que le ciel monte à coups sourds
Du bout du fleuve au timbre obscur
Où un remorqueur meugle et fume
D'un nasal noir contre le jour ...

Que le mitron ferme le four
Où brasillent les vieilles cendres
Et qu'une femme vigilante
Aux yeux de mère et de servante
Sous une porte où le vent s'enfle
Souffle ses fumerons qui chantent
Et verse le Noir aux mains lentes ...

If dawn brings the new wind and plays nostalgically at puss in the corner in the cities at the crossroads adorned with glass that draw old subtle glances from the depths of solemn distances. . . . If the rats that noiselessly roll from tree to tree, out of their grills toward the gutter that pales at that hour, cross your shadow enlarged at the hour when things look at you as quickly as you look at them. . . . If the corolla of the slaughter-houses where drips the sleeping blood open with the mauve quivering, and the sky rises with muted blows from the end of the river with its dim tones where a tugboat bellows and smokes from its black funnel-nose against the light. . . . If the baker's boy closes the oven where old ashes glint, and a vigilant woman with maternal and domestic eyes, under a door where the wind swells, blows her wisps of smoke that sing and pours Blackness with slow hands. . . . If the dawn twists the

Que l'aube emmêle le vent rêche
Dans l'arbre où se peigne la lune
Et qu'elle réveille la mare
Couverte d'un duvet de prune
Où d'étranges insectes tremblent
Sensibles comme des balances
Sur un vieux nuage qui dort ...

Il suffit — pour que tu te chantes
Une chanson basse, égarée,
Où il est question de femmes,
De bleus retours à des campagnes,
De promesses et de poèmes,
— Et que ton cœur se fonce et pleure
De pleurer sur d'anciennes larmes.

Blaise Cendrars

(1887–1961)

CLAIR DE LUNE

On tangue on tangue sur le bateau
La lune la lune fait des cercles dans l'eau
Dans le ciel c'est le mât qui fait des cercles
Et désigne toutes les étoiles du doigt

Une jeune Argentine accoudée au bastingage

dry wind in the tree where the moon combs her hair and awakens the pond covered as with the dawn of a plum bloom where strange insects tremble as sensitive as scales on an old sleeping cloud. . . . It is sufficient —to make you sing to yourself a low, stray song, which deals with women, blue returns to fields, promises and poems—and to make your heart darken and cry at crying over old tears.

We pitch, we pitch on the boat. The moon, the moon makes circles in the water. In the sky it's the mast that makes circles and points out all the stars with its finger. A young girl from Argentina leaning over the railing dreams of Paris while contemplating the lights that outline the

Rêve à Paris en contemplant les phares qui dessinent la côte
    de France
Rêve à Paris qu'elle ne connaît qu'à peine et qu'elle regrette
    déjà
Ces feux tournants fixes doubles colorés à éclipses lui rap-
    pellent ceux qu'elle voyait de sa fenêtre d'hôtel sur les
    Boulevards et lui promettent un prompt retour
Elle rêve de revenir bientôt en France et d'habiter Paris
Le bruit de ma machine à écrire l'empêche de mener ce rêve
    jusqu'au bout
Ma belle machine à écrire qui sonne au bout de chaque ligne
    et qui est aussi rapide qu'un jazz
Ma belle machine à écrire qui m'empêche de rêver à babord
    comme à tribord
Et qui me fait suivre jusqu'au bout une idée
Mon idée

COUCHERS DE SOLEIL

Tout le monde parle des couchers de soleil
Tous les voyageurs sont d'accord pour parler des couchers
    de soleil dans ces parages
Il y a plein de bouquins où l'on ne décrit que les couchers
    de soleil
Les couchers de soleil des tropiques
Oui c'est vrai c'est splendide
Mais je préfère de beaucoup les levers de soleil
L'aube

coast of France, dreams of Paris that she hardly knows and that she already regrets. The fixed revolving double colored lights with their eclipses remind her of those that she saw from her hotel window on the Boulevards and promise her a prompt return. She dreams of returning soon to France and of living in Paris. The noise of my typewriter prevents her from finishing this dream. My beautiful typewriter which rings at the end of every line and which goes as fast as a jazz band. My beautiful typewriter which prevents me from dreaming on the port side or on the starboard side, and which forces me to follow an idea to the end, my idea.

Everyone speaks of sunsets. All the travelers agree to speak about sunsets in this part of the world. There are lots of books in which only sunsets are described. Tropical sunsets, yes it's true, it's splendid. But I much prefer sunrises. The dawn, I never miss one. I am always on deck,

Je n'en rate pas une
Je suis toujours sur le pont
A poils
Et je suis toujours seul à les admirer
Mais je ne vais pas les décrire les aubes
Je vais les garder pour moi seul

Pierre Reverdy

(1889–   )

CRÈVE-CŒUR

Ah tout va finir
Une lente musique s'étale sur le mur en éclaboussures
Une main sur la bouche
L'autre sans le revers qui touche
L'amour nu s'évade par la fenêtre
Le joli portrait
Une femme qui pleure en chemise fripée
Assez bien grimacé cette haute passion
Elle pleure et part vers le ciel qui l'appelle
L'eau et les arbres forts
Désespoir d'amour sans violon
Et pourtant le piège est toujours là caché
Au carrefour l'orgue de barbarie un soir d'été
Donna un sens à ta mélancolie
Tristesse légère
Il n'en reste plus rien

naked, and I am always alone to admire them. But I am not going to describe them, the dawns; I am going to keep them for myself.

Ah! Everything is going to end! A slow music spreads in splashes over the wall. One hand on the mouth, the other without the back of the hand that touches. Naked love escapes through the window. The pretty portrait: a woman crying in a crumpled chemise—this high passion was rather well-mimed—she cries and goes away toward the sky that calls her. The water and the strong trees, despair of love without a violin, and nevertheless the trap is always there, hidden. At the crossroads the barrel organ, one summer evening, gave a meaning to your melancholy. Light sadness,

Tous les amis sont morts
Les femmes d'elles-mêmes s'en vont à leur rencontre
Tu entrais dans le jeu sous un signe maudit
Que vas-tu devenir honnête homme ou bandit
Rien
Je garde ma peau cachée sous mon veston
Le flot à suivre coule
J'y mêle mon sourire
Et par-dessus les toits regarde ta raison
Le monde est gai le monde rit et toi aussi
Dans une seule nuit j'ai perdu mon âge et mon nom

SALTIMBANQUES

Au milieu de cet attroupement il y a avec un enfant qui danse un homme qui soulève des poids. Ses bras tatoués de bleu prennent le ciel à témoin de leur force inutile.

L'enfant danse, léger, dans un maillot trop grand; plus léger que les boules où il se tient en équilibre. Et quand il tend son escarcelle, personne ne donne. Personne ne donne de peur de la remplir d'un poids trop lourd. Il est si maigre.

UN HOMME FINI

Le soir, il promène, à travers la pluie et le danger nocturne, son ombre informe et tout ce qui l'a fait amer.

nothing remains, all the friends are dead. The women, on their own accord, go to meet them. You entered the game under a cursed sign. What are you going to become, gentleman or bandit? Nothing. I keep my skin hidden under my jacket. The wave that will follow flows, I mingle my smile to it and above the roofs I look at your reason. The world is gay, the world laughs and you also laugh. In a single night I lost my age and my name.

In the middle of this crowd there is, with a child who dances, a man who lifts weights. His arms tattooed in blue appeal to the sky as witness of their useless strength. The child dances, light in tights that are too big; lighter than the balls on which he balances himself. And when he holds out his money cup, no one gives for fear of filling it with too heavy a weight. He is so thin.

In the evening, he promenades, through the rain and the nocturnal danger, his shapeless shadow and all that made him bitter. At the first

A la première rencontre, il tremble — où se réfugier contre le désespoir?

Une foule rôde dans le vent qui torture les branches, et le Maître du ciel le suit d'un œil terrible.

Une enseigne grince — la peur. Une porte bouge et le volet d'en haut claque contre le mur; il court et les ailes qui emportaient l'ange noir l'abandonnent.

Et puis, dans les couloirs sans fin, dans les champs désolés de la nuit, dans les limites sombres où se heurte l'esprit, les voix imprévues traversent les cloisons, les idées mal bâties chancellent, les cloches de la mort équivoque résonnent.

LONGUE PORTÉE

Poissons dorés surpris dans les mailles du vent
Catapultes de la lumière
Regains de soif lancés dans tous les coins
Détentes révolues des appétits déteints
Tout se mêle dans les remous des ondes prisonnières
La poitrine résonne comme un sol creux
Il y a des ombres sur le buvard de tes joues
Et des claquements de porcelaine bleue
Par-dessus tous les toits aux lames de violettes
Un rouge de valeur plus dense sans écho
Un sang plus étendu au flanc de la colline

encounter, he trembles—where can he hide against despair? A crowd slinks in the wind that tortures the branches, and the Master of the sky follows him with a terrible eye. A sign creaks—fear. A door moves and the upstairs shutter bangs against the wall; he runs and the wings that carried off the black angel abandon him. And then, in the endless corridors, in the desolate fields of the night, in the dark boundaries against which the spirit bumps, unforeseen voices cross the partitions, the badly constructed ideas stagger, the bells of equivocal death resound.

Golden fish caught by surprise in the meshes of the wind, catapults of light, resurgences of thirst thrown in all the corners, ended relaxations of faded appetites, everything mingles in the eddy of emprisoned waves, the chest resounds like hollow earth. There are shadows on the blotter of your cheeks and bangings of blue porcelain, above all the roofs with their violet blades a red of more intense hue without echo, blood more widely spread on the slope of the hill, migratory birds without orientation, and

Des oiseaux migrateurs sans orientation
Et tous ces hommes morts sans rime ni raison
Tant de cœurs desséchés
Sans plomb
Comme des feuilles

Jules Supervielle
(1884–1960)

A MOI-MÊME QUAND JE SERAI POSTHUME

Tu mourus de pansympathie,
Une maligne maladie.

Te voici couché sous l'herbette
— Oui, pas de marbre, du gazon,
Du simple gazon de saison,
Quelques abeilles, pas d'Hymette. —
On dit que tout s'est bien passé
Et que te voilà trépassé ...
Ces messieurs des Ombres funèbres
Te guidèrent d'un index sûr
Mais couronné d'un ongle impur.
Et c'est ainsi que l'on vous gomme
De la longue liste des hommes ...
Horizontal, sans horizon,
Sans désir et point désirable,

all these men dead without rhyme or reason. So many dried-out hearts, without weight, like leaves.

You died of pansympathy, a malignant illness. Here you are lying under the little grass—yes, no marble—grass, simple seasonal grass, a few bees, not from Hymettus. They say that everything went off well and that now you are dead. . . . The gentlemen from the funeral shades guided you with an unerring finger that was, however, crowned with an impure nail. And this is how you are erased from the long list of men. . . . Horizontal without horizon, without desire and not desirable, you sleep at last a

Tu dors enfin d'un sommeil stable.
— Ah! dans l'eau faire un petit rond!

— Tu mourus de pansympathie,
Une maligne maladie.

PROPHÉTIE

Un jour la Terre ne sera
Qu'un aveugle espace qui tourne,
Confondant la nuit et le jour.
Sous le ciel immense des Andes
Elle n'aura plus de montagnes,
Même pas un petit ravin.

De toutes les maisons du monde
Ne durera plus qu'un balcon
Et de l'humaine mappemonde
Une tristesse sans plafond.
De feu l'Océan Atlantique
Un petit goût salé dans l'air,
Un poisson volant et magique
Qui ne saura rien de la mer.

D'un coupé de mil-neuf-cent-cinq
(Les quatre roues et nul chemin!)
Trois jeunes filles de l'époque
Restées à l'état de vapeur
Regarderont par la portière
Pensant que Paris n'est pas loin
Et ne sentiront que l'odeur
Du ciel qui vous prend à la gorge.

stable sleep. Ah! to make a little circle in the water!—You died of pansympathy, a malignant illness.

One day the earth will be nothing but a blind space that turns, confusing night and day. Under the immense sky of the Andes it will have no more mountains, not even a little ravine. Of all the houses in the world only a balcony will remain, and, of the human map of the world, only a sadness without ceiling. Of the late Atlantic Ocean only a little salt taste in the air, a flying magical fish who will know nothing about the sea. From a 1905 coupé (four wheels and no road!) three young girls of the past period, still there but now in a form of vapor, will look out of the window, thinking that Paris is not far, and they will smell only

A la place de la forêt
Un chant d'oiseau s'élèvera
Que nul ne pourra situer,
Ni préférer, ni même entendre,
Sauf Dieu qui, lui, l'écoutera
Disant: « C'est un chardonneret. »

« VISAGES DE LA RUE, QUELLE PHRASE INDÉCISE »

Visages de la rue, quelle phrase indécise
Ecrivez-vous ainsi pour toujours l'effacer
Et faut-il que toujours soit à recommencer
Ce que vous essayez de dire ou de mieux dire?

LA DORMEUSE

Puisque visages clos
Ont leur dialectique
Leurs mots et leurs répliques
Sous l'apparent repos,
Et que vous êtes deux
Avec même visage
Suivant le bel usage
Que vous faites des yeux,
Quand ceux-ci, endormis,
Quitteront le pays
Des tombantes paupières
Et lorsqu'ils s'ouvriront,
Clairs dans notre atmosphère,

the odor of the sky that seizes your throat. Where the forest once stood a bird's song will rise which no one will be able to locate, nor prefer, nor even hear, except God who will listen to it and say: "It's a goldfinch."

Faces in the street, what vague sentence do you write thus, and always efface, and must it always be begun again what you try to say or to say better?

Since closed faces have their dialectic, their words and their answers beneath the apparent repose, and since you are two with the same face because of the good usage that you make of your eyes, when, asleep, they leave the country of falling eyelids and when, bright in our atmosphere,

Aux nuages, aux pierres,
Lianes et buissons,
Qui donc aura raison
De vous, paupières basses,
Ou de vous, l'œil ouvert,
De vous, dans notre espace,
Ou de vous, à couvert?

LA MER

C'est tout ce que nous aurions voulu faire et n'avons pas
    fait,
Ce qui a voulu prendre la parole et n'a pas trouvé les mots
    qu'il fallait,
Tout ce qui nous a quittés sans rien nous dire de son secret,
Ce que nous pouvons toucher et même creuser par le fer
    sans jamais l'atteindre,
Ce qui est devenu vagues et encore vagues parce qu'il se
    cherche sans se trouver,
Ce qui est devenu écume pour ne pas mourir tout à fait.
Ce qui est devenu sillage de quelques secondes par goût
    fondamental de l'éternel,
Ce qui avance dans les profondeurs et ne montera jamais à
    la surface,
Ce qui avance à la surface et redoute les profondeurs,
Tout cela et bien plus encore,
La mer.

they open to the clouds, to the stones, to the lianas and to the bushes,
who then will be right, you, lowered eyelids, or you, open eye, you, in
your space, or you hidden?

It's everything we would have liked to do and did not do, which
wanted to speak and did not find the appropriate word, everything that
left us without telling us anything about its secret, everything which we
can touch and even dig into with iron without ever reaching it, which became waves and still more waves because it seeks itself without finding
itself, which became foam so as not to die completely, which became
wake for a few seconds through a fundamental inclination toward the
eternal, which advances in the depths and will never rise to the surface,
which rises to the surface and fears the depths, all that and still much
more, the sea.

Saint-John Perse
(Alexis Saint-Léger Léger)
(1887–   )

XV. « ENFANCE, MON AMOUR, J'AI BIEN AIMÉ LE SOIR AUSSI »

Enfance, mon amour, j'ai bien aimé le soir aussi: c'est l'heure de sortir.

Nos bonnes sont entrées aux corolles des robes ... et collés aux persiennes, sous nos tresses glacées, nous avons

vu comme lisses, comme nues, elles élèvent à bout de bras l'anneau mou de la robe.

Nos mères vont descendre, parfumées avec l'herbe-à-Madame-Lalie ... Leurs cous sont beaux. Va devant et annonce: Ma mère est la plus belle! — J'entends déjà

les toiles empesées

qui traînent par les chambres un doux bruit de tonnerre ... Et la Maison! la Maison? ... on en sort!

Le vieillard même m'envierait une paire de crécelles

et de bruire par les mains comme une liane à pois, la guilandine ou le mucune.

Ceux qui sont vieux dans le pays tirent une chaise sur la cour, boivent des punchs couleur de pus.

Childhood, my love, I loved the evening too: it is the hour to go out. Our nurses have gone into the corolla of their dresses . . . and glued to the blinds, under our chilled hair, we have seen them smooth, naked, lift at arm's length the soft ring of the dress. Our mothers will come downstairs, perfumed with l'herbe-à-Madame-Lalie. . . . Their necks are beautiful. Run ahead and announce: My mother is the most beautiful! Already I hear the starched petticoats that trail through the rooms a soft noise of thunder. . . . And the House! the House? . . . we go out of it! Even the old man would envy me a pair of rattles and my being able to make a noise with my hands like a wild peavine, the hazel-nut or the trumpet creeper. Those who are old in the country drag a chair into the courtyard, drink punch the color of pus.

I. « SUR TROIS GRANDES
SAISONS M'ÉTABLISSANT AVEC HONNEUR »

Sur trois grandes saisons m'établissant avec honneur,
j'augure bien du sol où j'ai fondé ma loi.

Les armes au matin sont belles et la mer. A nos chevaux
livrée la terre sans amandes

nous vaut ce ciel incorruptible. Et le soleil n'est point
nommé, mais sa puissance est parmi nous

et la mer au matin comme une présomption de l'esprit.

Puissance, tu chantais sur nos routes nocturnes! ... Aux
ides pures du matin que savons-nous du songe, notre
aînesse?

Pour une année encore parmi vous! Maître du grain,
maître du sel, et la chose publique sur de justes balances!

Je ne hélerai point les gens d'une autre rive. Je ne tracerai
point de grands

quartiers de villes sur les pentes avec le sucre des coraux.
Mais j'ai dessein de vivre parmi vous.

Au seuil des tentes toute gloire! ma force parmi vous! et
l'idée pure comme un sel tient ses assises dans le jour.

*

... Or je hantais la ville de vos songes et j'arrêtais sur les
marchés déserts ce pur commerce de mon âme, parmi vous
invisible et fréquente ainsi qu'un feu d'épines en plein
vent.

Establishing myself with honor over three great seasons, I foresee good
things for the soil where I have founded my law. Arms in the morning
are beautiful, and the sea. The earth without almonds, given over to our
horses, has brought us this incorruptible sky. And the sun is not named,
but its power is among us, and the sea in the morning like a presumption
of the spirit. Power, you sang on our nocturnal roads! . . . At the pure
ides of morning, what do we know of the dream, O you older than ourselves? For still another year among you! Master of the grain, master of
the salt, and the affairs of state on just scales! I shall not call out to the
people of another shore. I shall not trace great sections of cities on the
slopes with the powder of corals. But I propose to live among you. At
the threshold of the tents all glory be! My strength among you! and the
idea pure as a salt holds its assizes in the light. * . . . Now I used to
haunt the city of your dreams and I established in the deserted market
places this pure commerce of my soul, invisible among you and insistent
as a fire of thorns in the wind. Power, you sang in the splendor of our

Puissance, tu chantais sur nos routes splendides! ... « Au délice du sel sont toutes lances de l'esprit ... J'aviverai du sel les bouches mortes du désir!

Qui n'a, louant la soif, bu l'eau des sables dans un casque, je lui fais peu crédit au commerce de l'âme ... » (Et le soleil n'est point nommé, mais sa puissance est parmi nous.)

Hommes, gens de poussière et de toutes façons, gens de négoce et de loisir, gens des confins et gens d'ailleurs, ô gens de peu de poids dans la mémoire de ces lieux; gens des vallées et des plateaux et des plus hautes pentes de ce monde à l'échéance de nos rives; flaireurs de signes, de semences, et confesseurs de souffles en Ouest; suiveurs de pistes, de saisons, leveurs de campements dans le petit vent de l'aube; ô chercheurs de points d'eau sur l'écorce du monde; ô chercheurs, ô trouveurs de raisons pour s'en aller ailleurs,

vous ne trafiquez pas d'un sel plus fort quand, au matin, dans un présage de royaumes et d'eaux mortes hautement suspendues sur les fumées du monde, les tambours de l'exil éveillent aux frontières

l'éternité qui bâille sur les sables.

*

... En robe pure parmi vous. Pour une année encore parmi vous. « Ma gloire est sur les mers, ma force est parmi vous! A nos destins promis ce souffle d'autres rives et, portant

roads! . . . "To the delight of salt belong all lances of the spirit. . . . I shall revive with salt the dead mouths of desire! Who has not, praising thirst, drunk the water of the sands from a helmet, I trust him little in the commerce of the soul. . . ." (And the sun is not named, but its power is among us.) Men, people of dust and of all manners, people of business and of leisure, people of the borders and people from elsewhere, O people of little weight in the memory of these places; people of the valleys and of the plateaus, people from the highest slopes of this world, to the ultimate limit of our shores; discoverers of signs, of seeds and confessors of westerly winds; followers of trails, of seasons, breakers of camp in the light wind of dawn; O seekers of springs of water on the crust of the world; O seekers, O finders of reasons to go off elsewhere, you do not traffic in a stronger salt when, in the morning, with a presage of kingdoms and dead waters hung high above the smokes of the world, the drums of exile awaken at the frontiers eternity yawning on the sands. * . . . In a pure garment among you. For still another year among you. "My glory is on the seas, my strength is among you! This breath of other shores promised to our destinies and, bearing the seeds of time be-

au delà les semences du temps, l'éclat d'un siècle sur sa
pointe au fléau des balances ... »

Mathématiques suspendues aux banquises du sel! Au
point sensible de mon front où le poème s'établit, j'inscris
ce chant de tout un peuple, le plus ivre,

à nos chantiers tirant d'immortelles carènes!

VII. « NOUS N'HABITERONS PAS TOUJOURS
CES TERRES JAUNES, NOTRE DÉLICE »

Nous n'habiterons pas toujours ces terres jaunes, notre
délice ...

L'Eté plus vaste que l'Empire suspend aux tables de
l'espace plusieurs étages de climats. La terre vaste sur son
aire roule à pleins bords sa braise pâle sous les cendres. —
Couleur de soufre, de miel, couleur de choses immortelles,
toute la terre aux herbes s'allumant aux pailles de l'autre
hiver — et de l'éponge verte d'un seul arbre le ciel tire son
suc violet.

Un lieu de pierres à mica! Pas une graine pure dans les
barbes du vent. Et la lumière comme une huile. — De la
fissure des paupières au fil des cimes m'unissant, je sais la
pierre tachée d'ouïes, les essaims du silence aux ruches de
lumière; et mon cœur prend souci d'une famille d'acri-
diens ...

Chamelles douces sous la tonte, cousues de mauves

---

yond, the luster of a century at its height on the beam of the scales. . . ."
Mathematics hung on floes of salt! At the sensitive point of my brow,
where the poem is formed, I inscribe this song of an entire people, the
most drunk, drawing immortals keels to our shipyards!

We shall not always inhabit these yellow lands, our delight. . . . Summer vaster than the Empire hangs several terraces of climate on the
tables of space. The vast earth rolls on its overflowing surface its pale
embers under the ashes.—Color of sulphur, of honey, color of immortal
things, the entire grassy earth catching fire from the straws of last winter
—and from the green sponge of a lone tree the sky draws its violet juices.
A place of mica stones! Not one pure seed in the beard of the wind. And
the light like oil.—Uniting myself from the crack of my eyelids to the
edge of the peaks, I know the stone marked with gills, the swarms of
silence in the hives of light; and my heart gives heed to a family of
crickets. . . . She-camels gentle beneath the shears, sewn with mauve

cicatrices, que les collines s'acheminent sous les données
du ciel agraire — qu'elles cheminent en silence sur les in-
candescences pâles de la plaine; et s'agenouillent à la fin,
dans la fumée des songes, là où les peuples s'abolissent
aux poudres mortes de la terre.

Ce sont de grandes lignes calmes qui s'en vont à des
bleuissements de vignes improbables. La terre en plus
d'un point mûrit les violettes de l'orage; et ces fumées de
sable qui s'élèvent au lieu des fleuves morts, comme des
pans de siècles en voyage ...

A voix plus basse pour les morts, à voix plus basse dans
le jour. Tant de douceur au cœur de l'homme, se peut-il
qu'elle faille à trouver sa mesure? ... « Je vous parle, mon
âme! — mon âme tout enténébrée d'un parfum de cheval! »
Et quelques grands oiseaux de terre, naviguant en Ouest,
sont de bons mimes de nos oiseaux de mer.

A l'orient du ciel si pâle, comme un lieu saint scellé des
linges de l'aveugle, des nuées calmes se disposent, où
tournent les cancers du camphre et de la corne ... Fumées
qu'un souffle nous dispute! la terre tout attente en ses barbes
d'insectes, la terre enfante des merveilles! ...

Et à midi, quand l'arbre jujubier fait éclater l'assise des
tombeaux, l'homme clôt ses paupières et rafraîchit sa nuque
dans les âges ... Cavaleries du songe au lieu des poudres
mortes, ô routes vaines qu'échevèle un souffle jusqu'à nous!

scars, let the hills move forth under the data of the agrarian sky—let
them move forth in silence over the pale incandescence of the plain; and
let them kneel down at last in the smoke of dreams, there, where the
people annihilate themselves in the dead dusts of the earth. There are
great calm lines that go away toward the blues of improbable vines. The
earth in more than one spot ripens the violets of the storm; and these
sand smokes that rise in the place of dead rivers, like skirts of voyaging
centuries. . . . With a lower voice for the dead, with a lower voice in
the day. So much sweetness in the heart of man, can it fail to find its
measure? . . . "I speak to you, my soul!—My soul darkened by the perfume of a horse!" And some large land birds, navigating toward the
West, are good mimics of our sea-birds. In the east of a sky so pale, like
a holy place sealed by the linen of the blind, calm clouds arrange themselves, where the cancers of camphor and of horn turn. . . . Smokes that
a breath of wind claims from us! the earth poised tense in its beards of
insects, the earth gives birth to wondrous things! . . . And at noon, when
the jujube tree makes the foundation of the tombs burst, man closes his
eyelids and cools the nape of his neck in the ages. . . . Cavalries of
dream in the place of dead dusts, O vain roads that a breath dishevels,

où trouver, où trouver les guerriers qui garderont les fleuves dans leurs noces?

Au bruit des grandes eaux en marche sur la terre, tout le sel de la terre tressaille dans les songes. Et soudain, ah! soudain que nous veulent ces voix? Levez un peuple de miroirs sur l'ossuaire des fleuves, qu'ils interjettent appel dans la suite des siècles! Levez des pierres à ma gloire, levez des pierres au silence, et à la garde de ces lieux les cavaleries de bronze vert sur de vastes chaussées! ...

(L'ombre d'un grand oiseau me passe sur la face.)

I. « PORTES OUVERTES SUR LES SABLES »

Portes ouvertes sur les sables, portes ouvertes sur l'exil,

Les clés aux gens du phare, et l'astre roué vif sur la pierre du seuil:

Mon hôte, laissez-moi votre maison de verre dans les sables ...

L'Eté de gypse aiguise ses fers de lance dans nos plaies,

J'élis un lieu flagrant et nul comme l'ossuaire des saisons,

Et, sur toutes grèves de ce monde, l'esprit du dieu fumant déserte sa couche d'amiante.

Les spasmes de l'éclair sont pour le ravissement des Princes en Tauride.

---

bringing them to us! Where shall we find, where shall we find warriors who will guard the rivers in their nuptials? At the sound of the great waters marching over the earth, all the salt of the earth quivers in dreams. And suddenly, ah! suddenly, what do these voices want of us? Raise a crowd of mirrors on the charnel houses of the rivers, let them reflect the appeal in the succession of centuries! Raise stones to my glory, raise stones to silence, and cavalries of green bronze on huge roadways for the keeping of these places! . . . (The shadow of a great bird passes over my face.)

Doors open on the sands, doors open on exile, the keys with the lighthouse people, and the sun broken upon the wheel of the threshold stone: my host, leave me your house of glass in the sands. . . . The gypsum summer sharpens its spear-heads in our wounds, I select a site glaring and empty like the ossuary of the seasons, and on all the shores of this world, the spirit of the smoking god abandons his amianthus bed. The spasms of the lightning are for the delight of the Princes in Tauris.

II. « À NULLES RIVES DÉDIÉE »

A nulles rives dédiée, à nulles pages confiée la pure
amorce de ce chant ...

D'autres saisissent dans les temples la corne peinte des
autels:

Ma gloire est sur les sables! ma gloire est sur les sables! ...
Et ce n'est point errer, ô Pérégrin,

Que de convoiter l'aire la plus nue pour assembler aux
syrtes de l'exil un grand poème né de rien, un grand poème
fait de rien ...

Sifflez, ô frondes par le monde, chantez, ô conques sur les
eaux!

J'ai fondé sur l'abîme et l'embrun et la fumée des sables.
Je me coucherai dans les citernes et dans les vaisseaux
creux,

En tous lieux vains et fades où gît le goût de la grandeur.

« ... Moins de souffles flattaient la famille des Jules; moins
d'alliances assistaient les grandes castes de prêtrise.

Où vont les sables à leur chant s'en vont les Princes de
l'exil,

Où furent les voiles haut tendues s'en va l'épave plus
soyeuse qu'un songe de luthier,

Où furent les grandes actions de guerre déjà blanchit la
mâchoire d'âne,

Et la mer à la ronde roule son bruit de crânes sur les
grèves,

The pure beginnings of this song not dedicated to any shores, not con-
fided to any pages. . . . Others seize in the temples the painted altar
horn: my glory is on the sands! my glory is on the sands! . . . And one
does not err, O Peregrine, in coveting the most naked ground to assemble
on the quicksands of exile a great poem born of nothing, a great poem
made from nothing. . . . Whistle, O slings through the world, sing, O
conches on the waters! I have built upon the abyss and the spindrift and
the smoke of sands. I shall lie down in the cisterns and in the hollow
vessels, in all empty and stale places where the taste of greatness lies.
". . . Fewer breaths of wind flattered the Julii; fewer alliances aided the
great priestly casts. Where the sands go to their song, there go the Princes
of exile, where there were high taut sails, there goes the wreck more
silken than a violin-maker's dream, where there were great military actions, there the jawbone of an ass already whitens, and the sea rolls her
noise of skulls around on the shores, and, that all things in the world are

Et que toutes choses au monde lui soient vaines, c'est ce
qu'un soir, au bord du monde, nous contèrent

Les milices du vent dans les sables d'exil ... »

Sagesse de l'écume, ô pestilences de l'esprit dans la cré-
pitation du sel et le lait de chaux vive!

Une science m'échoit aux sévices de l'âme ... Le vent nous
conte ses flibustes, le vent nous conte ses méprises!

Comme le Cavalier, la corde au poing, à l'entrée du désert,
J'épie au cirque le plus vaste l'élancement des signes les
plus fastes.

Et le matin pour nous mène son doigt d'augure parmi de
saintes écritures.

L'exil n'est point d'hier! l'exil n'est point d'hier! ... « O
vestiges, ô prémisses »,

Dit l'Etranger parmi les sables, « toute chose au monde
m'est nouvelle! ... » Et la naissance de son chant ne lui est
pas moins étrangère.

III. « ... TOUJOURS IL Y EUT CETTE CLAMEUR »

« ... Toujours il y eut cette clameur, toujours il y eut cette
splendeur,

Et comme un haut fait d'armes en marche par le monde,
comme un dénombrement de peuples en exode, comme une
fondation d'empires par tumulte prétorien, ha! comme un
gonflement de lèvres sur la naissance des Livres,

of no importance to her, that is what, one evening, at the edge of the
world, the wind's militias in the sands of exile told us. . . ." Wisdom of
the foam, O pestilences of the mind in the crepitation of salt and the
milk of quick lime! A knowledge born from the suffering afflicted on the
soul is devolved upon me. . . . The wind tells us its raids, the wind tells
us its mistakes! Like the Horseman, rope in hand, at the entrance of the
desert, I watch closely in the largest arena the soaring of the happiest
signs. And morning, for our sake, moves its prophetic finger among the
sacred scriptures. Exile is not of yesterday! exile is not of yesterday! . . .
"O vestiges, O premises," says the Stranger on the sands, "everything in
the world is new to me! . . ." And the birth of his song is no less foreign
to him.

". . . There has always been this clamor, there has always been this
splendor, and like a great feat of arms on the march through the world,
like the counting of peoples in exodus, like a foundation of empires in
praetorian tumult, ha! like a swelling of lips on the birth of the Books,

Cette grande chose sourde par le monde et qui s'accroît soudain comme une ébriété.

« ... Toujours il y eut cette clameur, toujours il y eut cette grandeur,

Cette chose errante par le monde, cette haute transe par le monde, et sur toutes grèves de ce monde, du même souffle proférée, la même vague proférant

Une seule et longue phrase sans césure à jamais inintelligible ...

« ... Toujours il y eut cette clameur, toujours il y eut cette fureur,

Et ce très haut ressac au comble de l'accès, toujours, au faîte du désir, la même mouette sur son aile, la même mouette sur son aire, à tire-d'aile ralliant les stances de l'exil, et sur toutes grèves de ce monde, du même souffle proférée, la même plainte sans mesure

A la poursuite, sur les sables, de mon âme numide ... »

Je vous connais, ô monstre! Nous voici de nouveau face à face. Nous reprenons ce long débat où nous l'avions laissé.

Et vous pouvez pousser vos arguments comme des mufles bas sur l'eau: je ne vous laisserai point de pause ni répit.

Sur trop de grèves visitées furent mes pas lavés avant le jour, sur trop de couches désertées fut mon âme livrée au cancer du silence.

Que voulez-vous encore de moi, ô souffle originel? Et

---

this great deaf thing in the world and which suddenly grows like a drunkenness. . . . There has always been this clamor, there has always been this greatness, this thing wandering through the world, this high trance through the world, and on all shores of this world, uttered by the same breath, the same wave uttering a single and long sentence, without pause, forever unintelligible. . . . There has always been this clamor, there has always been this furor, and this very high surf at the height of the outburst, always, at the peak of desire, the same gull on the wing, the same gull on her area rallying in her swift flight the stanzas of exile, and on all shores of this world, uttered by the same breath, the same measureless lament pursuing, on the sands, my Numidian soul. . . ." I know you, O monster! We are once more face to face. We take up this long debate where we left off. And you can push your arguments like snouts low on the water: I shall give you neither rest nor respite. My steps were washed away before day on too many shores, my soul was delivered up to the cancer of silence on too many deserted couches. What more do you want of me, O original breath? And you, what do you hope

vous, que pensez-vous encore tirer de ma lèvre vivante,

O force errante sur mon seuil, ô Mendiante dans nos voies et sur les traces du Prodigue?

Le vent nous conte sa vieillesse, le vent nous conte sa jeunesse ... Honore, ô Prince, ton exil!

Et soudain tout m'est force et présence, où fume encore le thème du néant.

« ... Plus haute, chaque nuit, cette clameur muette sur mon seuil, plus haute, chaque nuit, cette levée de siècles sous l'écaille,

Et, sur toutes grèves de ce monde, un ïambe plus farouche à nourrir de mon être! ...

Tant de hauteur n'épuisera la rive accore de ton seuil, ô Saisisseur de glaives à l'aurore,

O Manieur d'aigles par leurs angles, et Nourrisseur des filles les plus aigres sous la plume de fer!

Toute chose à naître s'horripile à l'orient du monde, toute chair naissante exulte aux premiers feux du jour!

Et voici qu'il s'élève une rumeur plus vaste par le monde, comme une insurrection de l'âme ...

Tu ne te tairas point, clameur! que je n'aie dépouillé sur les sables toute allégeance humaine. (Qui sait encore le lieu de sa naissance?) »

VII. « ... SYNTAXE DE L'ÉCLAIR »

« ... Syntaxe de l'éclair! ô pur langage de l'exil! Lointaine est l'autre rive où le message s'illumine:

Deux fronts de femmes sous la cendre, du même pouce

to get from my living lips, O wandering force on my threshold, O beggar on our roads and on the trail of the Prodigal? The wind tells us its old age, the wind tells us its youth. . . . Honor, O Prince, your exile! And suddenly, for me, all is strength and presence where the theme of nothingness still smokes. ". . . Higher, every night, this mute clamor at my threshold, higher, every night, this rising of centuries under the shell, and, on all shores of this world, a fiercer iamb to nourish with my being! . . . So much height will not exhaust the sheer coast of your threshold, O Seizer of swords at dawn, O Handler of eagles by their angles, and Feeder of the most sour girls under the iron quill! All things to be born bristle to the east of the world, all flesh at birth exults in the first fires of day! And now a vaster murmur is rising in the world, like an insurrection of the soul. . . . You shall not cease, clamor, until I have sloughed off on the sands all human alliance. (Who still knows his birthplace?)"

visités; deux ailes de femmes aux persiennes, du même souffle suscitées ...

Dormiez-vous cette nuit, sous le grand arbre de phosphore, ô cœur d'orante par le monde, ô mère du Proscrit, quand dans les glaces de la chambre fut imprimée sa face?

Et toi plus prompte sous l'éclair, ô toi plus prompte à tressaillir sur l'autre rive de son âme, compagne de sa force et faiblesse de sa force, toi dont le souffle au sien fut à jamais mêlé,

T'assiéras-tu encore sur ta couche déserte, dans le hérissement de ton âme de femme?

L'exil n'est point d'hier! l'exil n'est point d'hier! ... Exècre, ô femme, sous ton toit un chant d'oiseau de Barbarie ...

Tu n'écouteras point l'orage au loin multiplier la course de nos pas sans que ton cri de femme dans la nuit n'assaille encore sur son aire l'aigle équivoque du bonheur! »

... Tais-toi, faiblesse, et toi, parfum d'épouse dans la nuit comme l'amande même de la nuit.

Partout errante sur les grèves, partout errante sur les mers, tais-toi, douceur, et toi présence gréée d'ailes à hauteur de ma selle.

Je reprendrai ma course de Numide, longeant la mer inaliénable ... Nulle verveine aux lèvres, mais sur la langue encore, comme un sel, ce ferment du vieux monde.

Le nitre et le natron sont thèmes de l'exil. Nos pensers

"... Syntax of lightning! O pure language of exile! Far is the other shore where the message lights up: two brows of women under the ashes visited by the same thumb; two wings of women at the blinds, upraised by the same breath. ... Were you asleep last night, under the great phosphorus tree, O heart of a praying woman in the world, O mother of the Proscript, when in the mirrors of the room his face was stamped? And you swifter than the lightning, O you swifter to quiver on the other shore of his soul, companion of his force and weakness of his force, you whose breath was forever joined to his, will you sit down again on his deserted couch, in the bristling of your woman's soul? Exile is not of yesterday! exile is not of yesterday! ... Loathe, O woman, under your roof a song of a Barbary bird. ... You shall not hear in the distance the storm multiplying the course of our feet without your woman's cry in the night attacking again in his eyrie the ambiguous eagle of happiness!" ... Be silent, weakness, and you, fragrance of the woman in the night like the very almond of night. Wandering over all the shores, wandering over all the seas, be silent, gentleness, and you presence decked with wings at my saddle's height. I shall resume my Numidian flight, skirting the inalienable sea. ... No vervain on the lips, but still on the tongue, like a salt, this ferment of the old world. Niter and natron are themes of

courent à l'action sur des pistes osseuses. L'éclair m'ouvre le lit de plus vastes desseins. L'orage en vain déplace les bornes de l'absence.

Ceux-là qui furent se croiser aux grandes Indes atlantiques, ceux-là qui flairent l'idée neuve aux fraîcheurs de l'abîme, ceux-là qui soufflent dans les cornes aux portes du futur

Savent qu'aux sables de l'exil sifflent les hautes passions lovées sous le fouet de l'éclair ... O Prodigue sous le sel et l'écume de Juin! garde vivante parmi nous la force occulte de ton chant!

Comme celui qui dit à l'émissaire, et c'est là son message: « Voilez la face de nos femmes; levez la face de nos fils; et la consigne est de laver la pierre de vos seuils ... Je vous dirai tout bas le nom des sources où, demain, nous baignerons un pur courroux. »

*

Et c'est l'heure, ô Poète, de décliner ton nom, ta naissance, et ta race ...

« ET VOUS, MERS »

Et vous, Mers, qui lisiez dans de plus vastes songes, nous laisserez-vous un soir aux rostres de la Ville, parmi la place publique et les pampres de bronze?

Plus large, ô foule, notre audience sur ce versant d'un âge

exile. Our thoughts run to action on bony tracks. Lightning discloses to me the bed of vaster designs. The storm in vain displaces the bourns of absence. Those who went on their quest to the great Atlantic Indies, those who scent the new idea in the freshness of the abyss, those who blow in horns at the doors of the future know that on the sands of exile hiss the high passions coiled under the whip of lightning. . . . O Prodigal beneath the salt and foam of June! keep alive among us the occult force of your song! As he who says to the emissary, and this is his message: "Veil the face of our women; raise the face of our sons; and the order is to wash the stone of your thresholds. . . . I shall whisper to you the name of the springs where, tomorrow, we shall bathe a pure wrath." And it is time, O Poet, to declare your name, your birth, and your race. . . .

And you, Seas, who used to read into vaster dreams, did you leave us one evening at the rostrum of the City, surrounded with public stone and bronze vine branches? Larger, O crowd, is our meeting on this slope of

sans déclin: la Mer, immense et verte comme une aube à l'orient des hommes,

La Mer en fête sur ses marches comme une ode de pierre: vigile et fête à nos frontières, murmure et fête à hauteur d'hommes — la Mer elle-même notre veille, comme une promulgation divine. ...

L'odeur funèbre de la rose n'assiégera plus les grilles du tombeau; l'heure vivante dans les palmes ne taira plus son âme d'étrangère. ... Amères, nos lèvres de vivants le furent-elles jamais?

J'ai vu sourire aux feux du large la grande chose fériée: la Mer en fête de nos songes, comme une Pâque d'herbe verte et comme fête que l'on fête,

Toute la Mer en fête des confins, sous sa fauconnerie de nuées blanches, comme domaine de franchise et comme terre de mainmorte, comme province d'herbe folle et qui fut jouée aux dés. ...

Inonde, ô brise, ma naissance! Et ma faveur s'en aille au cirque de plus vastes pupilles! ... Les sagaies de Midi vibrent aux portes de la joie. Les tambours du néant cèdent aux fifres de lumière. Et l'Océan de toute part, foulant son poids de roses mortes,

Sur nos terrasses de calcium lève sa tête de Tétrarque!

---

an age without decline: the Sea, immense and green like a dawn at the east of men, the sea festive on its borders like an ode of stone: vigil and feast at our frontiers, murmur and feast at the height of men—the Sea itself our night vigil, like a divine promulgation. . . . The funeral odor of the rose will no longer besiege the gratings around the tomb, the living hour in the palms will no longer silence its soul of a stranger. . . . Bitter, were our lips of living men ever bitter? I saw the great festive thing smile at the fires of the sea swell: the Sea in celebration of our dreams, like an Easter of green grass and like a feast day that we celebrate, the entire Sea in celebration from its farthest regions, beneath its falconry of white clouds, like a domain of liberty and like an inalienable land, like a province of wild grass which was the stake in a dice game. . . . Drown, O wind, my birth! And let my favor go to the circus of larger pupils! . . . The javelins of Noon vibrate at the doors of joy. The drums of nothingness yield to the fifes of light. And the Ocean of all sides, trampling its weight of dead roses, on our terraces of calcium raises its head of a Tetrarch!

« ÉTROITS SONT LES VAISSEAUX »

... Etroits sont les vaisseaux, étroite notre couche.
Immense l'étendue des eaux, plus vaste notre empire
Aux chambres closes du désir.

Entre l'Eté, qui vient de mer. A la mer seule, nous dirons
Quels étrangers nous fûmes aux fêtes de la Ville, et quel
astre montant des fêtes sous-marines
S'en vint un soir, sur notre couche, flairer la couche du
divin.

En vain la terre proche nous trace sa frontière. Une même
vague par le monde, une même vague depuis Troie
Roule sa hanche jusqu'à nous. Au très grand large loin de
nous fut imprimé jadis ce souffle ...
Et la rumeur un soir fut grande dans les chambres: la
mort elle-même, à son de conques, ne s'y ferait point en-
tendrc!

Aimez, ô couples, les vaisseaux; et la mer haute dans les
chambres!
La terre un soir pleure ses dieux, et l'homme chasse aux
bêtes rousses; les villes s'usent, les femmes songent ... Qu'il y
ait toujours à notre porte
Cette aube immense appelée mer — élite d'ailes et levée
d'armes, amour et mer de même lit, amour et mer au même
lit —

et ce dialogue encore dans les chambres:

. . . Narrow are the vessels, narrow our couch. Immense the expanse
of water, vaster our empire in the closed chambers of desire. Summer enters, coming from the sea. To the sea alone we shall tell what strangers
we were at the feasts of the City, and what star rising from underwater
feasts came one evening, above our couch, on the scent of the couch of
the gods. In vain the nearby land traces for us its boundary. One same
wave through the world, one same wave since Troy rolls its haunch toward us. On an open sea, far from us this breath of wind was long ago
impressed. . . . And the clamor one evening was loud in the chambers:
death itself, blowing in conches could not have made itself heard! Love,
O couples, the vessels; and the sea high in the chambers! The earth one
evening cries for its gods, and man hunts with red beasts; the cities wear
away, women dream. . . . May it always be at our door, this immense

« MIDI, SES FAUVES »

Midi, ses fauves, ses famines, et l'An de mer à son plus haut sur la table des Eaux ...

— Quelles filles noires et sanglantes vont sur les sables violents longeant l'effacement des choses?

Midi, son peuple, ses lois fortes ... L'oiseau plus vaste sur son erre voit l'homme libre de son ombre, à la limite de son bien.

Mais notre front n'est point sans or. Et victorieuses encore de la nuit sont nos montures écarlates.

Ainsi les Cavaliers en armes, à bout de Continents, font au bord des falaises le tour des péninsules.

— Midi, ses forges, son grand ordre ... Les promontoires ailés s'ouvrent au loin leur voie d'écume bleuissante.

Les temples brillent de tout leur sel. Les dieux s'éveillent dans le quartz.

Et l'homme de vigie, là-haut, parmi ses ocres, ses craies fauves, sonne midi le rouge dans sa corne de fer.

Midi, sa foudre, ses présages; Midi, ses fauves au forum, et son cri de pygargue sur les rades désertes! ...

— Nous qui mourrons peut-être un jour disons l'homme immortel au foyer de l'instant.

dawn called the sea—elite of wings and rising of weapons, love and sea of the same bed, love and sea in the same bed—And this dialogue again in the chambers:

Noon, its wild beasts, its famines, and the sea Year at its highest on the table of the Waters. . . . What black and bloody girls walk over the violent sands skirting the effacement of things? Noon, its people, its strong laws . . . The bird vaster on its headway sees man free of his shadow, at the limit of his riches. But our brow is not without gold. And still victorious over the night are our scarlet steeds. Thus the Horsemen in arms, at the end of the Continents, make the round of the peninsulas at the cliff's edge.—Noon, its forges, its great order . . . The winged promontories open in the distance their paths of blue-white foam. The temples shine with all their salt. The gods awaken in the quartz. And the man on watch, up there, among his ochers, his tawny chalks, sounds red noon on his iron horn. Noon, its lightning, its omens; Noon, its wild beasts in the forum, and its cry of sea-eagle over the deserted roadsteads! . . . We who shall perhaps die one day, say that man is immortal at the

L'Usurpateur se lève sur sa chaise d'ivoire. L'amant se lave de ses nuits.

Et l'homme au masque d'or se dévêt de son or en l'honneur de la Mer.

Pierre Jean Jouve

(1887–   )

INCARNATION

J'ai tant fait que tu parais lointainement
Sur la chair même de la vie
Au terrible fumier des plaisirs
A la mécanique des démons de l'insurrection
A la raison logicienne des morts!
Tu parais avec ton linge de douleur
Avec ton ris
Avec ton pardon à notre infâme bruit
D'intestin de larmes.

HÉLÈNE

Que tu es belle maintenant que tu n'es plus
La poussière de la mort t'a déshabillée même de l'âme
Que tu es convoitée depuis que nous avons disparu

burning heart of the instant. The Usurper rises on his ivory chair. The lover washes himself of his nights. And the man with the golden mask takes off his gold in honor of the Sea.

I have done so much that you appear far off on the very flesh of life to the dreadful dunghill of pleasures, to the automatisms of the demons of insurrection, to the logical reasoning of the dead! You appear with your linen of sorrow, with your laugh, with your pardon for our infamous noise of bowels and tears.

How beautiful you are now that you are no longer. The dust of death has divested you even of your soul. How coveted you are since we have disappeared. The waves, the waves fill the heart of the desert; the palest

Les ondes les ondes remplissent le cœur du désert
La plus pâle des femmes
Il fait beau sur les crêtes d'eau de cette terre
Du paysage mort de faim
Qui borde la ville d'hier les malentendus
Il fait beau sur les cirques verts inattendus
Transformés en églises
Il fait beau sur le plateau désastreux nu et retourné
Parce que tu es si morte
Répandant des soleils par les traces de tes yeux
Et les ombres des grands arbres enracinés
Dans ta terrible Chevelure celle qui me faisait délirer.

VILLE ATROCE

Ville atroce ô capitale de mes journées
O ville infortunée, livrée aux âmes basses!

En toi quand j'arrivais sur l'avenue de flamme
Parmi juin miroitante des millions d'objets
En marche et d'espérance verte et d'oriflammes
De la dure Arche de Triomphe qui coulait

O ville célébrée! je voyais ta carcasse
De pierre rose et rêve immense et étagée
Le Louvre couché sous la zone du grand ciel
Lilas, et l'infini des tours accumulées

of women. The weather is beautiful on the crests of water of this land of
the starved-to-death landscape that fringes the city; the misunderstandings
belong to yesterday. The weather is beautiful on the green, unexpected
circuses transformed into churches. The weather is beautiful on the
disastrous, naked and overturned plateau because you are so dead, spreading suns through the traces of your eyes and the shadows of the large
rooted trees in your terrible Hair that made me rave.

Abominable city, O capital of my days, O ill-fated, in the hands of
base souls! When I used to arrive in you on the avenue of flame
shimmering in the middle of June with millions of objects on march and
with green hope and with pennants flowing from the hard Arch of
Triumph, O renowned city! I would see your carcass of pink stone and
dream, immense and storied. The Louvre lying under the zone of the huge
lilac sky, and the infinity of accumulated towers—The vast sea built with

La vaste mer bâtie de la paix et la guerre
Entassement gloire sur gloire! et mes douleurs
Surprises par le temps pleines de rire et songes
Quand l'Obélisque monte à la place d'honneur.

Navire humain sous le plus vaste des étés
Lourd de détresse auquel j'avais rangé ma rame
Où tue était la mer dans les calculs infâmes
Du typhon préparé par tous les mariniers;
Sage et mauvais navire et la poupe encor reine
Trop de clarté méchante allongeait tes bas flancs
Trop d'assurance avait ton entrepont de haine
Trop de mensonge aux mâts bleus blancs rouges
    flottants,
Tout le monde était mort, et sans voir j'allais ivre.

« LES INSTABILITÉS PROFONDES DU DIVERS »

Les instabilités profondes du Divers
Les coups de sonde et les promesses de la grâce
Les mystères de l'influence, font ces magies noires, magies
    roses
Ces rassemblements du hasard, ces flammes de magique
    jardin,
Ces apparitions du temps juste quand les membres nus se
    préparent
Ah! cette ivresse d'inconnu

peace and war; the piling of glory upon glory! and my sorrows taken
unaware by time and full of laughter and dreams when the Obelisk rises
to the place of honor. Human ship beneath the vastest of summers, heavy
with distress, where I had put aside my oar, where the sea was silenced
in the infamous calculations of the typhoon prepared by all the seamen;
wise and bad ship and the poop still queen, too much evil light lengthened
your low sides, too much assurance was in your steerage of hatred, too
much deception in the floating blue, white, red masts; everyone was dead,
and unaware I went on, drunk.

The deep instabilities of the Diverse, the probings and the promises of
grace, the mysteries of influence, make these black magics, pink magics,
these gathering of chance, these flames of magical garden, these apparitions of time just as the naked members are prepared—Ah! This in-

L'autre amour et le deuxième amour et le dixième amour
   où la grâce se produit
Où le spasme produit la douce bienfaisance:
Voyez le cristal de la larme sur la joue rosée de la joie,
L'instant funèbre au moment de la naissance des grands
   rôles pourpres
Et les hautes fidélités sous le travesti de l'infidèle
Et de pures majestés dans le don corrompu d'amour.
... Alors vient la beauté des clairs, alors viennent les épi-
   dermes, alors vient le tremblement des terres et le
   branlement des phénomènes
En un recueillement d'orage un immense raz d'eau des mers
(Et les phénomènes s'émurent)
Et des fonds atlantes haussés par l'accord des yeux forcenés!
Des îles passées en dérive, au Sud rejetées du Nord, et
   tirant tous les fleuves chauds du souvenir et du péché
   mais du merveilleux repentir et de l'espérance in-
   vincible
(Et les phénomènes s'émurent)
Sur les draps pâles du passage, et l'âme, la vérité, Dieu ne
   nous ayant pas délaissés.

toxication of the unknown, the other love, and the second love and the
tenth love when grace is brought forth when the spasm brings forth a
sweet goodness: see the crystal of the tear on the pink cheek of joy, see
the funereal instant at the hour of birth of the great purple roles and the
high fidelities under the travesty of the unfaithful and pure majesties in
the corrupted gift of love. . . . Then comes the beauty of clearness, then
comes the epidermis, then comes the earthquake and the oscillation of
phenomena, in a concentration of the storm, an immense tidal wave of
the seas (and the phenomena were deeply moved) and from the depths
statues are hoisted up through the agreement of the wild eyes! Islands gone
adrift, islands thrown back to the South from the North, and drawing all
the warm rivers of memory and of sin but of wondrous repentance and
invincible hope (and the phenomena were deeply moved) on the pale
linen of the passage, and the soul, truth, God not having abandoned us.

André Breton

(1896–   )

« EN HOMMAGE À GUILLAUME APOLLINAIRE »

En hommage à Guillaume Apollinaire, qui venait de
mourir, et qui, à plusieurs reprises, nous paraissait avoir
obéi à un entraînement de ce genre, sans toutefois y avoir
sacrifié de médiocres moyens littéraires, Soupault et moi
nous désignâmes sous le nom de SURRÉALISME le nouveau
mode d'expression pure que nous tenions à notre disposition
et dont il nous tardait de faire bénéficier nos amis. Je crois
qu'il n'y a plus aujourd'hui à revenir sur ce mot et que
l'acceptation dans laquelle nous l'avons pris a prévalu généralement sur son acceptation apollinarienne. A plus juste
titre encore, sans doute aurions-nous pu nous emparer du
mot SUPERNATURALISME, employé par Gérard de Nerval
dans la dédiace des *Filles de Feu*.* Il semble, en effet, que
Nerval posséda à merveille *l'esprit* dont nous nous ré-
clamons, Apollinaire n'ayant possédé, par contre, que
la lettre, encore imparfaite, du surréalisme et s'étant montré
impuissant à en donner un aperçu théorique qui nous

* Et aussi par Thomas Carlyle dans *Sartor Resartus* (chapitre VIII:
SUPERNATURALISME NATUREL), 1833-34.

In homage to Guillaume Apollinaire who had just died, and who
seemed to us several times to have obeyed this kind of impulse, although
without having sacrificed to it certain mediocre literary techniques, Soupault and I designated under the name of SURREALISM the new mode of
pure expression that we had at our disposal and which we were eager to
share with our friends. I think that we need no longer at present discuss
the word and that the meaning which we gave it has in general prevailed
over its Apollinairean sense. More justifiably still, we could undoubtedly
have seized upon the word SUPERNATURALISM used by Gérard de Nerval
in his dedication of *Les Filles de Feu*. It seems, indeed, that Nerval had
completely mastered the *spirit* from which we claim descent, whereas
Apollinaire in contrast had mastered only the *literal,* still imperfect aspect
of Surrealism, having proved incapable of giving to Surrealism a theo-
retical approach that might have been of interest. Here are two sentences
by Nerval that seem to me very significant in that respect: *"I am going*

retienne. Voici deux phrases de Nerval qui me paraissent à cet égard, très significatives :

« *Je vais vous expliquer, mon cher Dumas, le phénomène dont vous avez parlé plus haut. Il est, vous le savez, certains conteurs qui ne peuvent inventer sans s'identifier aux personnages de leur imagination. Vous savez avec quelle conviction notre vieil ami Nodier racontait comment il avait eu le malheur d'être guillotiné à l'époque de la Révolution; on en devenait tellement persuadé que l'on se demandait comment il était parvenu à se faire recoller la tête.*

... Et puisque vous avez eu l'imprudence de citer un des sonnets composés dans cet état de rêverie SUPERNATU-RALISTE, *comme diraient les Allemands, il faut que vous les entendiez tous. Vous les trouverez à la fin du volume. Ils ne sont guère plus obscurs que la métaphysique d'Hegel ou les* MÉMORABLES *de Swedenborg, et perdraient de leur charme à être expliqués, si la chose était possible, concédez-moi du moins le mérite de l'expression ... »* *

C'est de très mauvaise foi qu'on nous contesterait le droit d'employer le mot SURRÉALISME dans le sens très particulier où nous l'entendons, car il est clair qu'avant nous ce mot n'avait pas fait fortune. Je le définis donc une fois pour toutes :

SURRÉALISME, n. m. Automatisme psychique pur par

* Cf. aussi l'IDÉORÉALISME de Saint-Pol-Roux.

to explain to you, my dear Dumas, the phenomenon of which you spoke above. There are, as you know, certain storytellers who cannot invent without identifying themselves with the characters of their imagination. You know with what conviction our old friend Nodier told how he had had the misfortune of being guillotined at the time of the Revolution; we were so convinced by his story that we wondered how he had managed to have his head glued back on. ... And since you were imprudent enough to quote one of the sonnets composed in that state of SUPER-NATURALIST *reverie, as the Germans would say, you must hear all of them. You will find them at the end of this volume. They are hardly more obscure than Hegelian Metaphysics or the* MEMORABLES *of Swedenborg, and they would lose some of their charm in being explained, if it were possible to do so, grant me at least the excellence of the style. ..."* Those who would question our right to use the word SURREALISM in the very particular way in which we use it would be acting in bad faith, for it is evident that before us the word had not had much success. I define it therefore once and for all: SURREALISM. Noun, masculine. Pure psychic automatism by which we propose to express, whether verbally, on paper,

lequel on se propose d'exprimer, soit verbalement, soit par écrit, soit de toute autre manière, le fonctionnement réel de la pensée. Dictée de la pensée, en l'absence de tout contrôle exercé par la raison, en dehors de toute préoccupation esthétique ou morale.

ENCYCL. *Philos.* Le surréalisme repose sur la croyance à la réalité supérieure de certaines formes d'associations négligées jusqu'à lui, à la toute-puissance du rêve, au jeu désintéressé de la pensée. Il tend à ruiner définitivement tous les autres mécanismes psychiques et à se substituer à eux dans la résolution des principaux problèmes de la vie. Ont fait acte de SURRÉALISME ABSOLU MM. Aragon, Baron, Boiffard, Breton, Carrive, Crevel, Delteil, Desnos, Eluard, Gérard, Limbour, Malkine, Morise, Naville, Noll, Péret, Picon, Soupault, Vitrac.

Ce semblent bien être, jusqu'à présent, les seuls, et il n'y aurait pas à s'y tromper, n'était le cas passionnant d'Isidore Ducasse, sur lequel je manque de données. Et certes, à ne considérer que superficiellement leurs résultats, bon nombre de poètes pourraient passer pour surréalistes, à commencer par Dante et, dans ses meilleurs jours, Shakespeare. *Au cours des différentes tentatives de réduction auxquelles je me suis livré de ce qu'on appelle, par abus de confiance, le génie, je n'ai rien trouvé qui se puisse attribuer finalement à un autre processus que celui-là.*

Les NUITS d'Young sont surréalistes d'un bout à l'autre;

or by any other means, the real mechanism of thought. Dictation by thought, in absence of any control exercised by reason, without any esthetic or moral preoccupation. ENCYCL. *Philos.* Surrealism is based on the belief in the superior reality of certain forms of associations which have up to now been neglected, in the omnipotence of dream, in the disinterested play of thought. It tends to undermine once and for all all other psychic mechanisms and to replace them in resolving the principal problems of life. Those who have given their adherence to ABSOLUTE SURREALISM: MM. Aragon, Baron, Boiffard, Breton, Carrive, Crevel, Delteil, Desnos, Eluard, Gérard, Limbour, Malkine, Morise, Naville, Noll, Péret, Picon, Soupault, Vitrac. These seem to be, up to now, the only ones, and one could hardly be mistaken, were it not for the fascinating case of Isidore Ducasse about which I lack the facts. And certainly if one were to consider only superficially the results obtained, a good number of poets could pass as Surrealists, beginning with Dante and, in his better moments, Shakespeare. *During the different attempts that I have made at reducing to its basic terms what we call, by fraudulent misuse, genius, I have found nothing that could in the end be attributed to any other process than the one defined above.* The NIGHTS of Young are surrealistic

c'est malheureusement un prêtre qui parle, un mauvais prêtre, sans doute, mais un prêtre.

Swift est surréaliste dans la méchanceté.
Sade est surréaliste dans le sadisme.
Chateaubriand est surréaliste dans l'exotisme.
Constant est surréaliste en politique.
Hugo est surréaliste quand il n'est pas bête.
Desbordes-Valmore est surréaliste en amour.
Bertrand est surréaliste dans le passé.
Rabbe est surréaliste dans la mort.
Poê est surréaliste dans l'aventure.
Baudelaire est surréaliste dans la morale.
Rimbaud est surréaliste dans la pratique de la vie et ailleurs.
Mallarmé est surréaliste dans la confidence.
Jarry est surréaliste dans l'absinthe.
Nouveau est surréaliste dans le baiser.
Saint-Pol-Roux est surréaliste dans le symbole.
Fargue est surréaliste dans l'atmosphère.
Vaché est surréaliste en moi.
Reverdy est surréaliste chez lui.
St.-J. Perse est surréaliste à distance.
Roussel est surréaliste dans l'anecdote.
Etc.

« MA FEMME À LA CHEVELURE DE FEU DE BOIS »

Ma femme à la chevelure de feu de bois
Aux pensées d'éclairs de chaleur

from beginning to end; unfortunately it's a priest who is speaking, a bad priest, undoubtedly, but a priest. Swift is surrealistic in wickedness. Sade is surrealistic in sadism. Chateaubriand is surrealistic in exoticism. Constant is surrealistic in politics. Hugo is surrealistic when he is not stupid. Desbordes-Valmore is surrealistic in love. Bertrand is surrealistic in the past. Rabbe is surrealistic in death. Poe is surrealistic in adventure. Baudelaire is surrealistic in ethics. Rimbaud is surrealistic in the practice of life and elsewhere. Mallarmé is surrealistic in secretly shared confidence. Jarry is surrealistic in absinthe. Nouveau is surrealistic in the kiss. Saint-Pol-Roux is surrealistic in symbol. Fargue is surrealistic in the atmosphere. Vaché is surrealistic in me. Reverdy is surrealistic at home. St.-J. Perse is surrealistic from afar. Roussel is surrealistic in the anecdote. Etc.

My woman with her wood-fire hair, with her thoughts like heat light-

A la taille de sablier
Ma femme à la taille de loutre entre les dents du tigre
Ma femme à la bouche de cocarde et de bouquet d'étoiles
    de dernière grandeur
Aux dents d'empreintes de souris blanche sur la terre
    blanche
A la langue d'ambre et de verre frottés
Ma femme à la langue d'hostie poignardée
A la langue de poupée qui ouvre et ferme les yeux
A la langue de pierre incroyable
Ma femme aux cils de bâtons d'écriture d'enfant
Aux sourcils de bord de nid d'hirondelle
Ma femme aux tempes d'ardoise de toit de serre
Et de buée aux vitres
Ma femme aux épaules de champagne
Et de fontaine à têtes de dauphins sous la glace
Ma femme aux poignets d'allumettes
Ma femme aux doigts de hasard et d'as de cœur
Aux doigts de foin coupé
Ma femme aux aisselles de martre et de fênes
De nuit de la Saint-Jean
De troène et de nid de scalares
Aux bras d'écume de mer et d'écluse
Et de mélange du blé et du moulin
Ma femme aux jambes de fusée
Aux mouvements d'horlogerie et de désespoir
Ma femme aux mollets de moelle de sureau
Ma femme aux pieds d'initiales

ning, with her hour-glass shape. My woman with her shape of an otter
between the teeth of a tiger. My woman with her rosette mouth, with her
bouquet-of-stars-of-the-last-magnitude mouth, with her teeth like the marks
of a white mouse on the white earth, with her tongue of rubbed amber
and glass. My woman with her tongue like a stabbed host, with her
tongue like that of a doll which opens and shuts its eyes, with her tongue
of incredible stone. My woman with lashes like a child's first strokes of
writing, with eyebrows like the edge of a swallow's nest. My woman with
temples like the slates of a hothouse roof, and of moisture on the panes.
My woman with champagne shoulders, fountain shoulders with dolphins'
heads under the ice. My woman with wrists like matches. My woman with
fingers of chance and the ace of hearts, with fingers of cut hay. My
woman with armpits of marten and beechnut and midsummer night, with
armpits of privet and fern nest, with arms of sea foam and flood gate
foam, arms of mingled wheat and mill. My woman with rocket legs with
their movements of clockwork and despair. My woman with her calves of

Aux pieds de trousseaux de clés aux pieds de calfats qui
    boivent
Ma femme au cou d'orge imperlé
Ma femme à la gorge de Val d'or
De rendez-vous dans le lit même du torrent
Aux seins de nuit
Ma femme aux seins de creuset du rubis
Aux seins de spectre de la rose sous la rosée
Ma femme au ventre de dépliement d'éventail des jours
Au ventre de griffe géante
Ma femme au dos d'oiseau qui fuit vertical
Au dos de vif-argent
Au dos de lumière
A la nuque de pierre roulée et de craie mouillée
Et de chute d'un verre dans lequel on vient de boire
Ma femme aux hanches de nacelle
Aux hanches de lustre et de pennes de flèche
Et de tiges de plumes de paon blanc
De balance insensible
Ma femme aux fesses de grès et d'amiante
Ma femme aux fesses de dos de cygne
Ma femme aux fesses de printemps
Au sexe de glaïeul
Ma femme au sexe de placer et d'ornithorynque
Ma femme au sexe d'algue et de bonbons anciens
Ma femme au sexe de miroir
Ma femme aux yeux pleins de larmes

elder tree. My woman with feet like initials, with feet like bunches of
keys, with feet like drinking calkers. My woman with her neck of pearled
barley. My woman with her Golden Valley throat, of rendezvous in the
very bed of the torrent with her night breasts. My woman with her ruby
crucible breasts, with her rose specter breasts under the dew. My woman
with her belly like the unfolding of the fan of days, with her belly like a
giant claw. My woman with the back of a bird that flees vertically with
her back of quicksilver, with her back of light, with her rolled stone and
wet chalk nape, with her nape like the fall of a glass from which one
has just drunk. My woman with hips like a small boat, with chandelier
hips and arrow-feathered hips like the stems of feathers of white peacocks,
whose balance cannot be perceived. My woman with stone, sand and
amianthus buttocks. My woman with swan's back buttocks. My woman
with springtime buttocks, with a gladiolus sex. My woman with her placer
[gold mine] and duckbill sex. My woman with her sex of algae and past
days' candies. My woman with her mirror sex. My woman with her eyes full
of tears, with her violet panoply and magnetic needle eyes. My woman

Aux yeux de panoplie violette et d'aiguille aimantée
Ma femme aux yeux de savane
Ma femme aux yeux d'eau pour boire en prison
Ma femme aux yeux de bois toujours sous la hache
Aux yeux de niveau d'eau de niveau d'air de terre et de feu

Jean Cocteau

(1889–   )

MIDI

Le rameur, ange en bois, remue avec ses ailes
Aphrodite, ses autruches, ses diamants,
  Du large calme, à vous, au bord, vague fidèle,
Calèche d'émeraude aux coursiers écumants.

Les épaves d'ici, bidons, ancres, solives,
Mâts, méduses, regard de noyés aux vitrines
Du boulevard des capitales sous-marines;
Et la mer se retire en suçant ses salives.

Vite, j'enlève ma chemise, mon chapeau;
Je me couche, naufragé nu de ce rivage,
Obligeant à sortir, sous la chaleur sauvage,
Le hâle, un indien caché dans notre peau.

with her savanna eyes. My woman with her eyes of water to be drunk in
prison. My woman with her eyes of wood always under the ax, with her
water level, air, earth, fire level eyes.

The rower, wooden angel, stirs with his wings Aphrodite, her ostriches,
her diamonds, from the calm sea, to you, on the shore, faithful wave,
coach of emerald with foaming steeds. The local jetsam, cans, anchors,
beams, masts, jellyfish, gaze of the drowned in the windows of the boulevard of underwater capitals; and the sea withdraws, sucking its salivas.
Quickly I take off my shirt, my hat; I lie down, naked castaway on this
shore, under the savage heat obliging the tan to emerge, an Indian hidden
in our skin.

FÉERIE

Après PARADE la petite fille américaine sortit du théâtre.
C'était le théâtre du Châtelet où elle aurait dû voir Les
Pilules du Diable, La Biche au bois, La poudre de Perlin-
pinpin, Le Tour du Monde. On l'avait huée. Elle portait sur
la tête un papillon du Brésil et un col marin dans le dos. Le
tout coûtait trente francs au bazar. Nous l'avions acheté
avec le peintre et le danseur russe. Elle aussi était Russe, ce
qui est triste pour une petite fille américaine. Elle faisait des
signes de croix, se tirait les cartes, fumait et pleurait beaucoup. Elle voulut tout de suite partir pour New-York où les
petites filles ne sont pas russes et reçoivent des nouvelles de
leur famille. Mais les bateaux et les maisons d'Amérique
sont trop grands. On raconte même que les ascenseurs vous
ouvrent le ventre et vous le recousent vide. Et puis elle avait
peur des nègres qui s'approchent la nuit sans être vus.

PARADE jouet mécanique d'un modèle qui ne marche pas
tout seul. Il fallait encore du courage.

Les arbres du printemps sont à l'envers et avant de sauter
dans la bouche d'ogre en or et en obscurité qui siffle, elle me
pince de toutes ses forces.

C'est moi qui fais le bruit des vagues.

Allons, Marie.

After *Parade* the little American girl left the theater. It was the
Châtelet theater where she should have seen *The Pills of the Devil, The
Doe in the Woods, The Wonder-working Powder, Around the World*.
They had booed her. On her head she was wearing a butterfly from
Brazil and a sailor's collar on her back. It all cost thirty francs at the
emporium. We had bought it with the painter and the Russian dancer.
She too was Russian, a sad thing for a little American girl. She crossed
herself, told her own fortune with cards, smoked and cried a great deal.
She wanted to leave immediately for New York where little girls are not
Russian and receive news from their family. But the ships and houses of
America are too big. They even say that the elevators open your belly and
sew it together again empty. And then she was afraid of the Negroes who
approach in the night without being seen. *Parade*, mechanical toy based
on a model that does not function by itself. More courage was needed.
The trees of spring are topsy-turvy, and before jumping into the hissing
gold and dark ogre's mouth, she pinches me with all her strength. I make
the noise of the waves. Let's go, Mary.

MOUCHOIR

Allons, au revoir. Retournez sur vos navires,
Puisque la poésie est là, paraît-il.
Cependant, je serai parmi ceux qui virent
Un voyage au long cours peut-être plus subtil.

J'aimais jadis les gratte-ciel et les machines
De New-York, cité faite en affiches dessus,
Et dessous en égouts peuplés par la Chine;
(Après un incendie on s'en aperçut).

Sous la terre un quartier de soie et de peste.
C'est du propre. Bonjour, mon métropolitain!
Quinconces de faïences à votre ombre je reste
Mieux à l'aise que sur le mont Palatin.

Oiseau, pardonne-moi ce vice de naissance;
J'étouffe un vieux regret de mes villes d'avant.
Mais puis-je partir sans rames, sans essence;

Adieu, jouets du vent.

« LES ANGES MALADROITS »

Les anges maladroits vous imitent, pigeons.
Vous saluez Marie. Eux, devant leurs guérites,
Gardent la France. Hélas! nous les décourageons.

Well now, good-by. Return to your ships, since poetry is there, they
say. During this time, I shall be among those who saw a perhaps more
subtle long sea voyage. I used to like the skyscrapers and the machines
of New York, a city constructed above in posters, and below in sewers
peopled by China (after a fire they noticed it). Under the ground a dis-
trict of silk and plague. That's a fine mess. Hello, my subway! Tiles
arranged in squares of five, in your shadow I remain more at ease than
on the Palatine hill. Bird, forgive me for this vice of birth; I choke back
an old regret for my cities from before. But can I leave without oars,
without gas; Farewell, playthings of the wind.

The awkward angels imitate you, pigeons. You hail Mary. They, in
front of their sentry-boxes, guard France. Alas! we discourage them. All

Toute la nuit le ciel cueille des marguerites:
La dernière cueillie on ouvre les volets.

Voici venir l'automne et la chute des anges;
Les anges répandus comme le pot au lait.

Arbre en or l'Opéra donne beaucoup d'oranges;
C'est surtout vers le haut que le public les mange,
Car, vers le bas, manger des oranges déplaît.

Ce poème en dix vers est-il beau, est-il laid?
Il n'est ni laid ni beau, il a d'autres mérites.

JEUNE FILLE ENDORMIE

Rendez-vous derrière l'arbre à songes;
Encore faut-il savoir auquel aller.
Souvent on embrouille les anges
Victimes du mancenillier.

Nous qui savons ce que ce geste attire:
Quitter le bal et les buveurs de vin,
A bonne distance des tirs,
Nous ne dormirons pas en vain.

Dormons sous un prétexte quelconque,
Par exemple: voler en rêve;
Et mettons-nous en forme de quinconce,
Pour surprendre les rendez-vous.

night long the sky picks daisies: when the last one is picked, they open the shutters. Autumn is coming and the fall of the angels; angels spilled out like the jug of milk. The Opera, golden tree, yields lots of oranges; it is particularly toward the top that the public eats them, for, below, to eat oranges displeases. Is this ten-line poem beautiful or ugly? Neither ugly nor beautiful, it has other merits.

Rendezvous in back of the tree of dreams; yet one must know to which one to go. Often, a victim of the manchineel tree, one gets the angels mixed up. . . . We who know what this gesture attracts: to leave the ball and the wine drinkers, at a safe distance from the shooting galleries, we shall not sleep in vain. Let us sleep under any pretext, for example to fly in dreams; and let us arrange ourselves in the shape of a quincunx, in order to spy on the rendezvous. It is sleep that gives you your poetry,

C'est le sommeil qui fait ta poésie,
Jeune fille avec un seul grand bras paresseux;
Déjà le rêve t'a saisie
Et plus rien d'autre ne t'intéresse.

Paul Eluard
(Eugène Grindel)
(1895–1952)

POUR VIVRE ICI

Je fis un feu, l'azur m'ayant abandonné,
Un feu pour être son ami,
Un feu pour m'introduire dans la nuit d'hiver,
Un feu pour vivre mieux.

Je lui donnai ce que le jour m'avait donné:
Les forêts, les buissons, les champs de blé, les vignes,
Les nids et leurs oiseaux, les maisons et leurs clés,
Les insectes, les fleurs, les fourrures, les fêtes.

Je vécus au seul bruit des flammes crépitantes,
Au seul parfum de leur chaleur;
J'étais comme un bateau coulant dans l'eau fermée,
Comme un mort je n'avais qu'un unique élément.

---

young girl with a single, long, lazy arm; dream has already taken hold of you and nothing else interests you.

I made a fire, the blue sky having abandoned me, a fire to be its friend, a fire to be able to enter into the winter night, a fire so as to live better. I gave it what the day had given me: the forests, the bushes, the fields of wheat, the vines, the nests and their birds, the houses and their keys, the insects, the flowers, the furs, the feasts. I lived with the sole noise of the crackling flames, with the sole perfume of their heat; I was like a ship sinking in closed water, like a dead man I had only one unique element.

L'AMOUREUSE

Elle est debout sur mes paupières
Et ses cheveux sont dans les miens,
Elle a la forme de mes mains,
Elle a la couleur de mes yeux,
Elle s'engloutit dans mon ombre
Comme une pierre sur le ciel.

Elle a toujours les yeux ouverts
Et ne me laisse pas dormir.
Ses rêves en pleine lumière
Font s'évaporer les soleils,
Me font rire, pleurer et rire,
Parler sans avoir rien à dire.

« ON NE PEUT ME CONNAÎTRE »

On ne peut me connaître
Mieux que tu me connais

Tes yeux dans lesquels nous dormons
Tous les deux
Ont fait à mes lumières d'homme
Un sort meilleur qu'aux nuits du monde

Tes yeux dans lesquels je voyage
Ont donné aux gestes des routes
Un sens détaché de la terre

Dans tes yeux ceux qui nous révèlent

She is standing on my eyelids and her hair is in mine, she has the
shape of my hands, she has the color of my eyes, she is swallowed up in
my shadow like a stone on the sky. Her eyes are always open and she
does not let me sleep. Her dreams in broad daylight make the suns
evaporate, make me laugh, cry and laugh, speak without having anything
to say.

I cannot be known better than you know me. Your eyes in which we
sleep, both of us, have made of the lights I have as a man a better fate
than for the nights of the world. Your eyes in which I travel have given
to the gestures of the roads a meaning detached from the earth. In your

Notre solitude infinie
Ne sont plus ce qu'ils croyaient être

On ne peut te connaître
Mieux que je te connais.

GABRIEL PÉRI

Un homme est mort qui n'avait pour défense
Que ses bras ouverts à la vie
Un homme est mort qui n'avait d'autre route
Que celle où l'on hait les fusils
Un homme est mort qui continue la lutte
Contre la mort contre l'oubli

Car tout ce qu'il voulait
Nous le voulions aussi
Nous le voulons aujourd'hui
Que le bonheur soit la lumière
Au fond des yeux au fond du cœur
Et la justice sur la terre

Il y a des mots qui font vivre
Et ce sont des mots innocents
Le mot chaleur le mot confiance
Amour justice et le mot liberté
Le mot enfant et le mot gentillesse
Et certains noms de fleurs et certains noms de fruits
Le mot courage et le mot découvrir
Et le mot frère et le mot camarade

eyes, those who reveal to us our infinite solitude are no longer what they thought they were. No one can know you better than I know you.

A man is dead who had as his only defense his arms opened to life. A man is dead who had no other route than that one where guns are despised. A man is dead who continues the fight against death, against oblivion. For everything that he wanted we also wanted. We want it today: that happiness be the light in the depths of the eyes, in the depths of the heart, and that justice be on earth. There are words that make us live and they are innocent words: the word warmth, the word trust, love, justice and the word freedom, the word child and the word gentleness, and certain names of flowers and certain names of fruits, the word courage and the word to discover, the word brother and the word comrade, and cer-

Et certains noms de pays de villages
Et certains noms de femmes et d'amis
Ajoutons-y Péri
Péri est mort pour ce qui nous fait vivre
Tutoyons-le sa poitrine est trouée
Mais grâce à lui nous nous connaissons mieux
Tutoyons-nous son espoir est vivant.

L'EXTASE

Je suis devant ce paysage féminin
Comme un enfant devant le feu
Souriant vaguement et les larmes aux yeux
Devant ce paysage où tout remue en moi
Où des miroirs s'embuent où des miroirs s'éclairent
Reflétant deux corps nus saison contre saison

J'ai tant de raisons de me perdre
Sur cette terre sans chemins et sous ce ciel sans horizon
Belles clés des regards clés filles d'elles-mêmes
Et que je n'oublierai jamais
Belles clés des regards clés filles d'elles-mêmes
Devant ce paysage où la nature est mienne

Devant le feu le premier feu
Bonne raison maîtresse
Etoile identifiée
Et sur la terre et sous le ciel hors de mon cœur et dans mon
    cœur

tain names of countries, of villages, and certain names of women and of
friends. Let us add Péri to the list. Péri died for that which makes us live.
Let us address him familiarly. His breast is full of holes, but thanks to
him we know ourselves better. Let us address each other familiarly: his
hope is still alive.

I am in front of this feminine landscape like a child in front of the
fire, smiling vaguely and tears in my eyes in front of this landscape where
mirrors become clouded, where mirrors become clear, reflecting two naked
bodies, season against season. I have so many reasons to lose myself on
this earth without roads and under this sky without an horizon, beautiful
reasons that I did not know of yesterday and that I shall never forget,
beautiful keys of key glances, daughters of themselves in front of this
landscape in which nature is mine. In front of the fire, the first fire, good
main reason, identified star, and on the earth and under the sky, outside

Second bourgeon première feuille verte
Que la mer couvre de ses ailes
Et le soleil au bout de tout venant de nous

Je suis devant ce paysage féminin
Comme une branche dans le feu.

Louis Aragon

(1897–   )

PERSIENNES

Persienne Persienne Persienne
Persienne Persienne Persienne
Persienne Persienne Persienne Persienne
Persienne Persienne Persienne Persienne
Persienne Persienne
Persienne Persienne Persienne
Persienne?

LES LILAS ET LES ROSES

O mois des floraisons mois des métamorphoses
Mai qui fut sans nuage et Juin poignardé
Je n'oublierai jamais les lilas ni les roses
Ni ceux que le printemps dans ses plis a gardés

of my heart and in my heart a second blossom, first green leaf that the
sea covers with its wings, and the sun, at the end of everything, coming
from us. I am in front of this feminine landscape like a branch in the fire.

Persian blinds . . . persian blinds? [In French "persiennes" may mean
either Venetian blinds or Persian women. Aragon was undoubtedly
amused by the resemblance between the oblique slats of the blinds, which
allow only a little light to penetrate, and the veils worn by Persian
women: hence this translation.]

O months of flowerings, months of metamorphoses, May that was cloudless and June stabbed, I shall never forget the lilacs nor the roses, nor

Je n'oublierai jamais l'illusion tragique
Le cortège les cris la foule et le soleil
Les chars chargés d'amour les dons de la Belgique
L'air qui tremble et la route à ce bourdon d'abeilles
Le triomphe imprudent qui prime la querelle
Le sang que préfigure en carmin le baiser
Et ceux qui vont mourir debout dans les tourelles
Entourés de lilas par un peuple grisé

Je n'oublierai jamais les jardins de la France
Semblables aux missels des siècles disparus
Ni le trouble des soirs l'énigme du silence
Les roses tout le long du chemin parcouru
Le démenti des fleurs au vent de la panique
Aux soldats qui passaient sur l'aile de la peur
Aux vélos délirants aux canons ironiques
Au pitoyable accoutrement des faux campeurs

Mais je ne sais pourquoi ce tourbillon d'images
Me ramène toujours au même point d'arrêt
A Sainte-Marthe Un général De noirs ramages
Une villa normande au bord de la forêt
Tout se tait L'ennemi dans l'ombre se repose
On nous a dit ce soir que Paris s'est rendu
Je n'oublierai jamais les lilas ni les roses
Et ni les deux amours que nous avons perdus

Bouquets du premier jour lilas lilas des Flandres

those whom the spring kept in its folds. I shall never forget the tragic
illusion, the procession, the cries, the crowd and the sun, the tanks laden
with love, the gifts of Belgium, the air and the road trembling with this
buzzing of bees, the imprudent triumph that prevails over the quarrel, the
blood that the scarlet kiss foreshadows, and those who are going to die,
upright in the turrets, surrounded with lilacs by an exalted people. I shall
never forget the gardens of France like the missals of past centuries, nor
the anguish of the nights, the enigma of silence, the flowers' denial of the
road traveled, the flowers' denial of the wind of panic, of the soldiers
passing on the wings of fear, of the delirious bicycles, of the ironic cannons, of the pitiful equipment of false campers. But, I do not know why,
this whirlpool of images always brings me back to the same halt at
Sainte-Marthe. A general. Black-flowered branches. A Norman villa at
the edge of the forest. All is still. The enemy rests in the shade. They
told us this evening that Paris capitulated. I shall never forget the lilacs
nor the roses, nor the two loves that we lost. Bouquets of the first day,
lilacs, lilacs of Flanders, softness of the shade whose cheeks are painted

Douceur de l'ombre dont la mort farde les joues
Et vous bouquets de la retraite roses tendres
Couleur de l'incendie au loin roses d'Anjou

Robert Desnos

(1900–1945)

POÈME À LA MYSTÉRIEUSE

J'ai tant rêvé de toi que tu perds ta réalité
Est-il encore temps d'atteindre ce corps vivant et de baiser
sur cette bouche la naissance de la voix qui m'est chère?
J'ai tant rêvé de toi que mes bras habitués en étreignant
ton ombre à se croiser sur ma poitrine ne se plieraient pas
au contour de ton corps, peut-être.
Et que, devant l'apparence réelle de ce qui me hante et
me gouverne depuis des jours et des années, je deviendrais
une ombre sans doute,
O balances sentimentales.
J'ai tant rêvé de toi qu'il n'est plus temps sans doute que
je m'éveille. Je dors debout le corps exposé à toutes les
apparences de la vie et de l'amour et toi, la seule qui
compte aujourd'hui pour moi, je pourrais moins toucher
ton front et tes lèvres que les premières lèvres et le premier
front venu.

---

by death, and you, bouquets of the retreat, tender roses, color of the
distant fire, roses of Anjou.

I have dreamed of you so much that you are losing your reality. Is it
still time to reach this living body and to kiss on the mouth the birth of
the voice that is dear to me? I have dreamed of you so much that my
arms, accustomed while embracing your shadow to fold over my breast,
would not bend to the shape of your body perhaps. And that, before the
real appearance of what has been haunting me and governing me for days
and years, I should doubtless become a shadow, O sentimental scales. I
have dreamed of you so much that it is perhaps no longer possible for
me to awaken. I sleep standing up, my body exposed to all the appear-
ances of life and love, and you, the only one who counts today for me,
I could touch your brow and your lips less than the lips and the brow of

J'ai tant rêvé de toi, tant marché, parlé, couché avec ton fantôme qu'il ne me reste plus peut-être, et pourtant, qu'à être fantôme parmi les fantômes et plus ombre cent fois, que l'ombre qui se promène et se promènera allègrement sur le cadran solaire de ta vie.

LE PÉLICAN

Le capitaine Jonathan,
Etant âgé de dix-huit ans,
Capture un jour un pélican
Dans une île d'Extrême-Orient.

Le pélican de Jonathan,
Au matin, pond un œuf tout blanc
Et il sort un pélican
Lui ressemblant étonnamment.

Et ce deuxième pélican
Pond, à son tour, un œuf tout blanc
D'où sort, inévitablement,
Un autre qui en fait autant.

Cela peut durer pendant très longtemps
Si l'on ne fait pas d'omelette avant.

the first newcomer. I have dreamed of you so much, walked, spoken, slept with your phantom so much, that all that I can do now perhaps and in spite of everything is to be a phantom among phantoms and one hundred times more of a shadow than the shadow that walks and will walk joyfully on the sundial of your life.

Captain Jonathan at the age of eighteen, one day captured a pelican on an island in the Far East. Jonathan's pelican, in the morning, lays a completely white egg and a pelican comes out astonishingly similar to the first. And this second pelican lays, in turn, a completely white egg from which comes out, inevitably, another that does the same thing. This can go on for a very long time unless one makes an omelet before.

Jacques Prévert

(1900–   )

POUR TOI MON AMOUR

Je suis allé au marché aux oiseaux
Et j'ai acheté des oiseaux
Pour toi
mon amour
Je suis allé au marché aux fleurs
Et j'ai acheté des fleurs
Pour toi
mon amour
Je suis allé au marché à la ferraille
Et j'ai acheté des chaînes
De lourdes chaînes
Pour toi
mon amour
Et puis je suis allé au marché aux esclaves
Et je t'ai cherchée
Mais je ne t'ai pas trouvée
mon amour

LA CÈNE

Ils sont à table
Ils ne mangent pas
Ils ne sont pas dans leur assiette
Et leur assiette se tient toute droite
Verticalement derrière leur tête.

I went to the bird market and I bought birds, for you, my love. I went to the flower market and I bought flowers, for you, my love. I went to the scrap iron market and I bought chains, heavy chains, for you, my love. And then I went to the slave market and I looked for you, but I did not find you, my love.

They are sitting at the table. They are not eating. They don't feel very well and their plates are standing very straight, vertically in back of their heads.

CORTÈGE

Un vieillard en or avec une montre en deuil
Une reine de peine avec un homme d'Angleterre
Et des travailleurs de la paix avec des gardiens de la mer
Un hussard de la farce avec un dindon de la mort
Un serpent à café avec un moulin à lunettes
Un chasseur de corde avec un danseur de têtes
Un maréchal d'écume avec une pipe en retraite
Un chiard en habit noir avec un gentleman au maillot
Un compositeur de potence avec un gibier de musique
Un ramasseur de conscience avec un directeur de mégots
Un repasseur de Coligny avec un amiral de ciseaux
Une petite sœur du Bengale avec un tigre de Saint-Vincent-
    de-Paul
Un professeur de porcelaine avec un raccommodeur de
    philosophie
Un contrôleur de la Table Ronde avec des chevaliers de
    la Compagnie du Gaz de Paris
Un canard à Sainte-Hélène avec un Napoléon à l'orange
Un conservateur de Samothrace avec une victoire de cime-
    tière
Un remorqueur de famille nombreuse avec un père de
    haute mer
Un membre de la prostate avec une hypertrophie de l'Aca-
    démie française
Un gros cheval in partibus avec un grand évêque de cirque

[*Procession*] An old man in gold with a watch in mourning. A queen doing manual work with a man of England, and the trawlers of peace with the guardians of the sea. A hussar of farce with a turkey of death. A coffee serpent with a spectacled mill. A tightrope hunter with a dancer of heads. A marshal of foam with a retired pipe. A shit-ass baby in a black dress coat and a gentleman in diapers. A gallows composer with a music bird. A collector of conscience with a director of butts. A sharpener of Coligny with a scissors admiral. A little nun from Bengal with a tiger of Saint-Vincent-de-Paul. A professor of porcelain with a repairer of philosophy. A meter reader from the Round Table with the Knights of the Paris Gas Company. A duck at Sainte-Hélène with a Napoleon prepared with oranges. A curator of Samothrace with a cemetery victory. A large family tug with a high sea father. A member of the prostate with a hypertrophy of the French Academy. A large horse in partibus with a big circus bishop. A ticket collector with a wooden cross and a bus choir

Un contrôleur à la croix de bois avec un petit chanteur
    d'autobus
Un chirurgien terrible avec un enfant dentiste
Et le général des huîtres avec un ouvreur de Jésuites.

Henri Michaux

(1899–   )

MON ROI

Dans ma nuit, j'assiège mon Roi, je me lève progressive-
ment et je lui tords le cou.

Il reprend des forces, je reviens sur lui, et lui tords le cou
une fois de plus,

Je le secoue, et le secoue comme un vieux prunier et sa
couronne tremble sur sa tête.

Et pourtant, c'est mon Roi, je le sais et il le sait, et c'est
bien sûr que je suis à son service.

Cependant dans la nuit, la passion de mes mains l'étrangle
sans répit. Point de lâcheté pourtant; j'arrive les mains
nues et je serre son cou de Roi.

Et c'est mon Roi, que j'étrangle vainement depuis si
longtemps dans le secret de ma petite chambre; sa face
d'abord bleuie, après peu de temps redevient naturelle, et sa
tête se relève, chaque nuit, chaque nuit.

boy. A frightful surgeon with a child dentist and the general of the oysters
with an opener of Jesuits.

In my night, I besiege my King, I raise myself little by little and I
wring his neck. He gathers his strength, I come back to him, and wring
his neck once more, I shake him and shake him like an old plum tree
and his crown trembles on his head. And nevertheless, he is my King, I
know it and he knows it, and I am, of course, at his service. However,
during the night, the passion of my hands strangles him without respite.
No cowardice though; I come with bare hands and I grip his kingly
neck. And it is my King whom I have been strangling vainly for so long
in the intimacy of my small room; his face bluish at first takes on a
natural color after a little while, and his head is raised up again, every

Dans le secret de ma petite chambre, je pète à la figure de mon Roi. Ensuite j'éclate de rire. Il essaie de montrer un front serein, et lavé de toute injure. Mais je lui pète sans discontinuer à la figure, sauf pour me retourner vers lui, et éclater de rire à sa noble face, qui essaie de garder de la majesté.

C'est ainsi que je me conduis avec lui; commencement sans fin de ma vie obscure.

Et maintenant je le renverse par terre, et m'assieds sur sa figure — son auguste figure disparaît — mon pantalon rude aux taches d'huile, et mon derrière — puisqu'enfin c'est son nom — se tiennent sans embarras sur cette face faite pour régner.

Et je ne me gêne pas, ah non, pour me tourner à gauche et à droite, quand il me plaît et plus même, sans m'occuper de ses yeux ou de son nez qui pourraient être dans le chemin. Je ne m'en vais qu'une fois lassé d'être assis.

Et si je me retourne, sa face imperturbable règne, toujours.

Je le gifle, je le gifle, je le mouche ensuite par dérision comme un enfant.

Cependant, il est bien évident que c'est lui le Roi, et moi son sujet, son unique sujet.

A coups de pied dans le cul, je le chasse de ma chambre. Je le couvre de déchets de cuisine et d'ordure. Je lui bourre les oreilles de basses et pertinentes injures, pour bien l'atteindre à la fois profondément et honteusement, de calom-

night, every night. In the intimacy of my small room, I fart in my King's face. Then I burst out laughing. He tries to exhibit a serene brow, free from any injury. But I fart in his face without stopping, except to turn toward him and burst out laughing at his noble face, that tries to preserve a majestic air. That is how I behave with him; the beginning without end of my obscure life. And now I throw him on the ground, and sit on his face—his august face disappears—my rough trousers stained with oil, and my buttocks—since that's the name—remain without difficulty on the face that is made to rule. And I have no scruples, ah no, about turning to the left and to the right when I want to, and otherwise move about, without bothering about his eyes or his nose which might be in the way. I only go away when I am tired of being seated. And if I turn around, his imperturbable face still reigns. I slap him, I slap him, then I wipe his nose derisively as if he were a child. Nevertheless, it is clear that he is the King and that I am his subject, his unique subject. With kicks in the ass, I chase him from my room. I cover him with kitchen refuse and offal. I stuff his ears with low and relevant insults, in order to touch him both deeply and shamefully, I stuff his ears with Neapolitan calumnies particu-

nies à la Napolitaine particulièrement crasseuses et circon-
stanciées, et dont le seul énoncé est une souillure dont on ne
peut plus se défaire, habit ignoble fait sur mesure: le purin
vraiment de l'existence.

Eh bien, il me faut recommencer le lendemain.

Il est revenu; il est là. Il est toujours là. Il ne peut pas
déguerpir pour de bon. Il doit absolument m'imposer sa
maudite présence royale dans ma chambre déjà si petite.

DANS LA NUIT

Dans la nuit
Dans la nuit
Je me suis uni à la nuit
A la nuit sans limites
A la nuit.
Mienne, Belle, mienne.
Nuit
Nuit de naissance
Qui m'emplis de mon cri
De mes épis
Toi qui m'envahis
Qui fais houle houle
Qui fais houle tout autour
Et fume, es fort dense
Et mugis
Es la nuit
Nuit qui gît, nuit implacable.
Et sa fanfare, et sa plage

larly filthy and precise, the mere sound of which is a stain than can never
more be removed, an ignoble suit made to order: the manure, in truth
of existence. Well, I have to begin again the next day. He has returned; he
is there. He is always there. He cannot beat it once and for all. He must
absolutely impose on me his cursed royal presence in my room already
so small.

In the night, in the night. I joined myself to the night, to the endless
night, to the night. Mine, beautiful, mine. Night, night of birth which
fills me with my cry, with my sheaves, you who invade me, who sing with
a roar, roar, who surge with a roar around, who smoke, and are very
thick, and bellow and are the night, night that lies, implacable night. And
its fanfare, and its beach above, its beach all over, its beach drinks, its

Sa plage en haut, sa plage partout,
Sa plage boit, son poids est roi,
    et tout ploie sous lui
Sous lui, sous plus ténu qu'un fil
Sous la nuit
La nuit.

UN HOMME PAISIBLE

Etendant les mains hors du lit, Plume fut étonné de ne pas rencontrer le mur. « Tiens, pensa-t-il, les fourmis l'auront mangé. ... » et il se rendormit.

Peu après sa femme l'attrapa et le secoua: « Regarde, dit-elle, fainéant! pendant que tu étais occupé à dormir on nous a volé notre maison. » En effet, un ciel intact s'étendait de tous côtés. « Bah, la chose est faite, » pensa-t-il.

Peu après un bruit se fit entendre. C'était un train qui arrivait sur eux à toute allure. « De l'air pressé qu'il a, pensa-t-il, il arrivera sûrement avant nous » et il se rendormit.

Ensuite le froid le réveilla. Il était tout trempé de sang. Quelques morceaux de sa femme gisaient près de lui. « Avec le sang, pensa-t-il, surgissent toujours quantité de désagréments; si ce train pouvait n'être pas passé, j'en serais fort heureux. Mais puisqu'il est déjà passé... » et il se rendormit.

— Voyons, disait le juge, comment expliquez-vous que votre femme se soit blessée au point qu'on l'ait trouvée

weight is king, and everything bends under him, under him, under something thinner than a thread, under the night, the night.

Stretching his hands out of the bed, Plume was astonished at not touching the wall. "Well," he thought, "the ants have eaten it . . ." and he went back to sleep. Shortly afterward, his wife seized hold of him and shook him: "Look," she said, "lazy bones! while you were busy sleeping they stole our house." And in fact, an unbroken sky stretched out on all sides. "Bah, it's over now," he thought. Shortly afterward he heard a noise. It was a train coming at them full speed. "Judging from its hurried appearance," he thought, "it will certainly arrive before we do . . ." and he went back to sleep. Next, the cold wakened him. He was all soaked in blood. Some pieces of his wife were lying near him. "With blood," he thought, "a quantity of disagreeable things develop; if it were possible that this train did not really pass, I should be very happy. But since it has already passed . . ." and he went back to sleep. "Now," said the judge, "how do you explain the fact that your wife so severely wounded

partagée en huit morceaux, sans que vous, qui étiez à côté, ayez pu faire un geste pour l'en empêcher, sans même vous en être aperçu. Voilà le mystère. Toute l'affaire est là-dedans.

— Sur ce chemin, je ne peux pas l'aider, pensa Plume, et il se rendormit.

— L'exécution aura lieu demain. Accusé, avez-vous quelque chose à ajouter?

— Excusez-moi, dit-il, je n'ai pas suivi l'affaire. Et il se rendormit.

IMMENSE VOIX

Immense voix
qui boit
qui boit

Immenses voix qui boivent
qui boivent
qui boivent

Je ris, je ris tout seul dans une autre
dans une autre
dans une autre barbe

Je ris, j'ai le canon qui rit
le corps canonné
je, j'ai, j'suis

ailleurs!

herself that they found her separated into eight pieces and that you, who were at her side, could not make a single gesture to prevent her from doing it, you did not even notice it. There's the mystery. The entire case is contained in that fact." "On that trail I can't help him," thought Plume, and he went back to sleep. "The execution will take place tomorrow. Accused, have you something to add?" "Excuse me" he said, "I haven't been following the case." And he went back to sleep.

Immense voice that drinks, that drinks. Immense voices that drink, that drink. I laugh, I laugh all alone up another, up another, up another sleeve. I laugh, I have the cannon that laughs, the cannon-body I, I have,

ailleurs!
ailleurs!

Une brèche, qu'est-ce que ça fait?
un rat qu'est-ce que ça fait?
une araignée?

Etant mauvais cultivateur je perdis mon père
non, n'apportez pas de lumière
donc je le perdis

Le commandement s'éteignit
plus de voix. Plus étouffée du moins
Après vingt ans, à nouveau, qu'est-ce que j'entends?

Immense voix qui boit nos voix
immense père reconstruit géant
par le soin, par l'incurie des événements

Immense Toit qui couvre nos bois
nos joies
qui couvre chats et rats

Immense croix qui maudit nos radeaux
qui défait nos esprits
qui prépare nos tombeaux

Immense voix pour rien
pour le linceul
pour s'écrouler nos colonnes

Immense « doit » « devoir »
devoir devoir devoir

I am elsewhere! elsewhere! elsewhere! A hole in the wall, what difference does it make? a rat, what difference does it make? a spider? Because I was a bad cultivator I lost my father—no, don't bring any light—so I lost him. The order died, no more voice. More muffled at last. After twenty years, once again, what do I hear? Immense voice that drinks our voices, immense father reconstructed as a giant by the care, by the carelessness of events. Immense Roof that covers our woods, our joys, that covers cats and rats. Immense cross that curses our rafts that undoes our spirits, that prepares our tombs. Immense voice for nothing, for the shroud, for the overturning of our columns. Immense "must," "duty," duty, duty,

Immense impérieux empois.

Avec une grandeur feinte
immense affaire
qui nous gèle

Etions-nous nés pour la gangue
Etions-nous nés, doigts cassés, pour donner
toute une vie à un mauvais problème?

à je ne sais quoi pour je ne sais qui
à un je ne sais qui pour un je ne sais quoi.
toujours vers plus de froid

Suffit! ici on ne chante pas
Tu n'auras pas ma voix, grande voix
Tu n'auras pas ma voix, grande voix

Tu t'en passeras grande voix
Toi aussi tu passeras
Tu passeras, grande voix

Francis Ponge

(1899–   )

LA FIN DE L'AUTOMNE

Tout l'automne à la fin n'est plus qu'une tisane froide.
Les feuilles mortes de toutes essences macèrent dans la

duty. Immense imperious starch. With a feigned grandeur, immense affair
that freezes us. Were we born for the sludge? were we born, fingers
broken, to give a whole life to a dead problem? to I don't know what for
I don't know whom, to an I don't know whom for an I don't know what.
Always toward more cold. Enough! here there is no singing. You won't
have my voice, great voice. You won't have my voice, great voice. You
will get along without it, great voice. You too, you will pass, you will
pass, great voice.

At the end, all autumn is nothing more than a cold infusion. The dead
leaves of all species soak in the rain. No fermentation, no creation of

pluie. Pas de fermentation, de création d'alcool: il faut attendre jusqu'au printemps l'effet d'une application de compresses sur une jambe de bois.

Le dépouillement se fait en désordre. Toutes les portes de la salle de scrutin s'ouvrent et se ferment, claquant violemment. Au panier, au panier! La Nature déchire ses manuscrits, démolit sa bibliothèque gaule rageusement ses derniers fruits.

Puis elle se lève brusquement de sa table de travail. Sa stature aussitôt paraît immense. Décoiffée, elle a la tête dans la brume. Les bras ballants, elle aspire avec délices le vent glacé qui lui rafraîchit les idées. Les jours sont courts, la nuit tombe vite, le comique perd ses droits.

La terre dans les airs parmi les autres astres reprend son air sérieux. Sa partie éclairée est plus étroite, infiltrée de vallées d'ombre. Ses chaussures, comme celles d'un vagabond, s'imprègnent d'eau et font de la musique.

Dans cette grenouillerie, cette amphibiguïté salubre, tout reprend forces, saute de pierre en pierre et change de pré. Les ruisseaux se multiplient.

Voilà ce qui s'appelle un beau nettoyage, et qui ne respecte pas les conventions! Habillé comme nu, trempé jusqu'aux os.

Et puis cela dure, ne sèche pas tout de suite. Trois mois de réflexion salutaire dans cet état; sans réaction vasculaire, sans peignoir ni gant de crin. Mais sa forte constitution y résiste.

alcohol: one must await until spring for the effect of compresses applied to a wooden leg. The denuding is done in a disorderly manner. All the doors of the room where the votes are counted open and close, banging violently. In the basket, in the basket! Nature tears up her manuscripts, demolishes her library, fiercely knocks down her last fruits. Then Nature gets up abruptly from her work table. Immediately her height seems immense. Unkempt, her head is in the mist. Her arms hanging, she breathes with delight the icy wind that cools her thoughts. The days are short, night falls quickly, comedy loses its rights. The earth in the air among the other heavenly bodies resumes its serious demeanor. Its lighted section is narrower, infiltrated with valleys of shadow. Her shoes, like those of a tramp, fill with water and make music. In this frog pond, this healthy amphibiguousness, everything gains strength again, jumps from stone to stone and changes meadow. The streams multiply. That is what is called a fine cleaning and a cleaning that does not respect conventions! Dressed like a nude, soaked to the bones. And then it lasts, it does not dry immediately. Three months of salutary reflection in that state; without any vascular reaction, without a robe or a friction glove! But its strong con-

Aussi, lorsque les petits bourgeons recommencent à pointer, savent-ils ce qu'ils font et de quoi il retourne, — et s'ils se montrent avec précaution, gourds et rougeauds, c'est en connaissance de cause.

Mais là commence une autre histoire, qui dépend peut-être mais n'a pas l'odeur de la règle noire qui va me servir à tirer mon trait sous celle-ci.

LA CIGARETTE

Rendons d'abord l'atmosphère à la fois brumeuse et sèche, échevelée, où la cigarette est toujours posée de travers depuis que continûment elle la crée.

Puis sa personne: une petite torche beaucoup moins lumineuse que parfumée, d'où se détachent et choient selon un rythme à déterminer un nombre calculable de petites masses de cendres.

Sa passion enfin: ce bouton embrasé, desquamant en pellicules argentées, qu'un manchon immédiat formé des plus récentes entoure.

stitution resists. So, when the little buds begin to appear, they know what they are doing and what it is all about—and if they show themselves cautiously, stiff and reddish, it is because they know what the score is. But there another story begins, which perhaps depends on but does not have the odor of the black ruler that I will use to draw my line under this story.

First let us give the atmosphere both misty and dry, tousled, in which the cigarette is always placed crosswise from the moment she has continuously been creating it. Then her person: a little torch much less luminous than scented, from which a calculable number of small masses of ash are detached and fall according to a rhythm that can be determined. Last of all her passion: this blazing button peeling off in silver particles and surrounded by a muff immediately formed by the last of these.

René Char
(1907–   )

CONGÉ AU VENT

A flancs de coteau du village bivouaquent des champs
fournis de mimosas. A l'époque de la cueillette, il arrive que,
loin de leur endroit, on fasse la rencontre extrêmement
odorante d'une fille dont les bras se sont occupés durant la
journée aux fragiles branches. Pareille à une lampe dont
l'auréole de clarté serait de parfum, elle s'en va, le dos
tourné au soleil couchant.

Il serait sacrilège de lui adresser la parole.

L'espadrille foulant l'herbe, cédez-lui le pas du chemin.
Peut-être aurez-vous la chance de distinguer sur ses lèvres
la chimère de l'humidité de la Nuit?

MARTHE

Marthe que ces vieux murs ne peuvent pas s'approprier,
fontaine où se mire ma monarchie solitaire, comment pour-
rais-je jamais vous oublier, puisque je n'ai pas à me souvenir de vous: vous êtes le présent qui s'accumule. Nous
nous unirons sans avoir à nous aborder, à nous prévoir
comme deux pavots font en amour une anémone géante.

Je n'entrerai pas dans votre cœur pour limiter sa mémoire.
Je ne retiendrai pas votre bouche pour l'empêcher de

Along the hilly slopes of the village, fields full of mimosa bivouac. At
gathering time, it may happen, that, far from where they are camped, one
makes the extremely scented encounter of a young girl whose arms have
been busy during the day with the fragile branches. Like a lamp whose
halo of light would have been perfume, she goes away, her back turned to
the setting sun. It would be sacrilegious to speak to her. Your sandal
crushing the grass, yield her the right of way. Perhaps you may be lucky
enough to perceive on her lips the humidity of the Night?

Martha, whom these old walls cannot appropriate, fountain in which
my solitary monarchy gazes at itself, how could I ever forget you since I
do not have to remember you; you are the present that accumulates. We
shall unite without having to greet each other, to anticipate each other as
two poppies making love form a giant anemone. I shall not enter into

s'entr'ouvrir sur le bleu de l'air et la soif de partir. Je veux être pour vous la liberté et le vent de la vie qui passe le seuil de toujours avant que la nuit ne devienne introuvable.

« SI LES POMMES DE TERRE NE SE REPRODUISENT PLUS »

Si les pommes de terre ne se reproduisent plus dans la terre, sur cette terre nous danserons. C'est notre droit et notre frivolité.

A***

Tu es mon amour depuis tant d'années,
Mon vertige devant tant d'attente
Que rien ne peut vieillir, froidir,
Même ce qui attendait notre mort,
Ou lentement sut nous combattre,
Même ce qui nous est étranger,
Et mes éclipses et mes retours.

Fermée comme un volet de buis
Une extrême chance compacte
Est notre chaîne de montagnes,
Notre comprimante splendeur.

Je dis chance, ô ma martelée;
Chacun de nous peut recevoir

your heart in order to limit its memory. I shall not hold back your mouth so as to prevent it from opening onto the blue of the air and the thirst for departure. I want to be for you the freedom and the wind of life that passes the eternal threshold before the night becomes impossible to find.

If potatoes no longer grow in the earth, on this earth we shall dance. It is our right and our frivolity.

You have been my love for so many years, my dizziness in the face of so much waiting that nothing can grow old, grow cold, not even that which anticipated our death, or slowly knew how to fight us, not even that which is foreign to us, and my eclipses and my returns. Closed like a boxwood shutter, an extreme and compact chance is our chain of mountains, our compressing splendor. I say chance, O my hammer-

La part de mystère de l'autre
Sans en répandre le secret;
Et la douleur qui vient d'ailleurs
Trouve enfin sa séparation
Dans la chair de notre unité,
Trouve enfin sa route solaire
Au centre de notre nuée
Qu'elle déchire et recommence.
Je dis chance comme je le sens.
Tu as élevé le sommet
Que devra franchir mon attente
Quand demain disparaîtra.

Pierre Emmanuel

(1916–   )

JUIFS

I

Cité de Nulle part et de Jamais ô sombre
Diamant au front du néant, Jérusalem,
La route absurde jusqu'à toi et triomphale
C'est la fuite sans ombre et sans voix de tes enfants
C'est au bout de leur exil atroce dans leur sang
Un sublime éternel exil contre Dieu même
Un tel scandale de macération et de refus
Une soif si exhaustive de justice

wrought one; each of us can receive the share of mystery of the other without spreading the secret; and the sorrow that comes from elsewhere finally finds its separation in the flesh of our unity, finally finds its solar route in the middle of our cloud that it tears and starts anew. I say chance as I feel it. You have raised the summit that my expectation will have to cross when tomorrow disappears.

1. City of Nowhere and of Never, O dark diamond on the brow of nothingness, Jerusalem. The absurd and triumphal route that leads to you is the shadowless and voiceless flight of your children, it is at the end of their atrocious exile in their blood, a sublime eternal exile against God Himself, such a scandal of maceration and refusal, so exhaustive a thirst

Un tel dessèchement du sang, que nul bourreau
Ne saurait rassasier d'injustice ce peuple
Qui supporte le poids d'injuste de son Dieu.

II

Si ce peuple venait à tarir au cœur des peuples
Tout le sang du Sauveur tarirait avec lui.
Car il faut que le Sang soit refoulé toujours
Que le Père refuse en son sévère amour
Et que la Rédemption demeure inachevée
Pour que jamais ne ralentisse le courant
De l'Amour affamé d'absence et du vrai Sang
Criant sans fin sa sécheresse inextinguible
Sans pouvoir apaiser en soi ce rien terrible
Cette implacable soif qui le force à couler.

III

Où sera votre Dieu, prêtres, lorsque la terre
N'aura plus aucun sang pour se justifier
Et que le Sang coagulé du sacrifice
Figera vos yeux idolâtres sur vos dieux?
Quel exsangue hochet sur les hommes exsangues
Vos puériles mains brandiront-elles, et quel
Soleil à contre-ciel réchauffera vos ombres?
Le Dieu qui fut un homme vrai et qui saigna
Son Sang de Dieu, son Sang de Juif sur tous les hommes
N'est point ce faux jouet d'ivoire au ciel des tombes
Ce cadavre au sang peint que patine la peur.

for justice, such a drying up of the blood, that no hangman would be capable of sating with injustice this people that bears the unjust weight of its God. II. If this people were to dry up in the heart of peoples, all the blood of the Saviour would dry up with it, because the blood that the Father refuses in his severe love must always be forced back, and the Redemption must remain uncompleted so that the current of Love starved for absence and the true Blood may never slow up, endlessly crying its inextinguishable dryness without being able to appease in itself that terrible nothing, that implacable thirst, which forces it to flow. III. Where will your God be, priests, when the earth will no longer have any blood for its justification, when the coagulated Blood of the sacrifice will rivet your idolatrous eyes on your Gods? What bloodless rattle will your childish hands brandish over the bloodless men, and what sun opposing the skies will warm your shadows? The God who was a real man and bled his God's blood, his Jew's blood, on all men is not this fake ivory plaything in the sky of the tombs, this corpse of painted blood gilded by fear, but

Mais déjà cette chair dérisoire est tombée
De vos mains, et les pieds des barbares expriment
Le Sang le Sang par vous renié et qui coule
Fomentant le chaos effroyable et le temps.

IV

Le Sang injustifié le Sang qui crie: Ténèbre!
Le Sang dont la couleur rend ivre le néant
Le Sang solaire noir de toute l'injustice
Le Sang nu débusqué par les meutes de sang:
Dès que le sang commence à couler en ce monde
Il suscite partout des émeutes de sang
Et se mêlant au sang du Christ, il est le Sang.
Ni montagnes ni mer ne l'arrêtent, ni Mort
Il ranime le sang poudreux dans les sépulcres
Il jette l'ombre de l'Alpha en majesté
Jusqu'aux bleues profondeurs de l'Oméga blessé.
Et dans son Ciel dont les astres tombent dans le Sang
Dieu tremble quand le Sang impudique s'expose
Et que crie l'homme abandonné devant son sang:
Mais vous, prêtres, agitant vos mains trop blanches
Vous murmurez: le Sang? et ne comprenez pas.

SEULS COMPRENNENT LES FOUS

Une once d'amour dans le sang
Un grain de vérité dans l'âme

already the derisive flesh has fallen from your hands and the feet of the barbarians crush out the Blood, the Blood denied by you and which flows, stirring up the frightening chaos and the times. IV. Unjustified Blood, the Blood that cries: Darkness! The Blood whose color makes nothingness drunk, the solar Blood black with all injustice, the naked Blood driven from cover by the hounds of blood: as soon as blood begins to flow in this world, it arouses everywhere riots of blood and, mingling with the blood of Christ, it is the Blood. Neither the mountains nor the sea stop it, nor Death. It revives the powdery blood in the tombs, it throws the shadow of the majestic Alpha down to the blue depths of the wounded Omega. And in his Heaven whose stars fall in the Blood, God trembles when the immodest Blood is exposed and when man abandoned in front of his blood cries: But you, priests, waving your too white hands you murmur: Blood? and you do not understand.

One ounce of love in the blood, a grain of truth in the soul, just as

Ce qu'il faut de mil au moineau
Pour survivre un jour de décembre

Crois-tu que pèsent davantage
Les plus grands saints?

*

Pourquoi verte, l'éternité?
O douloureuse, ô ineffable
Fougère encore repliée ...
Qui n'a senti en lui crier
Les premières feuilles des arbres
Ne sait rien de l'éternité.

*

O Nuit
Tu es la saveur du pain sur ma langue
Tu es la fraîcheur de l'oubli sur mon corps
Tu es la source jamais tarie de mon silence
Et chaque soir l'aurore de ma Mort
A quoi bon te chanter
A quoi bon te prier
Puisqu'une seule larme
Te contient toute
O Nuit

ÉROTIQUE

Derrière la cloison elle est nue elle chante
Son linge à terre épand sa gerbe déliée.
Hirondelle au miroir le geste d'essuyer
Ses flancs, rompt d'un envol de caresses l'attente

much millet as a sparrow needs to survive on a December day, do you
think that the greatest saints weigh more? * Why is eternity green? O
sorrowful, O ineffable fern still closed. . . . He who has not felt within
him the cry of the first leaves of the trees knows nothing of eternity. * O
Night, you are the taste of bread on my tongue, you are the coolness of
forgetfulness on my body, you are the never dried-up source of my
silence, and each evening the dawn of my Death. Why sing about you,
why pray to you since one single tear contains you completely, O Night?

In back of the partition she is naked, she sings, her garments on the
floor spread their untied sheaf. Like a Swallow in the mirror, the gesture
of wiping her sides breaks the expectation with a flight of caresses. In
the room that a bed, stern judge, enchants, the man is seated, all dressed,

Dans la chambre qu'un lit juge sévère enchante
L'homme est assis les yeux au sol tout habillé.
La bête qui lui disjoint l'âme le bélier
Est-ce désir battant ou peur impatiente?

Parais, hiératique idole sur fond rouge!
Seule une torche d'or entre les cuisses bouge
Et polit de ses feux l'armure des seins nus

Elle, humble chair dont la nudité est l'hommage
Innocente se fige et se trouble au visage
De la honte qui vêt ce coupable inconnu.

Yves Bonnefoy

(1923–   )

ART POÉTIQUE

Visage séparé de ses branches premières
Beauté toute d'alarme par ciel bas,

En quel âtre dresser le feu de ton visage
O ménade saisie jetée la tête en bas?

« LE JOUR FRANCHIT LE SOIR, IL GAGNERA »

Le jour franchit le soir, il gagnera
Sur la nuit quotidienne.
O notre force et notre gloire, pourrez-vous
Trouer la muraille des morts?

with his eyes on the ground. The animal that undoes his soul, the ram, is it palpitating desire or impatient fear? Appear, hieratic idol on a red background! Only a golden torch moves between her thighs and polishes with its fires the armor of the naked breasts. She, humble flesh whose nakedness is the homage, innocent, freezes and is troubled by the face of shame which clothes this man, unknown and guilty.

Face separated from its first branches, beauty made of alarms under a low sky, in what hearth can we place your face, O captured maenad thrown head first?

Day crosses over into the night, it will win out over daily night. O our strength and our glory, will you be able to pierce the wall of the dead?

LA BEAUTÉ

Celle qui ruine l'être, la beauté,
Sera suppliciée, mise à la roue,
Déshonorée, dite coupable, faite sang
Et cri, et nuit, de toute joie dépossédée
— O déchirée sur toutes grilles d'avant l'aube,
O piétinée sur toute route et traversée,
Notre haut désespoir sera que tu vives,
Notre cœur que tu souffres, notre voix
De t'humilier parmi tes larmes, de te dire
La menteuse, la pourvoyeuse du ciel noir,
Notre désir pourtant étant ton corps infirme,
Notre pitié ce cœur menant à toute boue.

TOUTE LA NUIT

Toute la nuit la bête a bougé dans la salle,
Qu'est-ce que ce chemin qui ne veut pas finir,
Toute la nuit la barque a cherché le rivage,
Qu'est-ce que ces absents qui veulent revenir,
Toute la nuit l'épée a connu la blessure,
Qu'est-ce que ce tourment qui ne sait rien saisir,
Toute la nuit la bête a gémi dans la salle,
Ensanglanté, nié la lumière des salles,
Qu'est-ce que cette mort qui ne va rien guérir?

She who destroys being, beauty, will be tortured, broken on the wheel, dishonored, considered guilty, made into blood and cry, and night, dispossessed of all joy—O torn on all the predawn gratings, O trampled on all roads and crossings, our high despair will be that you live, our heart that you suffer, our voice to humiliate you amid your tears, to say you are the liar, the purveyor of the black sky, yet our desire is for your infirm body, our pity your heart that leads to all mud.

All night long the beast moved in the room: what is this path that refuses to end? All night long the bark searched for the shore: what are these absent ones who want to come back? All night long the sword probed the wound: what is this torment that can grasp nothing? All night long the beast moaned in the room, covered with blood, denied the light of the rooms: what is this death that will cure nothing?

Philippe Jaccottet
(1925–   )

« COMME JE SUIS UN
ÉTRANGER DANS NOTRE VIE »

Comme je suis un étranger dans notre vie,
je ne parle qu'à toi avec d'étranges mots,
parce que tu seras peut-être ma patrie,
mon printemps, nid de paille et de pluie aux rameaux,

ma ruche d'eau qui tremble à la pointe du jour,
ma naissante Douceur-dans-la-nuit ... (Mais c'est l'heure
que les corps heureux s'enfouissent dans leur amour
avec des cris de joie, et une fille pleure

dans la cour froide. Et toi? Tu n'es pas dans la ville,
tu ne marches pas à la rencontre des nuits,
c'est l'heure où seul avec ces paroles faciles

je me souviens d'une bouche réelle ...) O fruits
mûrs, source des chemins dorés, jardins de lierre,
je ne parle qu'à toi, mon absente, ma terre ...

Since I am a stranger in our life, I speak only to you with strange
words, because you will perhaps be my country, my spring, nest of straw
and rain in the branches, my hive of water that trembles at the break of
day, my nascent Sweetness-in-the-night. . . . (But it is the hour when
happy bodies bury themselves in their love with shouts of joy, and a
young girl cries in the cold courtyard. And you? You are not in the city,
you do not walk to meet the nights, it is the hour when alone with these
facile words I remember a real mouth. . . .) O ripe fruits, source of
golden roads, gardens of ivy, I speak only to you, my absent one, my
earth. . . .

A Note on French Prosody

It is assumed by many English-speaking readers that the French language, with its lack of a tonic accent, is ill suited to poetry. Though it is true that, unlike English, French has no fixed accent for words, groups of words are accented. They form, within a sentence, rhythmical units of meaning in which the last sounded vowel is lengthened to a lesser or greater degree. To this is added the pitch accent characteristic of the melodic line of French speech.

Thus in the following lines from Baudelaire's "Au lecteur," italicized vowels are held longer than the others while the pitch of the voice follows the arrows:

La sottise, l'erreur, le péché, la lésine,

Occupent nos esprits, et travaillent nos corps,

Alexandrine: A line of verse containing twelve syllables, as in the two lines just quoted.

Caesura: The main rhythmical break or pause in the alexandrine line, the caesura occurs traditionally after the sixth syllable and corresponds to a syntactical pause:

Occupent nos esprits, / et travaillent nos corps,

Variations in rhythm are obtained by displacing, weakening, or eliminating the caesura. The line of verse is then broken by a "coupe" which, unlike the caesura, does not hold a fixed position in the line:

La sottise, / l'erreur, / le péché, / la lésine,

In this example, the caesura disappears almost completely.
Masculine and feminine rhymes: Rhymes ending in "e"

are feminine: *lésine* in the first line of "Au Lecteur." All others are masculine: *corps* in the second line. From the sixteenth century on masculine and feminine rhymes are almost always alternated within a poem to avoid monotony.

The mute e: An unaccented "e" (i.e. not an é, è, or ê) is not pronounced in normal conversation. In general in poetry it must be pronounced except when it occurs in the last syllable of a line or when it precedes a word beginning with a vowel or a mute "h." Thus *sottise* is pronounced in three syllables but *lésine* in two.

Rhythm: It is obtained by the recurrence at regular intervals of a pattern of accents. These may be the result of pitch, stress, or speed. The units of measurement are the rhythmical unit of meaning and the line of poetry. The break of the expected rhythm in a line of poetry is particularly effective in underlining the emotional content of the line.

Syllable: One or more speech sounds which can be pronounced in a single unit of utterance.

Decasyllable: A line of verse containing ten syllables.

Suggested Methods of Poetic Analysis

Many of the poems in this volume have been selected to encourage comparison in the treatment of similar themes by different poets. There is perhaps no better means of understanding poetic expression than this type of comparative analysis. It is hoped that the following list will prove useful:

Baudelaire, *Chant d'automne;* Verlaine, *Chanson d'automne;* Laforgue, *L'Hiver qui vient;* Ponge, *La Fin de l'automne.*

Baudelaire, *Correspondances;* Rimbaud, *Voyelles.*

Verlaine, *Art poétique;* Valéry, *Palme;* Apollinaire, *La Jolie Rousse;* Bonnefoy, *Art poétique.*

Baudelaire, *La Chevelure;* Mallarmé, *La Chevelure;* Apollinaire, *La Jolie Rousse.*

Baudelaire, *Les Fenêtres;* Mallarmé, *Les Fenêtres;* Apollinaire, *Les Fenêtres.*

Verlaine, *Le Faune;* Rimbaud, *Tête de faune;* Mallarmé, *L'Après-midi d'un faune.*

Rimbaud, *Aube;* Valéry, *Aurore;* Fargue, *Aubes.*

Baudelaire, *Moesta et Errabunda;* Rimbaud, *Matinée d'ivresse;* Perse, "Enfance, mon amour. . . ."

Nerval, *Artémis;* Verlaine, *Mon Rêve familier;* Breton, "Ma femme . . ."; Péguy, *Le Porche du mystère . . . ;* Eluard, *L'Extase;* Char, *Marthe.*

Valéry, *La Dormeuse;* Cocteau, *Jeune Fille endormie;* Supervielle, *La Dormeuse.*

Baudelaire, *Le Cygne;* Mallarmé, "Le vierge, le vivace . . ."; Jacob, *Le Cygne.*

Baudelaire, *Le Vieux Saltimbanque;* Mallarmé, *Le Pitre châtié;* Jacob, *La Saltimbanque en wagon de 3me classe;* Apollinaire, *Saltimbanques;* Reverdy, *Saltimbanques.*

Baudelaire, *La Beauté;* Baudelaire, *Hymne à la Beauté;* Bonnefoy, *La Beauté.*

Verlaine, *Clair de lune;* Cendrars, *Clair de lune.*

Michaux, *Dans la nuit;* Bonnefoy, *Toute la Nuit.*

Baudelaire, *Le Balcon;* Char, *A**** ; Eluard, *L'Amoureuse;* Eluard, "On ne peut me connaître"; Desnos, *Poème à la Mystérieuse;* Jaccottet, "Comme je suis un étranger. . . ."

Baudelaire, *L'Invitation au voyage* (2); Jacob, *Invitation au voyage.*

Rimbaud, *Le Bateau ivre;* Lautréamont, "Je me propose . . ."; Perse, the poems from *Amers;* Supervielle, *La Mer.*

Baudelaire, *Le Voyage;* Rimbaud, *Le Bateau ivre;* Mallarmé, *Brise marine;* Apollinaire, *La Chanson du mal-aimé;* Cocteau, *Mouchoir.*

Valéry, *Féerie;* Cocteau, *Féerie.*

Valéry, *Le Cimetière marin;* Cocteau, *Midi.*

Baudelaire, *A une passante;* Supervielle, "Visages de la rue, quelle phrase indécise."

The poems may also be divided into four groups that correspond to basic forms of poetic expression: hermetic, ironic epic and lyric. These categories indicate that a poet tends toward a particular type of expression; they are not mutually exclusive. Rimbaud, for example, has written poems that might well be considered hermetic and lyric. But his poetry is essentially ironic.

Hermetic poetry uses words as hieroglyphs. Language thus becomes a closed universe whose meaning or secret must be deciphered. Hermetic poetry often implies a belief in the magical power of the word to reveal mysteries, whether they be personal or universal. This is true for Nerval, Mallarmé, and Reverdy. Even when no mystical power is accorded to the word, hermetic poetry may be said to exist when, as in the case of Valéry, Char, Ponge, and Bonnefoy, the words form a self-contained universe whose meaning is significant only within that universe. Hermetic poetry is the most difficult type of poetry because it presents a condensed synthesis of thought and feeling. (Nerval, Mallarmé, Valéry, Reverdy, Jouve, Char, Ponge, Bonnefoy.)

Ironic poetry juxtaposes words and images of different intensity and tone so as to create a startling and often a comic effect. Elements of hermetic poetry, of epic poetry, of lyric poetry are incorporated in varying degrees into the poem causing a deliberate ambiguity of intention. Ironic poetry is often called modern poetry in the sense that it tends to combine heterogeneous elements thus presenting an eclectic, fragmented view of the universe. The ironic poet plays at unmasking himself and the world. He refuses all systems, although he may yearn for absolute belief. If he soars momentarily into the realm of the ideal, he feels obliged to drop down to earth with a bang. It is this bang that best defines the essence of ironic poetry. (Rimbaud, Laforgue, Lautréamont, Jarry, Jacob, Fargue, Cendrars, Michaux, Prévert, Cocteau.)

Epic poetry magnifies and ennobles human experience through the use of ample rhythms and an extended vocabulary. The epic poet's attempt to be all-encompassing often results in lengthy enumerations of events and objects. His poems tend to be long and deliberately repetitious. The epic often contains hermetic and lyric elements; it never contains sustained irony. For the epic implies a coherent and essentially optimistic view of man's relation to the universe. This relation is made apparent in the eloquent, rhetorical language hammered into verses that demand a powerful breathing apparatus. The rhythms of the epic are closely related to the natural rhythms of the human body and thus translate in poetic terms the importance given by epic poets to the human being. (Claudel, Péguy, Perse, Aragon, Emmanuel.)

Lyrical poetry is the most difficult to define. All forms of poetry contain lyrical elements, but the pure lyrical poem is comparatively infrequent in modern French poetry. The poet's preoccupation with language fosters a hieroglyphic use of words, whereas the lyrical poem seems to require the simplest possible language, a language whose vocabulary and syntax are never barriers against immediate comprehension. The lyrical poem is often composed of subtle, even complex, rhythms and rhymes which accentuate the sensuous rather than the intellectual aspects of the poem. Every poem is vaster than the sum of its parts, and this is particularly true of the lyrical poem. Because we are less conscious of the "parts"—images, words, syntax—the total effect may be even stronger than in other forms of poetry. It is this total effect that belies the apparent simplicity of the lyrical poem and that best defines its nature. The lyrical poem is the poem we'd like to have written if we could write poetry. It is the poem that expresses with the greatest universality the two fundamental themes of all poetry: love and death. It is the poem that we memorize effortlessly. It is the poem that is always poetry for the uninitiated. (Baudelaire, Verlaine, Apollinaire, Supervielle, Breton, Eluard, Desnos, Jaccottet.)

Biographical and Critical Notes

GUILLAUME APOLLINAIRE (1880–1918), critic, born of a Polish mother and an Italian father, in Rome. *Major influences:* irregular studies and voyages; interest in erotica; in Paris, his circle of friends, Max Jacob, Picasso, Alfred Jarry, and others; World War I; his mistresses and wife. In "Zone," the first poem of *Alcools*, memory is the thread connecting the different locales of this promenade through Paris and through time. In this long monologue the poet speaks through the two voices of "I" and "you." "Le Pont Mirabeau," inspired by Marie Laurencin, is written in more traditional vein. The image of the river flowing endlessly evokes the passing of time. The theme is not novel, but Apollinaire's fluid melodic line and haunting refrain make it particularly touching. The title "La Chanson du mal-aimé" and its dedication, describing the poem as a "romance," reveal his interest in medieval forms and themes. The dedication also indicates with the Phoenix the theme of the poem—the eternal resurrection of past love in voyages made possible by memory. From the very beginning of the poem, the image of water which recurs throughout, suggests a voyage. The thrice-repeated stanza "Voie lactée" reiterates the themes of the splendor of love and of the quest for love that may end in death. The theme of the triumph of poetry and poetic creation is expressed in the 19th and in the last stanza of the poem, "Moi qui sais des tais pour les reines." In "Liens" the first poem of *Calligrammes*, the bonds celebrated by Apollinaire are those created by modern technology, bonds that bind modern man but also unite men across frontiers and oceans. It is by another modern device, the telephone, that the poem of "Les Fenêtres" will be sent to the world. In a fantastic juxtaposition of tenses and images, windows are opened on a world of sounds and colors whirling at an accelerated and dizzying pace, bursting in all directions and coming to rest on a last luminous note. "La Jolie Rousse," the last poem of *Calligrammes* is Apollinaire's poetic testament in which he attempts to explain the "new spirit" and give examples of its creative possibilities. The poet is to explore the subconscious, to adventure on a daring esthetic quest into a domain not limited by order, reason or time. The poet is to tame the unknown.

LOUIS ARAGON (1897–   ), novelist, journalist, propagandist, was born in Paris. *Major influences:* medical studies; World War I; Dadaism; an initiator of Surrealism; active Communism; World War II; Resistance; his Russian wife, Elsa Triolet. "Les Lilas et les roses" was written after the fall of France. For Aragon, the communist, but even more deeply, the Frenchman, there is no longer any question of playing amusing word games like "Persiennes." Aside from its lack of punctuation, "Les Lilas" is an almost traditional poem; an introductory and a final quatrain of 4 lines, surrounding 3 eight-line stanzas, all written in alexandrines with a regular ABAB rhyme pattern. The poem describes the months of May and June 1940: May, with lilacs blooming in Flanders and the tragic illusion that victory was possible; June, with

the roses blooming in Anjou and the reality of defeat. The repetition, throughout the poem, of the very simple "Je n'oublierai jamais" carries the depth of the poet's emotion.

CHARLES BAUDELAIRE (1821–1867), critic, translator, born in Paris. *Major influences:* remarriage of his mother to Major Jacques Aupick; literary activity and bohemian life in Paris; aborted voyage to India; financial difficulties; twenty-year liaison with Jeanne Duval, other women; Edgar Allan Poe; drugs; illness. Baudelaire intended his poems, the flowers he created from evil to have the same effect upon the reader as the rich perfumes of "Correspondances" which "chantent les transports de l'esprit et des sens." This esthetic experience corresponds to the ideal for which the poet is searching throughout the six divisions of his book. Within the realm of human experience—the city, sexuality, drugs, revolt—the ideal is not attainable, or only very rarely so in such poems as "La Chevelure," where the port, or "L'Invitation au voyage, where the lovers' room, suggests that complete unity between inner and outer reality. Death is the poet's last hope in his quest for the ideal, in his attempt to escape from "ennui" and from "spleen," from the feeling of exile and homesickness, from the feeling of nausea and imprisonment. A poem by Baudelaire always has as its starting point some element of physical reality, very often a woman or a part of a woman's body: her eyes, her hair, her odor. In "L'Invitation au voyage," for example, the woman's moist eyes are associated with misty suns, and the poet then proceeds to create a country that resembles the woman. This country corresponds not only to the woman but also to the emotion she arouses in the poet. In the fourth "spleen" poem, the element of physical reality is a rainy day which corresponds to the poet's depression and despair. The bells that ring in the fourth stanza of the poem correspond to his moment of revolt. In *Le Spleen de Paris* some of the poems that appeared in *Les Fleurs du mal* are rewritten as prose poems. In this latter form they serve both as explanations of certain images in the verse poems and as a means of exploring the very different poetic effects that can be attained through verse and through prose.

YVES BONNEFOY (1923–   ), critic, translator. *Major influences:* Valéry; Rimbaud; World War II; Italian art. "Art poétique" contains Bonnefoy's four-line, one-sentence definition of beauty and of what the poet tries to do with it. Beauty is a face cut off from its origins. It is made of mortal fears. It is a captured maenad (the maenads or bacchantes, celebrating the orgiastic rites of Dionysus, killed the poet Orpheus). Bonnefoy implies that if the poet is to live and to create, he must be able to deal with death, to transform it into beauty. The headless woman also suggests the Medusa, from whose blood was born Pegasus, the winged horse symbolic of poetic inspiration. The question that remains for the poet is to decide in what hearth to place beauty's face, how to bring beauty and death to live among men. Like "Art poétique," "Le jour franchit le soir" contains an affirmation and a question. Every night of anguish and spiritual death is followed by day. Day may thus be said to triumph over night (a form of death). But can the light of day break through to the real dead? There is no communion with the dead unless through the transformation of death into beauty within the poem. The first lines of "La Beauté" enumerate the tortures to which Beauty will be submitted. But although man's heart and voice participate in the attack launched against the enemy of

"being," man's desire and his pity—perhaps his greatest virtues—are on the side of the mangled body and the corrupt heart of Beauty. "Toute la Nuit," written in alexandrine lines with an irregular rhyme scheme, treats in a less abstract form the same theme as the other three poems. The beast that moved and then moaned, the bark that looked for the shore, the sword that pierced the wound are all images of impending death, of death that comes at night into the room, and that cures nothing but that gives the poet his particular type of beauty.

ANDRÉ BRETON (1896–   ), essayist, novelist, Surrealist leader, born at Tenchebray in Normandy. *Major influences:* Valéry; medical studies; work in mental hospitals; Freud; Apollinaire; Jacques Vaché and his "Surrealist" way of life, Dadaism; Communism and political dissension; travels; women. Because Surrealism is the only important poetic movement of the 20th century, it seemed appropriate to include a few passages from the first Surrealist "Manifesto" published in 1924. André Breton discusses the origin of the term Surrealism, preferring Nerval to Apollinaire as Surrealism's pure ancestor. He then proceeds to give his own definitions of the term: a simple dictionary one and a more philosophical encyclopedia one. There follows a list of "contemporary" Surrealists, and a list of writers, mostly French and, with the exception of the Marquis de Sade, of the 19th and 20th centuries, whose works or life contains a Surrealist orientation. These passages are constructed according to the most traditional rules of expository style with Breton in complete control of his thought and of his language. But when we arrive at the list of past Surrealist writers we are closer to the startling imagery of Surrealist poetry. "Ma femme . . ." a glorification of woman—who is for Breton as for Baudelaire infinitely suggestive—consists of a long series of images suggested by different parts of the woman's body, the most important parts producing more than one image. Most of the images are startling, and in their rapidity and variety they create an entire universe. It is as though Breton had carried to an extreme point the next to last line in Baudelaire's "Hymne à la beauté:" "Rhythme, parfum, lueur, ô mon unique reine!" There is no conscious attempt at composing a poem.

BLAISE CENDRARS (1887–1961), adventurer, chronicler, translator, man of letters, born in Paris. *Major influences:* a European childhood; at fifteen escaped permanently from his home; Rogovine, the wandering jewel salesman; travels: Europe, Asia, North and South America, Africa; Nerval; Gustave de Rouge, eccentric popular novelist; pre-World War I literary and artistic Paris; loss of right arm in World War I; cinema; Negro art, culture. Rather than images interpreted by the imagination of the poet, "Clair de lune" transcribes something actually seen. The contact between poetry and life is direct. The moon and the sea, the motion of the mast against the immobile sky, the girl, and the lighthouse are caught in Blaise Cendrars' poem as they would be in the film of a camera. "Couchers de soleil" is a poem that does exactly the opposite of what the reader would expect from its title. Blaise Cendrars flatly rejects the topic of sunsets as being too trite. Too much has been said about them, they have fallen into the public domain. With dawn he can enjoy a unique, personal contact. Dawn is unspoiled for him because he experiences it as a form of intense life that cannot be shared; it must be lived, not described.

RENÉ CHAR (1907–   ), Resistance leader, born at l'Isle-sur-Sorgne in the Vaucluse. *Major influences:* the Vaucluse; Surrealism; World War II; friendship with Albert Camus; voluntary isolation at l'Isle-sur-Sorgne. In "Congé au vent" the feeling of communion with nature that can be found in Char's poetry is embodied in the image of the girl met on the roadside. She becomes a sacred object carrying with her the essence of the flowers which surrounded her all day. When stepping aside for her, one watches nature going by, nature communing with the night at the hour when fragrance reigns over light. Love in "Marthe" is seen not as a restricting tie between two people, but as a source of freedom for the person loved. The intense feeling of the moment is life condensed at its finest point where love and the present become one. In "A * * *" we find one of Char's most intricate and powerful love lyrics. The binding force of love triumphs in the different images of the poem. The aphorism "Si les pommes de terre" is poetry in its most condensed, terse form. The image is not a retrospective experience but a starting point. The aim here is to awaken a response so that the poem continues in the reader's mind as a lived and personal experience.

PAUL CLAUDEL (1868–1955), playwright, essayist and diplomat, born at Villeneuve-sur-Fère in Champagne. *Major influences:* Aeschylus, Dante, Shakespeare, Mallarmé, Rimbaud; Catholicism; the Bible; long diplomatic sojourns in the Far East. "The magnificat" sung at Vespers in the Catholic church, begins with Mary's words "My soul doth magnify the Lord" (Luke I: 46-55). It is a hymn sung by Mary to thank God for the blessings that have been announced to her and to her cousin Elizabeth. Claudel's "Magnificat" is likewise a hymn of thanksgiving. Claudel is thanking God for the birth of his daughter Mary, born in China in 1907. He is also giving thanks for his own conversion to Catholicism on Christmas eve 1886 at Notre Dame de Paris, a conversion which liberated Claudel from idols or false gods, from death and from himself. These personal miracles are related to the great miracle of Christianity, the salvation of all humanity through the birth of Jesus Christ. It is this miracle that unites the events and characters of the ode.

JEAN COCTEAU (1889–   ), novelist, dramatist, essayist, actor, film director, born into a wealthy family at Maisons Laffitte, near Paris. *Major influences:* Paris; lycée Condorcet; Parisian literati; First World War; ill health; Picasso and Satie, Cubism; Dadaism, Surrealism; Raymond Radiguet and other talented young men; drugs; French poetry from Ronsard to Valéry and Apollinaire. "Midi," a short impressionist poem, shows the process by which Cocteau creates his own mythology. We begin with a rower, immediately transformed into an angel (one of the prominent figures in Cocteau's world), and from the angel we proceed to Aphrodite who rises from Cocteau's sea. As Aphrodite emerges from the sea, so an Indian emerges from the poet's skin, darkening under the sun's rays. Despite the realism of the second stanza the fiery sun of noon blazing on the water creates its own fairy tale—with an angel, a goddess, and an Indian. The "real" world and the poet's world are similarly juxtaposed in "Mouchoir" and "Les Anges maladroits." In the prose poem "Féerie" a little American girl becomes lost in the momentary reality of the performance of *Parade*. *Parade* was a "ballet-spectacle" composed by Cocteau with sets by Picasso; it

was performed in Paris in 1917 by the Ballets Russes under the direction of Diaghilev and Léonide Massine. Unlike "Midi," "Mouchoir," and "Les Anges maladroits," which are composed in alexandrine lines (often highly irregular) "Jeune Fille endormie" has a very unsymmetrical pattern of versification. The alexandrine describes the subject of the poem, the starting point for the poet's lyrical meditation. The poem seems to suggest the dangers (the "mancenillier" is a poisonous tree) and the mystery associated with the sleep of a young woman.

ROBERT DESNOS (1900–1945), journalist, script writer, born in Paris. *Major influences:* Le quartier Merri near les Halles; Surrealism; folk music; his wife Youki; World War II; the Resistance; German concentration camp. "Poème à la mystérieuse," one of the best love lyrics of Robert Desnos, was a poem he felt particularly strongly about, and tried desperately to re-create as he lay dying in a concentration camp. The themes of appearance and reality, of absence and presence are very simply and movingly expressed by the haunted poet. The first words of the poem are repeated, each time with more intensity in the rhythm and the imagery. The "balances sentimentales" placed at the center of the poem suggest both the poet's torment and the fundamental movement of the poem. A "chante-fable" is by definition a story poem that is sung. Robert Desnos' *Chante-fables* have a musical quality akin to that of the traditional "comptines" which are nonsense poems used by children to find who will be "it." The sing-song tone of the "comptines" is present in "Le Pélican" with the recurrence of a unique rhyme which also appears within some of the lines. Animals were the main characters of La Fontaine's *Fables* and appear in Desnos' *Chante-fables* as every child would expect in seeing the title. His animal world is a world of fantasy where pelicans are born in chain reactions and behave according to their own rules until the poet intervenes to end this delightful nonsense.

ISIDORE DUCASSE, COMTE DE LAUTRÉAMONT (1846–1870), born of French parents in Montevideo, Uruguay. *Major influences:* unknown—perhaps his interest in natural history and mathematics; perhaps the tuberculosis from which he died young. His Maldoror, whose name suggests "mal," "odeur," "honneur," but also "aurore" and "or," derides both himself and the reader in the first of his six "chants." Maldoror, the spirit of evil, is the strange hero of a mock epic in which the major characters are the flea, one of God's hairs, the hermaphrodite, the female shark, the old spider. It is almost as though Lautréamont had chosen for his "cast" the dramatis personae of Baudelaire's poem "Au lecteur." In this opening passage Maldoror establishes a particular relationship with the reader. From the reader he passes to the "poulpe au regard de soie" who, like Maldoror, is a seductively hideous monster "mon semblable, mon frère." It is with this "poulpe" desired as a sexual partner that Maldoror would contemplate his favorite spectacle, the old ocean. In a series of lyrical stanzas, Maldoror "salutes" the old ocean, from whose depths he draws images that correspond to some of the horrors of the human heart.

PAUL ELUARD (1895–1952), born at Saint-Denis, near Paris. *Major influences:* tuberculosis and two years in Swiss sanatorium; Gala, his first wife; Dadaism; an initiator of Surrealism; Communism; the Resist-

ance. In "Pour vivre ici" solitude and darkness are vanquished by the gifts of day which become the gifts of the poet. The fire, image of warmth and light, is also the image of complete communion. From his communion with the world of nature, or the universe, his next step was to be in communion with "the other." Eluard is the poet of the couple. In fluid and beautiful lyrics he paints, as in "L'Amoureuse," "On ne peut me connaître" or "Extase," a picture, both sensual and spiritual, of a love that not only ties him to the loved one but also makes the world in which he lives more meaningful and accessible. From this oneness with the world comes his deep respect for man and his aspirations. This awareness of the brotherhood of men was made more acute by the war and finds its expression in a poem such as "Gabriel Péri."

PIERRE EMMANUEL (1916–   ), critic, journalist, professor, born in the Basses Pyrénées. *Major influences:* countryside around Pau; from age 3 to 6 more or less abandoned by his parents; America; interest in philosophy and mathematics; his humanist professor of mathematics, Abbé François Larue; Valéry's *La Jeune Parque;* Abbé Jules Monchanin, a mystic; Pierre Jean Jouve; Catholicism; World War II; Resistance; Hiroshima; voyages to America. "Juifs" written during World War II, is composed of alexandrines that only occasionally rhyme. The poem is divided into four parts or chants united by a tie of blood, the blood of the Jews which is also Christ's blood. This blood flows through the poem as it flows through the modern world, a symbol of evil and of the eternal presence of Christ. The collection of poems entitled *Chansons du dé à coudre* (Songs of the thimble) from which we have selected "Seuls comprennent les fous" forms an interesting contrast to the verbal abundance of a poem like "Juifs." In the *Chansons* the dense imagery coupled with a light, gracious touch often recalls Rimbaud's lyrics in *Fêtes de la patience*. "Seuls comprennent les fous" is composed of three enigmas which, because of their fundamental simplicity and purity, are beyond the comprehension of most men: What does a saint weigh? Why is eternity green? Why is night contained in a single tear? "Erotique" is a perfectly regular sonnet, still another example of Emmanuel's technical mastery over various forms of French verse.

LÉON-PAUL FARGUE (1876–1947), chronicler, ceramist and night owl, born in Paris. *Major influences:* his parents' marriage when he was thirty; Paris; Mallarmé's last "Tuesdays"; solitude; literary, artistic, musical, and "society" friendships; death of his father in 1909. The pun in the title "Merdrigal" itself typifies the caustic humor of the poem. Antithesis is used not only in its construction, but also in the selection of words, Fargue choosing precisely the opposite and most incongruous from that expected. A melancholy eeriness seems to be the pervading mood of "Aubes." Here Fargue evokes in subdued tones images of the city. In this chill, dark landscape, human activity is slowed to a dreamlike tempo. At dawn man is a stranger in streets that still belong to the things that make them. They watch him but only his shadow appears in this animistic world. The eerie setting brings to the poet's mind a nostalgia for a vague and unattainable happiness that only deepens his melancholy.

PHILIPPE JACCOTTET (1925–   ), critic, translator, born at Moudon in Switzerland. *Major influences:* not known. The first line of Philippe Jaccottet's love sonnet poses a problem that the poem attempts

to resolve. The poet is a stranger in "our" life. It is through the strange words spoken to his beloved that he hopes to find his country, his earth—that is to say, his beloved. The beloved, who might become his country, his springtime, is associated with moist and soft images, with the delicacy of dawn and the sweetness of the night. This creation of what the woman will perhaps be, in the future, is interrupted by the poet's realization that what he desires is absent. The long parenthesis is full of the present moment—the night when other bodies bury themselves joyfully in love (which recalls the nest of the first stanza), when a real young girl cries. Now having the terrible awareness of his solitude and of her absence, the poet has no image sufficiently strong to evoke the "red mouth"; yet he must begin again, he must transform his beloved into rich earthy images, for the absent one is his earth, his only treasure. As a poet, he cannot cease to speak, and as a poet-lover, he cannot cease to speak to his beloved. The ellipsis at the end of the poem indicates that, the sonnet terminated, the poet will continue to speak.

MAX JACOB (1876–1944), music teacher, art critic, secretary, clerk in a law office, tutor, born at Quimper in Brittany. *Major influences:* converted from Judaism to Catholicism; very unhappy childhood; love of painting; friendships with Apollinaire, Picasso, and the group of writers and artists of Montmartre; a recluse in the presbytery of Saint Benoit-sur-Loire; German occupation and the yellow star. The mock serious humor of "Le Cygne," the matter-of-fact tone of the fantastic data are some of the devices Max Jacob used to spin this highly amusing bit of natural history. Its humor is based on the logic of unbridled imagination, perfectly coherent within the domain of fantasy. The reader readily accepts the association—swans, Germany, Lohengrin—and, having fallen for the initial trap he is carried from facetious images to sententious statements. Continually thrown off balance and caught back, he arrives at the final pun on "hommes-cygnes" and "hommes insignes" and Max Jacob's explanation of the reason Fénelon is known in literary history as the swan of Cambrai. (Fénelon, 1651–1715, was a famous priest and writer.) The images of "Invitation au voyage" unfold as in a dream sequence, from the train to cars, to water and to the flying Panhards, the flow stopped only by the immobility of the "for sale" notice. Time in the poem follows the same even progression from past to present, immediate future, more distant future and finally the absence of time.

ALFRED JARRY (1873–1907), dramatist, novelist, essayist, translator, born at Laval (Mayenne). *Major influences:* eccentric Breton mother; wild living; absinthe; poverty. Jarry was one of the first poets to make use of the spoken language as it is pronounced. The poet is not afraid of using the most salacious and slangy words of the French language. What is most striking in the poem, "La Chanson du décervelage," aside from the language, is the urge toward violence and destruction, a hilarious wallowing in blood, guts, filth. And it is as if the spectacle of official violence, the Reign of Terror inaugurated by the Père Ubu, had awakened the darkest, deadliest impulses in his people.

PIERRE JEAN JOUVE (1887–   ), essayist and music critic, born at Arras in the north of France. *Major influences:* the piano; early studies in mathematics, law, archeology, medicine; Baudelaire, Rimbaud, Jules Romains' *Unanimisme;* Romain Rolland; ill health; conversion to

Catholicism and Freud; marriage to a psychotherapist; war years in Switzerland. "Incarnation," a short free verse poem, evokes a mystical experience. The sins and filthy pleasures of the flesh, the revolt and logic of the spirit, summon the presence of Christ. It is at the extreme points of sin and of guilt that Christ appears with his sorrow, his laughter, and his forgiveness. Without sin and guilt, there is no Christ. Similarly in "Les instabilités . . ." the mysteries of the church create a violent display of magical colors and sexual delight, an upheaval of all the earth. This poem is a kind of wild dance in which the natural and spiritual world are partners, in which all opposites can be reunited because God has not abandoned his creation. The title of one of Jouve's poems, "Hélène," is also the name given to the woman, once real but become mythical, in many of his poems and in his novel *La Scène capitale*. This poem is composed of a series of interwoven images which have their source in the first line. Now that Helen is dead, her beauty has transformed the world. "Ville atroce," written during the German occupation of France, is a kind of love poem dedicated to Paris. A series of sensual images re-creates the city, its forms and colors, its fame and its glory.

JULES LAFORGUE (1860–1887), secretary, born in Montevideo in Uruguay of French parents. *Major influences:* ten brothers and sisters; Impressionist painters; German philosophy; five years in Germany reading to the Empress Augusta; Baudelaire; Miss Leah Lee, later his wife; tuberculosis of which he died young. The "complainte," originally one of the many poetic forms of medieval poetry, was based on a tragic or pious subject. For Laforgue, it is associated with French folklore—with such characters as Pierrot and the Roi de Thulé who appear in old French songs. The poet identifies himself with these characters who are pure in heart, frightened by death, amorous of the virgin white moon. Like the "complainte," the "litanie" is a traditional literary form. A ceremonial prayer, it is composed of a series of invocations and supplications sung in honor of God, the Virgin and the saints; the word "litanie" is also used in the sense of a long and boring enumeration. "L'Hiver qui vient" owes nothing to tradition. It is one of the first experiments in free verse. The sound of the hunting horns carries the theme of the chase and the kill—the hunted one is, of course, the poet. The last line of the poem explains its construction. The poet will "donner la note" of approaching winter: the rain, the wind, the hunt, the death of the sun, the return to school, tuberculosis. All these images and events associated with the gloomy season are interwoven to express the poet's reaction to the coming of death.

STÉPHANE MALLARMÉ (1842–1898), critic and professor, born in Paris. *Major influences:* early death of his mother and sister; Baudelaire; Poe; Hegel; teaching English in French Lycées; rather pedestrian marital life with a German wife; mystical devotion to Poetry. The protagonists of these poems are chastised for their blasphemy: the Pitre for attempting to break through the barriers of the known world; the Faune for attempting to divide the ideal vision of intertwined nymphs; the Cygne for preferring the icy whiteness of the ideal (with which he could do nothing) to the "région où vivre," the real, habitable world; Poe for blaspheming against the ideal, "la nue." Mallarmé is the protagonist in each, the creator of creators and the witness to their metaphysical tragedies. In the last one-sentence sonnet "A la nue accablante tu" a nautical disaster, the abyss, one drowned siren-child are the images that

suggest a nightmarish anguish. This anguish in turn suggests Mallarmé's struggle against nothingness toward the creation of absence. All of these poems may be considered as "tombeaux," particularly "Le vierge, le vivace . . ." which might well be entitled Le Tombeau de Mallarmé; there is in each poem a spiritual death; at the same time the poem is a monument to that death, a manifestation of poetic and, by extension, human heroism.

HENRI MICHAUX (1899–   ), sailor, traveler, artist; Belgian-born at Namur. *Major influences:* sea voyages, journeys to South America and Asia; illness, drugs; painting; death of wife in 1948. Rhythm plays a particularly important role in Michaux's poetry: the crescendos and diminuendos follow the ebb and flow of the poet's revolt, of his emotion. "Mon Roi" tells of a combat, a never-ending nocturnal combat between the poet and his king. With graphic physical and verbal violence, with slop and filth, the poet assaults his king. The absurdity of the fight is made clear by the poet's awareness that the king is and forever will be his king and that the poet is and forever will be in his service. The poem is thus a poem of revolt, but of futile revolt. Both incantation and exorcism, "Immense Voix" deals with the same theme as "Mon Roi." However, many of the images suggest a particular King-Father-Authority—Hitler for example. More successfully than in "Mon Roi" the poet is able to laugh himself out of the Voice's presence, to say No, to predict the end of the Voice's reign. The repetition of the sound "oi" suggests the sound of the Voice—stupid, loud, amplified, enveloping. In "Dans la nuit" the sounds "ui," "ou," "a," "oi," and "i" predominate, as the royal and omnipresent night dominates the poet. It is the love poem of the poet's union with night. Plume, "Un Homme paisible," reappears in several of Michaux's prose poems. Related to Camus's Meursault and to Kafka's "K," he is Michaux's projection of modern man, involved in a cruel and absurd world.

GÉRARD DE NERVAL (1808–1855), writer of short tales, translator, journalist, dramatist, born in Paris and brought up in the region of Valois in the north of France. *Major influences:* death of his mother; French Romanticism; German Romanticism; mythology; travels in Italy, Germany, Austria, the Low Countries and the Middle East; unrequited loves; attacks of insanity. The titles of Nerval's sonnets are in themselves significant. The symbolic-mythic-religious figures suggest Nerval's double quest: the quest for his own identity and for the identity of the beloved, the eternal feminine. El Desdichado—the unhappy, disinherited knight—and Artemis—goddess of the moon and of the nether world, all-encompassing mother, mistress, and death—are the two central figures, the King and Queen, of Nerval's poetic universe. It is through their eternal return and rebirth that Nerval is able to find an objective correlative for his own anguish. Racial memory, the vast mythical patterns repeated from religion to religion fuse with the private memory of the poet: a childhood kiss; the Bay of Naples; a woman holding a hollyhock; the voyages into madness. The Poet-Orpheus returns triumphant, but without Eurydice.

CHARLES PÉGUY (1873–1914), polemist, born of peasant stock in Orléans. *Major influences:* l'Ecole Normale; Dreyfus Case; Catholicism; Socialism. At the end of the vast *Porche du mystère de la deuxième vertu,* God sings a hymn to the Night. In a lullaby rhythm God is

soothing his daughter Night in the same way Night soothes humanity and protects it with her cloak, her dress, her veils. Night for God, and for Péguy, is a source not of fear or disquietude but of hope and tranquillity. The adjectives used to describe the night "holy, big, beautiful, soft" might also be used to describe that eternal life which night announces. The hymn to the Night is also a song of thanksgiving, for it was the Night that buried Jesus in the absence of his father. In *Châteaux de Loire* the very simple enumeration of the castles of the Loire has an extraordinary poetic value. The Loire, the river of Kings, is also the country of Joan of Arc, and the memory of Joan of Arc is the most splendid construction of this valley. The four-line stanzas of alexandrines are typical of Péguy's last poems. In the "Présentation de la Beauce à Notre Dame de Chartres" Péguy suggests the rhythm of the steady indefatigable march of the foot soldier and the rhythm of the litanies to the Virgin. The Beauce, the wheat plain of France, is compared to the sea; the gothic spire of Notre Dame de Chartres, which can be seen 17 kilometers away, is the pilgrim's guiding star. The central image of the poem is the fusion of the carnal and the spiritual, the marriage of the Beauce and of the Cathedral whose symbol is the spire. The extract from *Eve*, "Heureux ceux qui sont morts," contains this same fusion of the carnal and the spiritual, for the cities of man are symbols of the city of God. It is a fitting epitaph for Charles Péguy.

SAINT-JOHN PERSE (1887–   ), diplomat, and exile, born at Guadeloupe on the family island of Saint-Léger-les-Feuilles. *Major Influences:* plantation childhood; interest in geology, ethnology, and presocratic philosophy; important diplomatic posts in the Far East and in France; vast and exotic landscapes; America since 1940. *Eloges* celebrates the dazzling everyday life in the childhood of a young prince. The poet recalls his youth with some nostalgia; the prevailing mood is one of happiness, indeed of intoxication, with the beauty of this life, a life in which there is order and dignity. *Anabase* is the conqueror's paean and the poet's paean to the conqueror. The poem takes on cosmic proportions as the imagery of its endless landscapes transcends the limits of the earth and the conqueror affirms his total freedom. *Exil* shows an even closer tie between the poem and what it describes. Emerging from defeat into glory, the poet becomes the prince of endless and void lands and from them creates "un grand poème né de rien." On the abyss, the spindrift and the smoke of sands, on images symbolizing exile, he builds his poem. In *Amers* the description of the sea becomes not a poem to the sea, but the poem of the sea. The ocean— source and symbol of life, light, activity, love—and the poem cannot be separated. The world of the poem has become the world of the words used to create it; description has become creation.

FRANCIS PONGE (1899–   ), professor, born at Montpellier. *Major Influences:* not known, except for Littre's dictionary. "La fin de l'automne" is a prose poem based on one of the most common poetic themes of the 19th century: the end of autumn, the approach of winter. This theme is usually associated with death, the death of the year and the death of the poet. Ponge's "story" of autumn is quite different. It attempts to describe the natural world as objectively as possible, to create a non-mystical bond between man and the phenomena he observes. The first line of the poem indicates the poet's refusal to romanticize autumn. The first image is both a point of departure for the other images of the poem and a summary of what autumn essentially is. The "cold infusion" (and an infusion, or tea, is supposed to be hot) depicts autumn as a liquid extract obtained from a substance by steeping

or soaking it in water. The entire poem is soaked in this cold but healthy infusion. The description of "La Cigarette" is divided into 3 parts: atmosphere; physical description; passion. The cigarette creates "her" own atmosphere—the smoke becomes mist although the body of the cigarette remains dry. The atmosphere is tousled because of the forms taken by the smoke and because of the ash that forms. The cigarette, in an ash tray, is usually in a horizontal position and the smoke rolls upward. Ponge forces us to pay attention to this common-place object which we use, but rarely look at. In both these poems the very exact, somewhat difficult vocabulary results from Ponge's insistence on objective precision.

JACQUES PRÉVERT (1900–   ), author of films, stories, songs, born in Paris. *Major influences:* Paris; Surrealism; Communism. Spontaneous and witty, Prévert can link the most incongruous elements in quick successions of images. "Cortège" for instance, is a long list of deliberately juggled expressions that have the same comical effect as a spoonerism. The comical element is not always purely gratuitous, as we can see when Prévert aims at some of his favorite targets: generals, professors, bishops, any of the powers that be. His humor makes use of every possible device, including puns and slang, as in "La Cène," where the colloquial expression, "ils ne sont pas dans leur assiette" ("they are not feeling very well") literally translated would read, "they are not in their plate." Satire and laughter can be replaced by tenderness or sadness when, as in "Pour toi mon amour," Prévert writes of love, its joys and sorrows, and its different manifestations.

PIERRE REVERDY (1889–1960), born at Narbonne in the South of France. *Major influences:* childhood vacations at the seashore and in the country; father whom he adored; the cubist painters; friendship with Apollinaire and Max Jacob; monastic installation near the Abbaye de Solesmes from 1926 on. "Saltimbanques" is a short fable that condenses Reverdy's vision of the futility and the solitude of human existence. "Un Homme fini" depicts the spiritual plight of man with his fright, his despair, and his easily unbalanced intellect. The pronoun "il" emphasizes the solitude of the nocturnal wanderer. The rain and the wind, the creaking sign, the door that moves, the shutter that bangs evoke an eerie atmosphere. But who is the "Master of the Sky" that "follows him with a terrible eye" and who is the "Black Angel"? In the last one-sentence paragraph, the physical night and the inner night of the mind merge to suggest the approach of madness. "Longue portée" is one of Reverdy's more hermetic poems. The title suggests a vision of things to come, an apocalyptic vision of light, blood, and death. The animal world, the human world, the vegetable world, the world of objects are all flung together in a kind of "dance macabre."

ARTHUR RIMBAUD (1854–1891), vagabond and trader, born at Charleville in the Ardennes. *Major influences:* his birthplace; his deserted and stern mother; his teacher, George Izambard; omnivorous reading; Paris; Verlaine; Commune of 1871; drugs; flights from Charleville and homecomings. A chronological presentation emphasizes the rapid changes in Rimbaud's conception of what poetry should be and what the poet should do. The poems become increasingly complex, the language more and more removed from logical patterns and traditional images. In the early poems, the poet is creator and spectator, but from

the "Bateau ivre" on which he is creator, spectator and actor—a world unto himself. The "Baiser d'or du bois" in "Tête de faune," the "Million d'oiseaux d'or, ô future Vigueur," which is the goal of the voyage of the drunk but lucid boat, constitute the central image in the 1871 poems. It is the alchemist's gold, the secret of the universe, the original purity and harmony for which the poet is searching. In the later poems, the poet recognizes that he cannot find "la future vigueur" but that he can continue to project "million d'oiseaux d'or"—a vision, a sound, a movement which evokes the lost and unregained paradise. It is not, however, by any immediate revelation that the reader gains access to this world. The reading of the poems is a spiritual exercise, which trains, develops, conditions us finally to receive Rimbaud's word.

JULES SUPERVIELLE (1884–1960), dramatist, short story writer, civil servant, born of French parents at Montevideo in Uruguay. *Major influences:* Uruguay; early death of parents; education in France; delicate health; his six children; long sojourns in South America; Jean Paulhan and the N. R. F. Each of these five poems written between 1919 and 1949 evokes the same images: the reduction of the human world to a mysterious sadness and the reduction of the physical world to odors, tastes, and sounds. The octosyllabic lines of "Prophétie" and "À moi-même quand je serai posthume," like the six-syllable lines of "La Dormeuse," create a delicate, songlike effect in keeping with the delicacy and tenderness of the poet's feeling. All of Supervielle's poems are a "vague sentence" which he writes and rewrites, trying to say better what the passing spectacle of life on this planet may mean. The last poem, "La Mer," is an attempt to give meaning to that which is most elusive in man.

PAUL VALÉRY (1871–1945) secretary, critic, essayist, professor, born at Sète. *Major influences:* Mediterranean landscapes; Mallarmé; Poe; mathematical and scientific thought. "Féerie," the only one of Valéry's early poems (written in the 1890's) included in this anthology, is an excellent example of a "fin de siècle" symbolist landscape. The moon, the marble, the swans, and the rose are as conventional as the rock, the waves and the wind in Romantic poems. Yet some of the most marked characteristics of the later Valéry are hinted at in this poem: the play of light and shadow, the sensuality of the soft flesh of the roses, the construction of an ideal décor which the intrusion of the real world destroys. *Charmes,* the title of his major collection of verse, suggests the effect the poet is trying to produce and the way in which we must read the poems in order to experience this effect. "Charmes," or *carmina* in Latin, were originally rhythmical incantations, hermetic formulas whose secret meaning was not known. Valéry's poems are not mystical formulas but they are rhythmical incantations. Insofar as it is possible, we should attempt to read them by following Valéry's own creative process; first the rhythm, then the images and then the "idea." Each of the six poems from *Charmes* is a dramatic monologue in which the poet creates the ideal form that corresponds to his mental universe.

PAUL VERLAINE (1844–1896), copying clerk, born at Metz, in the east of France. *Major influences:* bohemian life; his wife; Arthur Rimbaud; two years in prison; sentimental Catholicism; absinthe; poverty. Most of these poems are based on correspondences or relationships be-

tween the poet's languor—a spiritual and physical apathy whose source is unknown—and a particular landscape. A rainy autumn day, a moonlit night, a vast plain, a bird singing in a tree, a merry-go-round, the dead leaf that falls, the decadent Roman Empire, Parsifal, are all images of the poet's impotence. But this paralysis has its compensation in a kind of voluptuous abandon: "Et ô ces voix d'enfants chantant dans la coupole." The liquid consonants (l and r), the nasalized vowels, the sonorous and rhythmical effects produced by run-on lines, alliteration and rich rhymes, deserve careful analysis. Like the masks and bergamasks (Italian country dances) in "Clair de lune," Verlaine always performs in a minor key, orchestrating sounds into thematic groups.

Bibliography

GENERAL WORKS

Balakian, A. *Surrealism*. New York: 1959.

Béguin, A. *L'Ame romantique et le rêve*. Paris: 1946.

Bernard, S. *Le Poème en prose de Baudelaire jusqu'à nos jours*. Paris: 1959.

Bowra, C. M. *The Heritage of Symbolism*. London: 1943. *The Creative Experiment*. London: 1949. *Inspiration and Poetry*. Cambridge: 1951.

Cambaire, C. *The Influence of Edgar Allan Poe in France*. New York: 1927.

Chiari, J. *Symbolisme from Poe to Mallarmé*. London: 1956.

Cornell, K. *The Symbolist Movement*. New Haven: 1951.

Eigeldinger, M. *Le Dynamisme de l'image dans la poésie française*. Neuchâtel: 1943.

Eliot, T. S. "Note sur Mallarmé et Poe," *Nouvelle Revue Française*, vol. 27 (1926), pp. 524-26. *Selected Essays (1917–1932)*. New York: 1932. *The Use of Poetry and the Use of Criticism*. Cambridge, Mass.: 1933.

Gourmont, R. *Le Livre des masques*. Paris: vol. I, 1896; vol. II, 1898.

Grammont, M. *Petit traité de versification française*. Paris: 1958.

Graves, R. *The White Goddess*. New York: 1959.

Jones, P. *The Background of Modern French Poetry*. Cambridge: 1951.

Kahn, G. *Symbolistes et décadents*. Paris: 1902.

Lehmann, A. G. *The Symbolist Aesthetic in France, 1885–1895*. Oxford: 1950.

Lemaitre, G. *From Cubism to Surrealism in French Literature*. Cambridge, Mass.: 1941.

Michaud, G. *La Doctrine symboliste*, Paris: 1947. *Message poétique du Symbolisme*, 3 vols. Paris: 1947.

Nadeau, M. *Histoire du surréalisme*. Paris: 1945.

Poe, E. A. "The Poetic Principle" and "The Philosophy of Composition" in *Selected Poetry and Prose*. London: 1956.

Raymond, M. *De Baudelaire au surréalisme*. Paris: 1933. New edition: Paris: 1940.

Richard, J. P. *Poésie et profondeur*. Paris: 1955.

Richards, I. A. *Practical Criticism*. New York: 1929.

Schmidt, A. M. *La Littérature symboliste*. Paris: 1947.

Valéry, Paul. *Œuvres*. Edited by Jean Hytier. Paris: 1957.

Verlaine, Paul. *Les Poètes maudits*. Paris: 1884.

Wellek, R. and A. Warren. *Theory of Literature*. New York: 1956.

Yale French Studies: "Poetry Since the Liberation," no. 21. "Symbol and Symbolism," no. 9.

ANTHOLOGIES WITH INTRODUCTIONS

Boase, A. M. *The Poetry of France*. London: 1952.

Burnshaw, S. *The Poem Itself*. New York: 1960.

Fowlie, W. *Mid-Century French Poets*. New York: 1955.

Gibson, R. *Modern French Poets on Poetry*. Cambridge: 1961.

Hackett, C. A. *An Anthology of Modern French Poetry*. Oxford: 1950.

Hartley, A. *The Penguin Book of French Verse: 3, The Nineteenth Century; 4, The Twentieth Century*. Bungay, Suffolk: 1959.

Jones, P. *An Anthology of Modern French Verse*. Manchester: 1954.

Kneller, J. W. and H. A. Grubbs. *Introduction à la poésie française*. Oberlin, Ohio: 1955.

SELECTED WORKS WITH INTRODUCTIONS AND BIBLIOGRAPHIES

Classiques Larousse. Paris: Librairie Larousse. Adrien Cart and Mlle. S. Hamel, *Baudelaire* (1934); Gilbert Rouger, *Nerval* (1936); Etiemble, *Rimbaud* (1957); Alexandre

Micha, *Verlaine et les poètes symbolistes* (1943); Robert Monestier, *Valéry* (1958).

La Bibliothèque idéale. Paris: Gallimard. André Berne-Joffroy, *Valéry* (1960); Stanislas Fumet, *Claudel* (1958); R. Etiemble, *Supervielle* (1960); Jean-Jacques Kihm, *Cocteau* (1960).

Ecrivains de Toujours. Paris: Editions du Seuil. Pascal Pia, *Baudelaire par lui-même* (1959), *Apollinaire par lui-même* (1954); Yves Bonnefoy, *Rimbaud par lui-même* (1961); André Fraigneau, *Cocteau par lui-même* (1957).

Poètes d'Aujourd'hui. Paris: Seghers. M. J. Durry, *Jules Laforgue* (1952); Philippe Soupault, *Lautréamont* (1960); André Billy, *Max Jacob* (1946); Claudine Chonez, *Léon-Paul Fargue* (1950); Louis Parrot, *Blaise Cendrars* (1948); Jean Rousselot and Michel Manoll, *Pierre Reverdy* (1951); Claude Roy, *Louis Aragon* (1945); Alain Bosquet, *Saint-John Perse* (1960); René Micha, *Pierre Jean Jouve* (1956); Jean Louis Bédouin, *André Breton* (1950); Roger Lannes, *Jean Cocteau* (1945); Louis Parrot, *Paul Eluard* (1948); Claude Roy, *Jules Supervielle* (1961); Pierre Berger, *Robert Desnos* (1950); René Bertelé, *Henri Michaux* (1946); Pierre Berger, *René Char* (1947); Alain Bosquet, *Pierre Emmanuel* (1959).

COLLECTED AND CRITICAL WORKS *

Gérard de Nerval

Œuvres. Edited and with an Introduction by Albert Béguin and Jean Richer. Paris: Gallimard, 1952.

Albérès, R. M. *Gérard de Nerval.* Paris: Editions Universitaires, 1955.

Moulin, J. *Les Chimères, exégèse.* Paris: Droz, 1949.

Charles Baudelaire

Les Fleurs du mal. Edited by J. Crépet and G. Blin. Paris: José Corti, 1942.

* Only complete editions of each poet's work are given except in cases where the work is still uncollected, major volumes being indicated on the contents page. Similarly only the most recent critical works have been included. They contain extensive bibliographies.

Œuvres complètes. Edited and with an Introduction by Y. G. le Dantec, revised by Claude Pichois. Paris: Gallimard, 1961.

Austin, L. J. *L'Univers poétique de Baudelaire*. Paris: Mercure de France, 1956.

Hubert, J. *L'Esthétique des Fleurs du mal*. Genève: P. Cailler, 1953.

Prévost, J. *Baudelaire: Essai sur l'inspiration et la création poétiques*. Paris: Mercure de France, 1953.

Ruff, M. A. *Baudelaire, l'homme et l'œuvre*. Paris: Hatier-Boivin, 1957.

Stéphane Mallarmé

Œuvres complètes. Edited and with an Introduction by Henri Mondor and G. Jean Aubry. Paris: Gallimard, 1945.

Davies, G. *Les 'Tombeaux' de Mallarmé, Essai d'exégèse raisonnée*. Paris: José Corti, 1959.

Michaud, G. *Mallarmé, l'homme et l'œuvre*. Paris: Hatier-Boivin, 1953.

Noulet, E. *Dix poèmes, exégèses*. Geneva: Droz, 1948.

Arthur Rimbaud

Œuvres complètes. Edited and with an Introduction by Roland de Renéville et J. Mouquet. Paris: Gallimard, 1952.

Etiemble, R. *Le Mythe de Rimbaud*. 3 vols. Paris: Gallimard, 1952.

Hackett, C. A. *Rimbaud*. London: Bowes and Bowes, 1957.

Paul Verlaine

Œuvres poétiques complètes. Edited by Y. G. le Dantec. Paris: Gallimard, 1942.

Cuénot, C. *Verlaine, l'homme et l'œuvre*. Paris: Hatier-Boivin, 1953.

Jules Laforgue

Œuvres complètes edited by M. Jean-Aubry. To be published by Mercure de France, in 8 vols.

Guichard, L. *Jules Laforgue et ses poésies*. Paris: Presses Universitaires Françaises, 1950.

Ramsey, W. *Jules Laforgue and the Ironic Inheritance.* New York: Oxford University Press, 1953.

Reboul, P. *Laforgue:* Connaissance des lettres. Paris: Hatier-Boivin, 1960.

Lautréamont

Œuvres complètes. Paris: José Corti, 1947.

Blanchot, M. *Lautréamont et Sade.* Paris: Editions de Minuit, 1950.

Paul Valéry

Œuvres I and II. Edited by Jean Hytier with a biographical introduction by Agathe Rouart-Valéry. Paris: Gallimard, 1957, 1960.

Cohen, G. *Essai d'explication du "Cimetière marin."* Paris: Gallimard, 1946.

Hytier, J. *La Poétique de Valéry.* Paris: Armand Colin, 1953.

Scarfe, E. *Paul Valéry.* London: Heinemann, 1954.

Paul Claudel

Œuvre poétique. Introduction by Stanislas Fumet. Paris: Gallimard, 1957.

Barjon, L. *Paul Claudel.* Paris: Editions Universitaires, 1953.

Chonez, C. *Introduction à Paul Claudel.* Paris: Albin Michel, 1947.

Fowlie, W. *Claudel.* London: Bowes and Bowes, 1957.

Charles Péguy

Œuvres poétiques complètes. Edited and with Introduction by François Porché, Pierre Péguy, Marcel Péguy. Paris: Gallimard, 1941.

Guyon, B. *L'Art de Péguy.* Paris: Cahiers de l'Amitié Charles Péguy, 1948.

Onimus, J. *L'Image dans l'Eve de Péguy: Essai sur la symbolique et l'art de Péguy.* Paris: Cahiers de l'Amitié Charles Péguy, 1952.

Guillaume Apollinaire

Œuvres poétiques complètes. Edited by M. Adéma and M. Décaudin. Preface by André Billy. Paris: Gallimard, 1956.

Adéma, M. *Guillaume Apollinaire le mal-aimé.* Paris: Plon, 1952.

Durry, M.-J. *Guillaume Apollinaire: Alcools.* Paris: S.E.D.E.S., 1956.

Shattuck, R. *The Banquet Years.* New York: Harcourt, Brace, 1958.

Alfred Jarry

Œuvres complètes. Edited by René Massat. Monte Carlo: Editions du Livre, 1942.

Jean, M. and M. Arpad. "Jarry et le Tourbillon contemporain," *Almanach surréaliste du demi-siècle.* La Nef, No. 63-64 (1950).

Rousseaux, A. "Situation d'Alfred Jarry," *Le Monde classique.* Paris: Albin Michel, 1951.

Max Jacob

Morceaux choisis. Paris: Gallimard, 1937.

Rousselot, J. *Max Jacob, l'homme qui faisait penser à Dieu.* Paris, Laffont: 1946.

Léon-Paul Fargue

Poèmes. Paris: Gallimard, 1947.

Blaise Cendrars

Poésies complètes de Blaise Cendrars. Introduction by J. H. Lévesque. Paris: Editions Denoël, 1944.

Pierre Reverdy

Plupart du temps, poèmes, 1915–22. Paris: Gallimard, 1945.

Béguin, A. "Pierre Reverdy," *Poésie de la présence.* Paris: Editions du Seuil, 1957.

Emmanuel, P. "De Mallarmé à Reverdy," *Poésie Raison Ardente*. Paris: Editions du Seuil, 1947.

Jules Supervielle

Choix de poèmes. Paris: Gallimard, 1947.
Greene, T. *Jules Supervielle*. Paris, Geneva: Droz, 1958.

Saint-John Perse

Œuvre poétique. 2 vols., Paris: Gallimard, 1960.
Caillois, R. *Poétique de Saint-John Perse*. Paris: Gallimard, 1954.
Guicharnaud, J. "Vowels of the Sea: *Amers* by Saint-John Perse," *Yale French Studies,* No. 21 (Spring-Summer 1958), 72-82.

Pierre Jean Jouve

Lyrique. Paris: Mercure de France, 1956.
Rousselot, J. *Pierre Jean Jouve ou le rôle sanctificateur de l'œuvre d'art*. Paris: L'Esprit des Lettres, 1956.

André Breton

Poèmes. Paris: Gallimard, 1948.
Carrouges, M. *André Breton et les données fondamentales du surréalisme*. Paris: Gallimard, 1950.
Eideldinger, M. *André Breton. Essais et témoignages*. Neuchâtel: La Baconnière, 1950.

Jean Cocteau

Œuvres complètes de Jean Cocteau. Geneva: Edition Marguerat, 1946–50.
Crosland, M. *Cocteau*. New York: Knopf, 1956.

Paul Eluard

Choix de poèmes. Paris: Gallimard, 1946.

Louis Aragon

Poésies, Anthologie 1917–60. Paris: Le Club du meilleur livre, 1960.

Robert Desnos

Choix de poèmes. Paris: Editions de Minuit, 1946.

Jacques Prévert

Histoires. Paris: Editions du Pré aux clercs, 1948; *Spectacles* (1951), *La Pluie et le beau temps* (1955). Both Paris: Gallimard.

Queval, J. *Jacques Prévert.* Paris: Mercure de France, 1955.

Henri Michaux

Selected Writings: The Space Within, translated with an introduction by R. Ellmann. New York: New Directions, 1950.

Espace du dedans: Anthologie (1944), *La Vie dans les plis* (1949), *Passages* (1950), *Nouvelles de l'étranger* (1952), *Face aux verrous* (1954). All Paris: Gallimard.

Coulon, P. de. *Henri Michaux, poète de notre société.* Neuchâtel: La Baconnière, 1949.

Gide, A. *Découvrons Henri Michaux.* Paris: Gallimard, 1941.

Francis Ponge

Dix Courts sur la méthode. Paris: Seghers, 1946; *Proêmes.* Paris: Gallimard, 1948.

Gros, L.-G. "Francis Ponge, le parti-pris des choses," in *Les Poètes contemporains* (deuxième série). Paris: Cahiers du Sud, 1951.

Sartre, J.-P. *L'Homme et les choses.* Paris: Seghers, 1947.

René Char

Poèmes et prose choisis (1935–57). Paris: Gallimard, 1957.

Mounin, Georges. *Avez-vous lu Char?* Paris: Gallimard, 1946.

Pierre Emmanuel

Tombeau d'Orphée. Paris: Seghers, 1941; *Cantos.* Neuchâtel: Ides et Calendes, 1944; *La Liberté guide nos pas.* Paris: Seghers, 1945; *Tristesse ô ma patrie.* Paris: Fontaine, 1946; *Babel.* Paris: Desclée de Brower, 1951.

Yves Bonnefoy

   Pierre écrite. Paris: Mercure de France, 1959.
   Brée, G. "New French Poetry," *New French Writing*. New York: Criterion Books, 1961.

Philippe Jaccottet

   Requiem. Lausanne: Mermod, 1947; *L'Ignorant*. Paris: Gallimard, 1958.